# O LIVRO DE JÔ

UMA AUTOBIOGRAFIA DESAUTORIZADA

VOLUME 2

# JÔ SOARES
### E MATINAS SUZUKI JR.
APRESENTAM

# O LIVRO DE JÔ
## UMA AUTOBIOGRAFIA DESAUTORIZADA
### VOLUME 2

Copyright © 2018 by Jô Soares

*Por se tratar de uma obra de memórias, em várias passagens este livro reproduz um vocabulário de época que precisa ser considerado em seu contexto histórico.*

*Grafia atualizada segundo o Acordo Ortográfico da Língua Portuguesa de 1990, que entrou em vigor no Brasil em 2009.*

*Capa e projeto gráfico*
Alceu Chiesorin Nunes

*Foto de capa*
Zé Pinto/ Abril Comunicações s/a

*Fotos de guarda*
Chico Albuquerque/ Convênio Museu da Imagem e do Som-sp/
Instituto Moreira Salles
Marcos Vilas Boas

*Foto de quarta capa*
Paulo Vitale

*Cadernos de fotos*
Joana Figueiredo

*Preparação*
Márcia Copola
Ciça Caropreso

*Checagem*
Érico Melo

*Índice onomástico*
Luciano Marchiori

*Revisão*
Huendel Viana e Thaís Totino Richter

---

Dados Internacionais de Catalogação na Publicação (cip)
(Câmara Brasileira do Livro, sp, Brasil)

Soares, Jô
   O livro de Jô : Uma autobiografia desautorizada : volume 2 /
Jô Soares e Matinas Suzuki Jr. apresentam. — 1ª ed. — São Paulo :
Companhia das Letras, 2018.

   Sequência de: O livro de Jô : volume 1.
   isbn 978-85-359-3175-4

   1. Apresentadores (Teatro, televisão etc.) – Brasil – Biografia
2. Soares, Jô, 1938- i. Suzuki Junior, Matinas. ii. Título.

| 18-21146 | CDD-927.9145 |
|---|---|

Índice para catálogo sistemático:
1. Apresentadores de programas : Televisão : Biografia   927.9145

Maria Alice Ferreira – Bibliotecária – crb-8/7964

---

*2ª reimpressão*

[2022]
Todos os direitos desta edição reservados à
EDITORA SCHWARCZ S.A.
Rua Bandeira Paulista, 702, cj. 32
04532-002 — São Paulo — sp
Telefone: (11) 3707-3500
www.companhiadasletras.com.br
www.blogdacompanhia.com.br
facebook.com/companhiadasletras
instagram.com/companhiadasletras
twitter.com/cialetras

*Para a Flavinha*

*O elevador parou no oitavo andar do Bristol Plaza,*
*na esquina da rua 65 com a Terceira Avenida, em*
*Nova York. Respeitosamente, eu disse ao magnífico*
*ator britânico Kenneth Branagh:*
— After you, Sir.
*Ele me olhou com seus olhos de um azul profundo e*
*respondeu:*
— No, no, no. After you, Sir. Comedy always
before tragedy.

# Sumário

O LIVRO DE JÔ, 11

Agradecimentos, 311
Bibliografia, 313
Créditos das imagens, 316
Índice onomástico, 319

# O LIVRO DE JÔ

# I

Em 1968, José Bonifácio de Oliveira Sobrinho, o Boni (pra mim, Bonifácio), me convidou para uma conversa na Globo, que ficava na rua das Palmeiras, no bairro de Santa Cecília, perto do centro de São Paulo. A emissora começara a operar na capital no ano anterior, quando adquiriu a TV Paulista, a menor das estações da cidade, da Organização Victor Costa. Boni tinha planos pra mudar os programas humorísticos na televisão brasileira — herdeiros em grande parte daqueles do período de ouro do rádio, dos teatros de revista da praça Tiradentes e do ciclo das chanchadas da Atlântida. Batemos um ótimo papo. No fim, ele me perguntou:

— Então, Jô, começamos em janeiro?

— Sim, só posso mesmo depois do final do ano, porque eu tenho contrato com a Record até lá.

— Você mandou alguma carta ao Paulinho [Machado de Carvalho] dizendo que não vai renovar o contrato?

— Não, porque ele sempre me disse que esse negócio de carta não existia entre nós, não tinha a menor necessidade.

"Carta", no linguajar da época, era o aviso com antecedência de que o artista não pretendia renovar o contrato com a emissora. Não se tratava de um negócio levado a ferro e fogo, as relações até então funcionavam amadoristicamente. Eu procurei o Paulinho e disse:

— Olha, não vou renovar com a Record. Esse ano é o último aqui porque eu tenho uma proposta irrecusável da Globo.

— Mas você nos mandou alguma carta com seis meses de antecedência avisando que não continuaria conosco?

— Não, não mandei: vocês sempre disseram que não precisava.

— Nós dizemos que não precisa quando não temos mais interesse no artista. Mas, no seu caso, nós temos interesse e é claro que a gente não vai deixar você sair.

Que remédio senão contar tudo pro Boni?

Ele me disse:

— Eu te falei que não deixariam você sair de uma hora pra outra.

A *Família Trapo* ainda dava muita audiência e minha contribuição continuava a ser importante pra Record. Achava que seria mais fácil mudar de emissora, mas estava sendo ingênuo. Enviei a carta no meio de 1969, e no fim do ano estava livre para ir trabalhar no canal carioca. Quem ficou bastante sentido comigo foi o irmão do Paulinho, o Tuta Machado de Carvalho, da minha querida e hiperinventiva Equipe A. Uma noite, fui à casa dele a fim de tentar pôr as coisas em pratos limpos. Eu disse:

— Tuta, eu peço desculpas se te magoei ou se você ficou com a impressão de que estou traindo a Record. É uma decisão de mudança de vida. Se ela te ofendeu, eu peço desculpas. "Perdoai as nossas ofensas", como se diz na oração.

Nos reconciliamos naquela mesma noite. Nunca deixei de reconhecer a importância que a Record teve no lançamento da minha carreira e sempre fui grato pelo tratamento fraternal que a família Machado de Carvalho me dedicou. Mas não era uma questão de dinheiro, apenas. Eu intuía que o novo em humorismo televisivo, a partir daquele momento, seria feito pela turma que estava se formando no Jardim Botânico, no Rio de Janeiro. No mundo do espetáculo, nós precisamos nos renovar. A repetição é quase sempre o fim do artista, sobretudo do humorista. A ideia era fazer um programa de humor juntamente com o fantástico comediante e escritor Renato Corte Real.

Graças a um desses raios eletrizantes de criatividade que, de quando em quando, cai trovejando e faiscando de talento num único projeto, o Boni, o Walter Clark e o Joseph Wallach, apoiados pela visão empresarial de Roberto Marinho, inauguraram uma nova era na televisão brasileira. A estreia do *Jornal Nacional*, em 1º de setembro de 1969, marcaria o início da emissora carioca como a primeira grande rede nacional de TV e como a responsável pelo formato de programação horizontal fixa para o chamado "horário nobre", que o Brasil inteiro passaria a saber de cor e salteado: novela + *Jornal Nacional* + novela + uma atração de variedades ou de jornalismo. Desde então, não só a televisão não seria mais a mesma; o país não seria mais o mesmo.

Em 1967, o Walter Clark levou o Boni para ser diretor de programação da Globo. Bonifácio nasceu em Osasco (SP), Walter nasceu em São Paulo mas foi menino pro Rio. Eles tinham menos de oito meses de diferença de idade, trabalharam juntos no período glorioso e breve da TV Rio, eram amigos e parceiros agora no maior empreendimento na área de mídia e comunicação do século XX brasileiro. Um dos segredos do Walter Clark para fazer o sucesso da TV Rio foi ter dado proeminência aos programas de humor. Nesse ponto, o Boni era seu companheiro ideal, uma vez que ele também sabia como poucos da importância do riso na conquista de audiência, em pleno período de formação da nossa televisão. Aliás, o humor foi tão fundamental na história da TV que o comediante americano Milton Berle, conhecido como Mr. Television por ter sido, nas décadas de 1940 e 1950, o primeiro grande êxito do veículo nos Estados Unidos, chegava a dar oitenta pontos de audiência nas noites de terça-feira. Para não perdê-lo, a rede

NBC fez um contrato astronômico na época, de 200 mil dólares por ano durante trinta anos!

Dois comediantes ajudaram muito a dupla Clark-Boni: o genial Chico Anysio, um dos pioneiros no uso dos recursos do videoteipe, e a impagável Dercy Gonçalves. Dercy, que morreu com 101 anos, ficou amiga do Bonifácio para o resto da vida, e ele sempre foi grato à humorista. Tendo fugido ainda adolescente da casa dos pais em Santa Maria Madalena, no estado do Rio, para se juntar a uma trupe de circo mambembe, Dolores Gonçalves Costa estrelava dois programas no auge da TV Excelsior, no início da década de 1960: *Vovô Deville*, no qual reencarnava satiricamente personagens femininos históricos como Chapeuzinho Vermelho, Cleópatra, Lucrécia Borgia, a Julieta Capuleto de Shakespeare, e *Dercy Beaucoup*, com textos especialmente escritos pra ela. Walter e Bonifácio, resolvidos a levá-la para a TV Rio, deram um pulo no apartamento em que a artista morava com o advogado e especialista em direitos autorais David Raw, em Copacabana, na rua Tonelero, 180 (tratava-se do mesmo prédio em frente ao qual, na madrugada de 5 de agosto de 1954, ocorreu o atentado contra o jornalista e então candidato a deputado Carlos Lacerda, fato que precipitou a crise que levaria Getúlio ao suicídio). Quem também morava na mesma rua, e posteriormente foi diretor do jornalismo da Globo, era o meu grande amigo Armando Nogueira, uma das únicas testemunhas do atentado.

Voltando à Dercy. Sua primeira pergunta foi:

— Quanto é que eu levo nisso?

No fundo, a comediante não queria sair da TV Excelsior: tinha ótima audiência, era paparicada como uma rainha (ela, que ralou muito para chegar ao topo, ficava feliz com esse tipo de tratamento) e adorava o diretor de seus programas, Carlos Manga. Diga-se de passagem, naquela época, ainda antes do regime militar, muitas das falas e gestos de Dercy já sofriam cortes por parte do Serviço de Censura de Diversões Públicas. Mas o Walter e o

Boni tinham bons projetos e acabaram convencendo-a a trocar de canal. Acertaram um salário maior que o da Excelsior e, como Dercy alegava estar à beira da exaustão de tanto trabalhar, ofereceram ao casal uma viagem de férias ao México e aos EUA.

Uma das primeiras grandes ideias do Bonifácio na TV Rio, em 1964, foi a de adaptar pra televisão a novela *O direito de nascer*, que havia feito um estrondoso sucesso no Brasil (e em toda a América Latina) em 1951 e 1952, quando seus longuíssimos 314 capítulos foram veiculados pelas ondas curtas da Rádio Nacional, com sede no Rio de Janeiro. Para transformar o dramalhão em telenovela, ele precisava da autorização de seu autor, o cubano Félix Caignet, então morando no México. Caignet — que foi jornalista, pintor, poeta, crítico de teatro, criador de histórias infantis, radialista, autor de textos para o rádio, compositor e, ufa!, cantor, e que chegou a fazer duetos com a mais famosa cantora e atriz cubana da primeira metade do século passado, a diva Rita Montaner, chamada de La Única — nunca escondeu que sua principal habilidade era fazer a audiência chorar. A frase dele mais conhecida é: "As pessoas sempre querem chorar. O que eu faço é lhes dar um motivo para isso".

O escritor e jornalista colombiano Gabriel García Márquez, prêmio Nobel de literatura de 1982, confessa em *Viver para contar* que, quando foi vendedor porta a porta de enciclopédias e livros técnicos da editora González Porto, sua vida estava tão difícil que "a única coisa que devolveu meu sossego foram os amores contrariados de *O direito de nascer*, a radionovela de dom Félix B. Caignet, cujo impacto popular reviveu minhas velhas esperanças com a literatura de lágrimas". O autor cubano foi localizado no México pelo Boni, que ligou pra ele e disse que queria adaptar seu texto para a TV brasileira. Segundo o próprio Boni, Caignet lhe respondeu:

— O problema são os impostos. Sou cubano e metade do dinheiro vai ficar com o governo mexicano. Eu faço um contrato por um preço e você me paga o resto por fora em dinheiro vivo.

— Quanto?

— Seis mil dólares. Mil no contrato. Cinco mil na mão. Por esse valor, te dou *O direito de nascer* e mais duas novelas.

— Fechado. Quer que eu mande o contrato daqui ou você prefere fazer o documento?

— Meu agente faz. Chama-se Ladrón Guevara.

Bem, já que a Dercy e o David Raw iam passar pelo México, na viagem de férias paga pela TV Rio, o Bonifácio pediu a ela que entregasse os 5 mil dólares, em cash, para o tal do Ladrón. Dercy levou a bufunfa costurada em seu casaco de pele. Da Cidade do México, ela ligou:

— Boni, tudo resolvido.

— Pagou o Caignet?

— Paguei, porra! Encontrei com o Ladrón […]. Ele me entregou uma mala cheia de papel pra levar pra vocês. Que coisa… 5 mil dólares por uma mala xexelenta e um monte de papel velho. Eu, hein?! Não é à toa que o cara se chama Ladrón.

O Bonifácio tinha acertado na mosca, mas curiosamente não estava mais no canal quando a radionovela se metamorfoseou em telenovela. Cansado de dar trombadas com o Pipa Amaral, o dono da TV Rio, ele se demitiu. O primeiro capítulo de *O direito de nascer* foi transmitido pela emissora carioca e pela Tupi de São Paulo em 7 de dezembro de 1964 e, enquanto esteve no ar, até 13 de agosto de 1965, a novela parou o país no horário das 21h30. Além dos aspectos dramáticos que garantiram seu sucesso tanto no rádio quanto, mais de uma década depois, na televisão, certamente o clima de conservadorismo que se instalou no Brasil após o golpe militar de 1º de abril de 1964 contribuiu para o êxito da lacrimosa história escrita por Caignet. Mas o que nem o Walter nem o Bonifácio jamais imaginaram é que Dercy passaria a perna neles. Quando voltou da viagem de férias, estava arrependidíssima da "cagada" — a nota lírica é dela mesma — de ter trocado a Excelsior pela TV Rio. Dali a poucos dias, o Walter Clark recebeu um telefonema da Decimar, filha de Dercy:

— A mamãe não vai poder continuar as gravações, ela está com estresse. Se internou na Clínica São Vicente.

Ele e o Bonifácio correram pro hospital e encontraram completamente prostrada aquela que seria uma das principais atrações do canal que começavam a construir. Debaixo das cobertas, sem olhar para eles, Dercy reclamava de esgotamento, alegava não ter condições de voltar a trabalhar na televisão e por isso queria rescindir o contrato. Pura armação de uma grande atriz. O Carlos Manga, inconformado em perdê-la para o canal concorrente, ligou pra Dercy quando ela ainda estava no México e ofereceu o dobro do salário que fora acertado com a TV Rio. No ótimo livro *Dercy de cabo a rabo*, escrito pela Maria Adelaide Amaral, ela confessa:

> Continuei representando a moribunda, com uma pena danada dos dois [Walter Clark e Boni], uma puta dor na consciência, porque estava fazendo vigarice, pensando "gosto tanto desses caras, puta cachorrada da minha parte!", mas ao mesmo tempo pensava também "merda! Só estou defendendo a minha arte".
>
> — Então você não tem mesmo condições de trabalhar? — perguntou o Boni, sentindo cheiro de sacanagem no ar.
>
> — Ahn…?
>
> Eles demoraram um montão de tempo pra sair, mas quando foram embora meu contrato estava cancelado […].

Tempos depois, o Walter Clark conseguiria finalmente trazer a Dercy Gonçalves para seu time, agora na TV Globo, e ela reeditou o imenso sucesso que fizera na Excelsior. Em 1966, tinha também dois programas no novo canal: o *Dercy Comédias* (mais tarde transformado no *Dercy de Verdade*), às sextas, e o *Dercy Espetacular*, no horário nobilíssimo do domingo à noite. Na Globo daqueles tempos, a produção era precária. Dercy foi uma das pessoas que mais incentivaram o Walter a contratar o Boni, porque sabia que ele poderia dar um salto de qualidade nos programas da emissora.

Por causa do seu jeito esculachado e da boca cheia de palavrões, as pessoas tinham uma imagem distorcida da Dercy Gonçalves. Dercy era uma profissional impecável e cuidava com todo o esmero da produção de seus programas, a começar pelos figurinos. Mas, sobretudo, foi uma genial desbocada desde o início. Meu amigo José Celso Martinez Corrêa, entre muitos outros, se divertia a valer nos espetáculos dela no Teatro das Nações (que também era conhecido como Teatro Dercy Gonçalves), na avenida São João, centro de São Paulo, nos anos 1960. O Zé e eu não perdíamos os filmes dela. A plateia a adorava. Lembro bem que estávamos assistindo a um desses filmes quando, na hora de um superclose, ouvimos um rapaz que estava sentado atrás da gente suspirar embevecido:

— Como ela é linda!

Desconfio que um dos motivos para o público se divertir — e não se ofender — com os palavrões ditos pela Dercy é que ela era a mesma no palco e fora dele; havia uma autenticidade espontânea no seu humor.

Um dia, estávamos o Chico Anysio e eu fazendo a maquiagem nos estúdios da Globo, no Jardim Botânico, quando a Dercy apareceu. Ela entrou reclamando em voz alta que sua perereca estava ardendo. Nessas ocasiões, fora de cena, o Chico, que era um pouco mais reservado que eu, ficava constrangido. Porém, eu me divertia com o prazer quase infantil que ela mostrava ao fazer do palavrão a sua linguagem corriqueira, e jogava gasolina:

— O que houve, Dercy?

— Tem um empresário no interior do Paraná que tem a mania de querer comer todas as artistas que se apresentam na cidade. Eu achei que era um cavalheiro, me levou pra jantar, cheio de te-

-te-re-tê, mas, em vez de me levar de volta pro hotel, me levou pra um motel. Eu já com mais de setenta anos e ele querendo me comer. Deixei. Mas o cara foi violento, me machucou... fazia muito tempo que eu não dava pra ninguém... e agora a minha boceta está que é um couro duro. E ardendo muito. Onde é que já se viu? Uma velha de setenta anos...

A turma na sala de maquiagem — eu junto — não se aguentava de tanto rir. Depois que deixei a *Família Trapo*, a Dercy chegou a fazer uma temporada no programa. O Golias contava que ela pegava o texto, dava uma olhada de cima a baixo, suspirava e dizia:

— Bem, vamos lá.

E jogava o texto fora... Imaginem a Dercy e o Golias na gravação, a loucura que não devia ser.

Além do apoio do Roberto Marinho, para que o Walter Clark e o Bonifácio pudessem levar seus planos adiante, uma pessoa foi fundamental: o Joe Wallach. Nascido em Nova York, veio para o Brasil quando Marinho fez a parceria com o conglomerado de mídia americano Time-Life. A associação de um grupo jornalístico nacional com uma gigante de capital estrangeiro rendeu muita polêmica. Hoje em dia, o YouTube e a Netflix são canais da internet com 100% de capital estrangeiro e ninguém contesta o seu direito de atuar no país. Na época, a relação Globo-Time-Life virou até uma CPI, estimulada em grande parte pelo deputado João Calmon, diretor do grupo concorrente, os Diários e Emissoras Associados, do Assis Chateaubriand. Os ânimos se acirraram tanto que, como conta o Pedro Bial no seu livro sobre o fundador da Globo, Roberto Marinho chegou a pegar um revólver para acertar as contas com Carlos Lacerda, o governador da Guanabara — outro que fazia pressão pública contra o acordo e, muito inteligente e perspicaz, foi talvez o primeiro político brasileiro a perceber a força do novo veículo e a fazer uso intensivo da televisão. Ele vivia aporrinhando o Walter Clark pra aparecer na tv Rio.

Joe Wallach chegou aqui em agosto de 1965, quando fazia quatro meses que a Globo estava no ar. Curioso é que, no início de sua carreira, ele trabalhou numa estação de tv em San Diego, na Califórnia, junto com o Dick Carson, irmão do Johnny Carson, um dos meus heróis, que ficou por trinta anos à frente do *Tonight Show* — programa que foi uma das minhas referências quando vim a apresentar o primeiro talk show na televisão brasileira, em 1988. Joe era também primo do extraordinário ator americano do Actors Studio, Eli Wallach. A moça do tempo na estação em que o Joe Wallach trabalhava era filha de boliviano e minha xará. Chamava-se Jo Raquel Tejada (parente da importante líder política e defensora dos direitos humanos boliviana Lydia Gueiler Tejada, a única mulher a ser presidente do país andino). Pouco tempo depois, Jo seria mundialmente conhecida como a atriz e sexy symbol Raquel Welch.

Hoje todo mundo acha que a Globo já nasceu gigante, mas, na época dos primeiros encontros de Walter Clark, Boni e Joe Wallach, ela era o canal com menor audiência no Rio. Segundo o americano, perdia cerca de 250 mil dólares por mês, e só atingiria o equilíbrio financeiro em 1971. Quando a Globo enfim começou a ganhar oceanos de dinheiro e a praticamente monopolizar a audiência, havia uma dúvida no Rio de Janeiro sobre quem mandava mais na emissora: o Walter Clark ou Joe Wallach? A parada foi brilhantemente resolvida pelo excelente publicitário Mário Leão Ramos, que me perguntou:

— Quem vai na sala de quem?

— O Walter é que vai na sala do Joe Wallach — respondi.

— Então quem manda mais é o Joe Wallach.

Uma tarde de 1969, o Ricardo Amaral passou na nossa casa, na vilinha da Brigadeiro Luís Antônio. Jornalista paulistano, muito próximo ao Samuel Wainer, ele fazia enorme sucesso como empresário na área de entretenimento no Rio desde 1965, quando abriu uma lanchonete com cinema ao ar livre (estabelecimento conhecido como drive-in), a Drugstore, e um boliche na então quase deserta lagoa Rodrigo de Freitas. Com o fim da moda dos boliches, construiu na área uma boate que ficou famosíssima, a Sucata, e uma sala de espetáculos com 450 lugares, o Teatro da Lagoa. Ricardo e sua mulher, a linda e doce Gisella, viriam a se tornar grandes amigos pro resto da vida. Ele era uma curiosa combinação de bon vivant e festeiro com empreendedor destemido, dotado de ótimo faro para novidades e, pasmem, muito trabalhador. Pra mim, trata-se de um dos mais perfeitos representantes do *motto* que os americanos adoram: "*Work hard, play harder*". A boate — cujo nome saiu dos objetos de decoração da casa, feitos de peças de sucata — apresentou espetáculos memoráveis como o de Wilson Simonal, ou o de Elis Regina, dirigida pela dupla Luís Carlos d'Ugo Miele e Ronaldo Fernando Esquerdo e Bôscoli, que foi marido dela.

Na Sucata, Caetano Veloso, Gilberto Gil e os Mutantes fizeram a aterrissagem do seu objeto não identificado no Rio, em 1968, num show que o autor de "Alegria, alegria" classificou como "possivelmente a mais bem-sucedida peça do tropicalismo". Como parte da ambientação, foi dependurado o estandarte *Seja marginal seja herói*, do artista plástico Hélio Oiticica. Um juiz de direito esteve na boate, olhou com desgosto pra obra do HO e não só censurou o show, mas também fechou a casa noturna do Ricardo Amaral. O espetáculo teria ainda consequências mais drásticas para Caetano. Randal Juliano, conhecido apresentador de rádio e TV de São Paulo (ele pode ser visto no documentário *Uma noite em 67*, dirigido por Renato Terra e Ricardo Calil, entrevistando os artistas, ao lado de Cidinha Campos, no Festival de MPB da Record), declarou, no seu programa *Guerra é Guerra*, que o compositor da Bahia, no espetáculo na Sucata, cantava o Hino Nacional soltando palavrões e abraçado à bandeira brasileira — coisas que nunca ocorreram. Intimado pelo II Exército, na capital paulista, o apresentador assinou um depoimento confirmando o teor do comentário. Caetano foi preso e durante os interrogatórios no quartel da Polícia do Exército, no bairro carioca da Tijuca, o acusaram de ter praticado as ações relatadas por Juliano. Ele contou pela primeira vez essa história quando o entrevistei, em 1992, no *Jô Soares Onze e Meia*. Houve grande repercussão na imprensa, e me senti na obrigação moral de levar Randal Juliano ao programa.

O ex-apresentador estava muito abatido, vergado, olhava para baixo o tempo todo.

— Me sinto como se tivesse tomado um soco no fígado… Se soubesse as consequências do comentário que fiz, eu jamais teria feito — declarou.

Quando da prisão do Caetano e do Gil, Ricardo Amaral, digníssimo, depôs afirmando que as acusações eram falsas. Outra coisa corajosa que ele fez naqueles anos: com um anúncio da Sucata, foi um dos quatro patrocinadores do primeiro número do *Pasquim*, o jornal nanico que melhor captou o espírito de uma época imensa — e também sofreu as consequências disso.

Chico Anysio terminava a sua temporada de grande sucesso, e o Ricardo precisava de uma nova atração pro Teatro da Lagoa. Foi quando teve o estalo: depois do magro, só o gordo. Portanto, ali estava ele, em casa, me convidando pra fazer o meu primeiro show solo em teatro. Uma das ironias dessa história é que Theresinha e eu tínhamos nos mudado para a capital paulista porque lá havia mais espaço pra esse tipo de show — que o Ricardo Amaral agora me convidava a fazer… no Rio. A outra ironia vinha do fato de que, como contei no volume anterior destas memórias desautorizadas, anos antes o próprio Ricardo dissera em sua coluna na *Última Hora* de São Paulo que eu não teria futuro como humorista… "Um gordinho sem graça nenhuma…", escreveu ele.

Embora estivesse louco pra fazer o meu próprio espetáculo, relutei em aceitar o convite. Com isso, o Ricardo aumentou bem a proposta financeira: me garantiria um fixo de tanto — que era o dobro do que eu ganhava na televisão — e a gente racharia os lucros meio a meio. Ele pagaria também o aluguel de um imóvel para os dias em que eu teria de ficar no Rio. Foi um dos melhores negócios da minha vida, e nunca deixo de agradecer ao Ricardo Amaral pela oportunidade. Com o dinheiro desse e dos demais shows que faria com ele, comprei uma casa maior, na rua Bento de Andrade, mais próxima ao Parque do Ibirapuera, que pudemos decorar exatamente como queríamos. Gordo metido que sempre fui, coloquei até um brasão com as letras js nos vidros das janelas. A Japonesinha da Lagoa — era assim que eu chamava o Ricardo, por causa dos seus olhos puxados — acertou na ideia de revezamento do Gordo e do Magro como a principal atração do teatro, e eu e Chico Anysio fizemos longas temporadas às margens da lagoa Rodrigo de Freitas.

Um hábito que preservei na minha vida em São Paulo foi o de frequentar o prado. Nunca fui muito de apostar, mas, certa vez, um cara que eu conhecia do Jockey Club me disse pra jogar no cavalo tal, que ia pagar bem, e resolvi arriscar. O cavalo era um azarão, ganhou e pagou uma *poule* (nome do bilhete das apostas) altíssima. Algum tempo depois, provavelmente numa quinta-feira, eu estava reunido com o Ricardo Amaral em casa para tratar da peça que ele produziria (*Tudo no escuro*), e o mesmo fulano do Jockey me ligou:

— Jô, hoje no último páreo tem um potro certeiro.

Corremos pro prado de Cidade Jardim. Apostamos confiantes na dica. O cavalo escolhido disparou léguas à frente. Eu olhei pro Ricardo, Ricardo olhou pra mim, ficamos com aquele sorriso bobo de "já ganhamos". Depois da curva, o cavalo foi sendo atropelado pelos outros, foi perdendo terreno, perdendo terreno... e chegou em último. Acho que deram a dosagem de doping errada.

A gente saiu rindo, rasgando as *poules*, e, quando íamos entrar no carro, o porteiro do Jockey fez uma gozação comigo:

— É, seu Jô, na Ultralar dá pé, mas aqui não dá, não.

A publicidade brasileira entrava nos anos dourados, e eu ganhava bons rendimentos extras com comerciais para a TV. Alguns ainda podem ser vistos no imenso museu da imagem e do som global que é o YouTube, como os dos biscoitos Tostines, os das geladeiras Westinghouse e o do Grupo Atlântica de Seguros (junto com o Renato Corte Real). No princípio dos anos 1970, passei a atuar na publicidade das lojas Ultralar, que pertenciam ao Grupo Ultra. Fiz uma variedade de anúncios, umas vezes como piloto de carro de corrida, outras como astronauta, mas o personagem que ficou mais conhecido foi o Capitão Ultralar: eu surgia vestido como o Capitão Marvel e combatia os preços altos (das lojas concorrentes). No final, aparecia voando e gritava o slogan do magazine: "Na Ultralar dá pé!". O Grupo Ultra iniciou suas múltiplas atividades quando o austríaco Ernesto Igel começou a vender fogões importados no Rio de Janeiro, nos anos 1920. Na década seguinte, o negócio se tornou uma bem-sucedida empresa de distribuição de gás engarrafado e, em 1953, o Grupo abriu a Ultralar, nome das primeiras lojas de venda de eletrodomésticos.

No dia 15 de abril de 1971, uma quinta-feira, havia uma convenção na sede da empresa com os gerentes das lojas em todo o Brasil. O diretor de propaganda do magazine, José Guilherme de Almeida, queria causar impacto; então nós combinamos que eu me vestiria de Capitão Ultralar na garagem do edifício, subiria até a cobertura, onde se realizaria o evento, e sairia do elevador já gritando o slogan popular. Tudo ia muito bem quando, num dos andares, a porta do elevador se abriu e entraram alguns executivos e militares, todos com cara de pouquíssimos amigos. O clima estava péssimo. E eu, fantasiado de Capitão Ultralar.

Naquela manhã, o presidente do Grupo Ultra, o dinamarquês Henning Albert Boilesen, fora executado numa emboscada por guerrilheiros em operação conjunta do Movimento Revolucionário Tiradentes (MRT) e da Ação Libertadora Nacional (ALN), na alameda Casa Branca, nos Jardins, próximo ao local onde haviam assassinado Marighella. Foi uma coisa tão violenta que um dos olhos dele não pôde ser encontrado. Boilesen, liderança empresarial proeminente em São Paulo, era acusado pela esquerda de arrecadar fundos para o sistema repressivo dos militares da Operação Bandeirante e, mais do que isso, de assistir às sessões de sevícias. Dizia-se que um aparelho de tortura que emitia ondas crescentes de descargas elétricas, importado dos EUA, era conhecido como Pianola Boilesen. Caminhões da Ultragás foram emprestados pra Operação Bandeirante. Há um bom documentário sobre o empresário: *Cidadão Boilesen*, de Chaim Litewski, lançado em 2009. Enfim, aquele foi o episódio mais difícil de toda a minha carreira como ator que faz publicidade: participei do evento de lançamento da nova campanha da empresa no dia trágico da execução do seu presidente.

Mais difícil ainda foi descobrir que uma parte do grupo para o qual eu trabalhava colaborava com a violência da repressão e com a tortura. A ditadura tinha apoio e participação direta de civis e de uma boa parcela das grandes empresas, e, para os que não atuavam como militantes políticos, era pouco provável ficar imune a algum tipo de contato — mesmo que afastado e indireto, como no meu caso — com essas pessoas ou empresas. Eu havia sido contratado por uma rede de lojas de eletrodomésticos pra fazer seus reclames, um simples negócio. Mas não pude deixar de sofrer ao tomar conhecimento das atividades truculentas do presidente da empresa, com o seu justiçamento pela esquerda armada e com o meu constrangimento naquele dia, em que me senti como um *fool* shakespeariano numa tragédia histórica.

# II

Gaúcho de Passo Fundo, alto, bonito, nariz aquilino, longos cabelos escorridos, corajoso, polêmico, Tarso de Castro fazia dois enormes sucessos no Rio de Janeiro: com a sua coluna na *Última Hora* e com as mulheres (aliás, não só com as cariocas, como atesta o seu affair com a atriz americana Candice Bergen, então no auge da carreira. Ela estava com o Samuel Wainer no Antonio's; o Tarso, que não falava nem "eu te amo" em inglês, se atirou ao chão, beijou os pés dela e o resto é romance). Segundo conta o inigualável Jaguar, quando o Sérgio Porto morreu, tinha um jornalzinho chamado *A Carapuça* — nome que o Stanislaw Ponte Preta deve ter tirado de *O Carapuceiro*, folha do frei Miguel do Sacramento Lopes Gama, muito popular no Recife do século XIX. O dono da editora que publicava o tabloide semanal convidou o Tarso pra continuar tocando o jornal. O gaúcho conversou com o Jaguar e com o jornalista Sérgio Cabral e, juntos, resolveram levar adiante o conceito de um semanário de humor, mas com outro nome. Um dos que se incorporaram logo ao time foi o genial Millôr Fernandes, o papa de nós todos. Estava nascendo *O Pasquim*.

As reuniões para discutir a nova publicação aconteceram na casa do Carlos Próhisperi, e delas participava também o João Carlos Magaldi, que depois trabalharia na TV Globo. Os dois foram sócios na agência de publicidade Magaldi, Maia & Prósperi. O Maia era o saudoso Carlito Maia, uma grande figura que ajudou muita gente nos anos da ditadura e foi fundamental na divulgação do Partido dos Trabalhadores quando ele ainda engatinhava. Carlito criou os ótimos slogans "optei" e "pt saudações". O projeto gráfico do novo semanário coube ao cartunista e artista gráfico Claudius. A edição inaugural do *Pasquim* ("Aos amigos, tudo; aos inimigos, justiça", dizia o cabeçalho da capa, cujas frases, sempre dúbias e de humor inteligentíssimo, eram trocadas a cada semana; na edição número 12, lia-se: "Se vocês pensam que o *Pasquim* é ótimo, saiba que estamos dando o pior de nós mesmos") saiu em 26 de junho de 1969, com 14 mil exemplares que se esgotaram nas bancas — não havia assinaturas — em dois dias.

Minha contribuição de estreia para o hebdomadário se deu numa edição histórica, a de número 20: em novembro daquele mesmo ano, cinco meses após o lançamento, o jornal ipanemense circulava com a tiragem de 100 mil exemplares pela primeira vez. O texto — com ilustração também de minha autoria — era uma espécie de digressão bem-humorada sobre a história da cama, onde todos nós depositamos nosso corpo. Entre outras coisas, dizia:

> Giorgio Cama era uma bicha notória da Idade Média, que tinha o hábito de só manter relações sexuais com pessoas célebres — daí o ditado "crie fama e deite-se no Cama" [...]. Levada sub-repticiamente (isto é, embaixo de répteis) para a França por um discípulo de Cama, Luchino Fornicante, pouco a pouco ela foi conseguindo o seu lugar na sociedade. O dito discípulo, vendo-se em fragilíssima situação financeira, começou a alugá-la para casais de sexo oposto (homem-mulher), abrindo assim um novo campo para a cama. Foi a partir de então que ela fez verdadeiramente suas provas, passando por experiências de acoplamento jamais suspeitadas pela limitada imaginação de seu inventor. Algumas frequentadoras mais assíduas conseguiram inclusive ter nela quatro ou cinco filhos.

[…] Como se vê, parece que, pelo menos no mundo ocidental, coube aos franceses a divulgação da cama, mas, no oriente, um comerciante de incrível talento, o hindu Shri Sutra, registrava em seu nome o formidável invento, que passou desde então a ser conhecido como Cama Sutra, mais tarde sofisticado para Kama-Sutra.

Apesar de nascido em Jaboticabal, cidade que era chamada de Atenas Paulista, o advogado Alfredo Buzaid nunca demonstrou ter apreço por uma das mais significativas contribuições da civilização grega, a democracia. Ele foi expoente do movimento fascista brasileiro, o integralismo, e, um mês antes de sair o número 20 do *Pasquim*, assumiu a pasta da Justiça do presidente-general Emílio Garrastazu Médici. O governo ao qual servia era pródigo em barbaridades contra os direitos humanos, porém, como o seu ministério era impotente (e conivente) — ou talvez por isso mesmo —, o advogado se preocupava com miudezas moralmente conservadoras. Buzaid achou que o meu texto atentava contra a moral e os bons costumes e abriu um processo contra o autor. Não existe época ideal para ser contemplado com um processo, mas imaginem o que é ser processado num tempo e num lugar onde todas as garantias institucionais estão suspensas e onde o ministro da Justiça, advogado de formação, não está nem aí para os direitos humanos fundamentais como a liberdade de expressão. Por isso, gosto sempre de lembrar o exemplo do advogado liberal Sobral Pinto, figura ímpar da nossa história, que, apesar de anticomunista, chegou a invocar até o artigo 14 da Lei de Proteção aos Animais para defender um dos quadros mais importantes do PCB, o alemão Arthur Ernst Ewert, cujo codinome era Harry Berger, selvagemente torturado pela ditadura de Getúlio Vargas. Buzaid viria a escrever, por determinação de Médici, o pedido para que o Supremo Tribunal Federal considerasse constitucional a lei de censura prévia; diante da submissão da Suprema Corte à inconstitucionalidade proposta pelo Executivo, outro liberal, o mineiro

Adauto Lúcio Cardoso, ministro do Supremo, que fora signatário do Manifesto dos Mineiros contra a ditadura de Getúlio Vargas, tirou a toga, jogou-a no chão e abandonou o plenário. Há advogados e advogados.

O processo de Buzaid criou vários aborrecimentos para mim, mas acabou por me proporcionar talvez a mais relevante homenagem que recebi (e olhe que, anos depois, eu seria agraciado com a Ordem do Rio Branco e com o título de Chevalier de L'Ordre National du Mérite, concedido pelo presidente da República da França): sensibilizado com o meu caso, o poeta Carlos Drummond de Andrade escreveu um depoimento que peço permissão para transcrever na íntegra:

> Considero Jô Soares um dos maiores humoristas brasileiros sob diferentes formas de expressão. Suas criações são de modo a situá-lo entre os artistas contemporâneos de categoria internacional. Merece por isso a nossa admiração. Pelas poucas linhas de sua colaboração no *Pasquim*, sob o título "A cama", não posso julgá-lo um pornógrafo ou um corruptor da juventude. É antes, e acima de tudo, um humorista que se permite discorrer com graça e malícia dosada sem infringir nenhum código de moral absoluto que, de resto, não existe, sobre temas de todos os tempos e sociedades. Parece demasiado subjetivo taxá-lo de imoral, dada a amplitude de conceitos e a multiplicidade de pontos de vista que suscita o exame de textos literários em face da moral. Jô Soares é, isto sim, alguém que desperta a alegria e reações psicológicas saudáveis no público imenso do Brasil. E todos nós lhe devemos muito, pelo bem que nos faz.

Nosso poeta maior se dispôs a ser minha testemunha, e seu gesto foi decisivo para o desfecho do processo. O juiz — corajoso ao contrariar o ministro da Justiça do estado de exceção — abriu a sua resolução de me inocentar citando o depoimento do Drummond. No final das contas, ganhei o apoio de um dos poetas mais importantes do século xx, um homem simples, justo, solidário, que sabia que lutar por meio das palavras não é luta vã. Numa de suas raras entrevistas, contou que se divertia vendo os meus personagens na televisão. Carlos, querido poeta, renovo aqui o meu infinito e eterno agradecimento.

*Todos amam um homem gordo* começava antes de se abrirem as cortinas do palco. Na noite de estreia, em 15 de outubro de 1969, estreava também, no saguão do Teatro da Lagoa, uma exposição de fotos de socialites cariocas feitas por Jacques Avadis. Então, o lugar estava fervendo de gente quando entrei com a minha motocicleta bmw branca e estacionei ali. A chegada com a moto marcava o início do show, que ficou cinco meses em cartaz. A direção era do ótimo ator Oswaldo Loureiro, que também conduzia os shows do Chico Anysio. O cartaz era do Ziraldo — ele viria a criar os cartazes de todos os meus futuros espetáculos. Na época, a publicidade de um adoçante dizia: "Ninguém ama um homem gordo. Suita não engorda". Por isso, meu amigo Magaldi, que estava na sala do Ricardo Amaral, sugeriu que o nome do espetáculo fosse *Todos amam um homem gordo*. Um concorrente do Suita não perdeu tempo: contratou a mim e à Theresinha pra fazermos uma campanha cujo texto era o seguinte: "A senhora Jô Soares ama duas coisas: um gordo e Assugrin".

Gosto muito de escrever em parceria (aliás, elas são fundamentais quando se escrevem roteiros e esquetes humorísticos) e, nesse primeiro one-man show, fiz questão de pedir ao intelectual brasileiro a quem mais respeitava, Millôr Fernandes, que colaborasse comigo. Órfão bem cedo, pobre de não ter prato de comida, autodidata, ele começou a trabalhar em jornais aos treze anos. Quando lançou a sua revista *Pif Paf*, em 1964, escreveu um decálogo formidável pra publicação. Um dos preceitos dizia: "Esta revista será de esquerda nos números pares e de direita nos números ímpares". Cheguei a pensar numa brincadeira com o Millôr e criar uma revista na qual eu diria: "Esta revista está à esquerda nas páginas pares e à direita nas páginas ímpares". Além das suas inúmeras qualidades, ele tinha a vantagem de escrever e traduzir para teatro, portanto podia me ajudar em todos os aspectos do espetáculo. *Todos amam* durava quase duas horas e eu perdia dois quilos após cada sessão. Entre outras coisas, o gordo aqui fazia um concerto para máquina de escrever (tempos depois, repetiria o quadro numa apresentação da *Dança ritual do fogo*, de Manuel de Falla, no Teatro Municipal de São Paulo, com regência do maestro Júlio Medaglia, atual companheiro de Academia Paulista de Letras), narrava como se fosse um locutor de futebol um transplante de coração (no ano anterior, o dr. Euríclides de Jesus Zerbini havia feito o primeiro transplante do órgão no país), tocava bongô, vibrafone e trompete. O genial cartunista Redi — que teria suas charges publicadas no *New York Times* — fez o desenho de um rosto usando óculos que eu transformei num grande carimbo. Antes de entrar em cena, eu carimbava o joelho e, a dada altura do show, me sentava, erguia a perna da calça até o joelho e, *zás*, aparecia a cara e a careca do Magalhães Pinto, o governador de Minas Gerais e dono do Banco Nacional que foi o articulador civil do golpe de 1964. Um amigo meu dizia que "ele conspirou, articulou tudo e depois chamou os guardas".

Um dos números de que eu mais gostava era o da "Última Ceia", concebido como se fosse uma montagem do famoso Actors Studio. Eu fazia o Cristo, tal qual o Marlon Brando; a mesa ficava disposta como as dos filmes de mafiosos; havia um tenente Pilatos. A Virgem Maria dizia, com sotaque italiano:

— *My son, please*, não se entregue!

E eu, imitando o Marlon Brando:

— *I have to go, Mom*.

E a Virgem Maria:

— Você é igual a seu pai, muito teimoso!

Eu fazia também outras brincadeiras com a religião. Dizia, por exemplo, que os santos acabaram porque não se reproduziam. Certo dia, recebi no teatro, antes de começar o show, um grupo de umas dez pessoas. Eram católicos radicais, ultraconservadores, que vieram me pressionar pra tirar as piadas religiosas do espetáculo. Deviam ser integrantes de organizações como a Opus Dei ou a TFP (Tradição, Família e Propriedade). Eu contra-argumentei:

— Se nem a Censura cortou esses quadros, por que vocês querem cortar?

— A Censura é muito ruim, muito fraca, não dá conta de fazer as coisas do jeito certo. Nós não viemos aqui pedir, nós viemos aqui exigir que você tire essas coisas sujas sobre a religião católica. Se você não tirar, vai ter de aguentar as consequências.

E continuaram me ameaçando. Depois que foram embora, eu liguei para o Ricardo Amaral e contei o que havia ocorrido. Ele, sempre corajoso, me disse:

— Não corta nada, o espetáculo está ótimo, não vamos aceitar a pressão desse bando de carolas cretinos.

E eu respondi:

— Olha, Ricardo, tem uma parte da homilia, quando eu imito o Marlon Brando falando: "Isto é o meu sangue, isto é o meu corpo", que eu mesmo não estou me sentindo muito à vontade em fazer. Os padres e freiras que têm vindo ao show dão muitas risadas, mas eu acho que posso estar constrangendo muitos católicos. Não é por causa da ameaça que acabamos de receber, vamos manter os números, mas essa pequena fala eu vou tirar.

Alguns dias depois, recebi um telefonema do "bispo de Niterói". Com muita educação, Sua Excelência Reverendíssima reclamava de minhas piadas com Jesus, a Virgem Maria e Deus durante o espetáculo. Preocupado, me defendi como pude, afirmando que não havia intenção nenhuma de criticar nem a Deus nem à Igreja Católica, e que já tinha cortado a parte mais desrespeitosa.

Não adiantou. O bispo, sempre gentil, manteve-se firme e passou a me ligar quase diariamente, dizendo que era sua missão me fazer suprimir do show aquelas menções. Comecei a ficar angustiado e comentei o assunto com o Othelo Zeloni, que adorava aprontar com os outros. Ele me disse:

— Gordo, ouvi dizer que o bispo está bem chateado, anda falando mal de você até nas missas…

Demorou um tempão para eu perceber que os telefonemas eram trotes do Ricardo Amaral, mancomunado com o Zeloni.

Nós passávamos tantos trotes um no outro que uma ocasião a Elisinha Moreira Salles — mãe do cineasta Walter Salles Jr. e muito amiga da Theresinha, elas debutaram juntas — ligou pro Ricardo e ele achou que era eu passando um trote. Em vez de conversar com a esposa do embaixador Walther Moreira Salles, que desejava realizar um evento beneficente na Sucata, Ricardo ficou imitando-a. Foi um dos maiores vexames da sua vida, diante de uma das grandes mulheres do Rio de Janeiro.

Um artigo de novembro de 1969 da revista *Visão*, de muito prestígio na época, sobre o bom momento que o teatro vivia no Brasil, afirmava, a respeito do espetáculo do Chico Anysio e do meu: "O humor desses comediantes é crítico, às vezes cáustico, abrangendo maneiras e costumes da nossa sociedade. O que não podem dizer diretamente, sabem inferir de forma oblíqua, logo percebida pela plateia, que se sente partícipe de um segredo, alimentando assim a intimidade entre o intérprete e o espectador". Algumas semanas depois, outra revista semanal, a *Veja*, amplificava essa ideia: sua matéria de capa dizia que 1969 tinha sido o ano do humor, e escolheu os vinte melhores do ano: Henfil, dos "Fradinhos"; Zeloni, da *Família Trapo*; Consuelo Leandro, da *Praça da Alegria*; Claudius, de longa data; Costinha, do teatro de revista; Pagano Sobrinho, da televisão; Jaguar, do "Sigmund"; Fortuna, das melhores publicações de humor; Ziraldo, de Caratinga (MG);

Chico Anysio, de Maranguape (CE); Grande Otelo, de *Macunaíma*, o filme; Chacrinha, da buzina; Zélio, do melhor programa da TV Cultura; Jô, da TV saindo para o teatro; Dercy Gonçalves, do teatro saindo para a TV; Millôr, do melhor estilo; José Vasconcelos, de melhores dias; Lan, do *Jornal do Brasil*; Leon Eliachar, do homem ao quadrado, ao cubo, ao zero; Ronald Golias, das melhores caretas do país.

O Brasil entrava num dos períodos mais tristes da sua história, mas não perdia o bom humor. Aliás, o último ano do general-presidente Artur da Costa e Silva no poder (ele morreu em 17 de dezembro de 1969, sem completar o mandato) foi marcado popularmente pela imensa quantidade de piadas que circulavam indicando que o general não se distinguia pela inteligência. Uma delas dizia que Costa e Silva chegou de moto ao Aeroporto Santos Dumont, no Rio, atravessou a pista a toda a velocidade e... caiu no mar. Quando foi retirado das águas da baía de Guanabara, furioso, explodiu:

— Quem foi o filha da puta que me disse que dava pra pegar uma ponte aérea aqui?

Outra piada sobre o general quem me contou foi o ex-presidente Ernesto Geisel quando, já aposentado da política, o entrevistei em sua casa em Teresópolis (antes de contar a anedota, ele fez questão de dizer que o colega foi um aluno brilhante nas escolas militares pelas quais passou).

Era aniversário do Costa e Silva, e um dos amigos sugeriu:
— Vamos dar um livro pra ele.
Outro amigo respondeu:
— Não pode.
— Por quê?
— Porque um livro ele já tem.

Em 20 de março de 1970, *Todos amam* estreou em São Paulo, no Teatro Aliança Francesa, com coprodução do ator John Herbert — então casado com a Eva Wilma, com quem fez um dueto no programa *Alô, Doçura*, grande sucesso do início da televisão no Brasil. O espetáculo ficou em cartaz até setembro, sem interrupções e com casa lotada. No entanto, nós passamos por maus bocados para poder exibi-lo na capital paulista. O momento mais bem-sucedido do show era um número de humor quase infantil. Eu comandava os espectadores, ordenando que falassem, gritassem, exclamassem, urrassem a palavra "bunda". Era muito simples, mas eu tinha certeza de que iria funcionar. Com a perseguição ao uso do palavrão no teatro, com a censura, com o clima de tensão do período mais penoso da ditadura militar, as pessoas sentiriam um prazer imenso, quase orgástico, se tivessem um lugar pra gritar um palavrão. Até o apresentador Flávio Cavalcanti, muito influente então, que fazia campanha contra o palavrão no teatro, confessou numa entrevista ter gritado um sonoro "buuuunda" no meu show. Na época, "bunda" era considerado um termo chocante: para poder mencionar o que se dizia nesse número do espetáculo num jornal do nível da *Folha de S.Paulo*, que tempos depois se tornaria o mais liberal do país, o crítico Jefferson Del Rios escreveu, cheio de dedos, "uma parte do corpo, inocente porém cercada do maior pudor". E não deu outra: como eu previa, a bunda era sempre um sucesso. Os risos eram "abundantes", como registrou o crítico da *Veja*.

O Wilson Simonal havia regido o Maracanãzinho inteiro, 30 mil pessoas, no Festival Internacional da Canção. Ele dividia a plateia: "Este lado canta agora, agora o outro", e por aí foi. Aproveitei a ideia e fiz a mesma coisa.

— Um lado diz: "buuun". E o outro: "daaa!". O senhor aí, de barba branca, fale bem alto: "bunda!". — E o cara obedecia. — A senhora de vermelho, por favor, diga "bunda" bem delicadamente. — E a mulher quase sussurrava a palavra. — Agora todo mundo junto, bem alto: "buuundaa".

A plateia ia ao delírio. As pessoas viravam crianças, entravam na brincadeira. Eu frisava bem:

— "Bunda" não tem nada de mais, criança fala "bunda", qual o problema?

Bem… houve um problema. Depois de muito grito de "bunda" no Teatro da Lagoa, uma censora nos avisou que o número estava proibido no espetáculo em São Paulo. Isso, na véspera da estreia. Eu não sabia, mas, na temporada do Rio, havia dito pra mulher de um coronel gritar "bunda" bem alto e ela se ofendeu. Queixou-se ao marido e o militar pediu que o show fosse censurado. Aí eu falei:

— Mas esse número é o fecho do show, que funciona também sem ele, mas tirar a cereja do bolo é uma sacanagem.

E a censora respondeu:

— Olha, vai a Brasília e tenta liberar o número.

O Johnny Herbert tinha alugado o Teatro Aliança Francesa, que me transferiu por um percentual da bilheteria. Uma coisa absolutamente profissional, bom negócio para os dois. Então ele disse:

— Não tem jeito, vamos pra Brasília, vamos tentar liberar isso.

No outro dia, pegamos um voo e, ao chegarmos a Brasília, fomos direto pro Serviço de Censura Federal. O censor, o Wilson Aguiar, era um cara considerado liberal.

— Cadê o professor Wilson Aguiar?

— Ele está numa inauguração em Goiânia.

O Johnny me propôs:

— Já viemos até aqui, vamos atrás dele.

Corremos para o aeroporto e alugamos um teco-teco. Eu não tinha cartão de crédito, Johnny tinha e pagou o aluguel. O aviãozinho era apertadíssimo, só cabíamos nós dois e o piloto. Quando estamos quase em Goiânia, que é ali pertinho, olho pela janela e vejo lá embaixo uma comitiva que está deixando a cidade e indo pra Brasília. Falei:

— É o censor, só pode ser.

Fomos até o local da inauguração, e não deu outra: Wilson Aguiar já tinha voltado para Brasília. Pegamos o mesmo teco-teco e chegamos antes dele. No Serviço de Censura, um militar de alta patente foi curto e grosso comigo:

— Que cagada, hein? Não vai dar, porra! É corte na certa.

Eu disse baixinho ao galã John Herbert, que não perdia a compostura:

— Parece que isso aqui tá ficando complicado…

O censor chegou. Nos apresentamos, e fui logo pedindo a ele que ponderasse:

— Doutor Aguiar, o senhor não vê que não tem nada de mais?

E ele:

— Eu sei, isso foi implicância de uma mulher, foi a mulher de um coronel que se queixou. Ela disse que tinha de censurar, era uma indecência, uma imoralidade.

E completou:

— Eu não concordo, isso não tem nada de mais, porém ordens são ordens. Então vamos fazer o seguinte: senta ali na máquina de escrever, refaz o texto exatamente como é e acrescenta um monte de palavrões mais pesados. Põe uns três "filha da puta", escreve uns dois ou três "vá pra puta que o pariu"… Enfim, enche de palavrão.

Eu retruquei:

— Mas aí é que o senhor não vai liberar mesmo.

— Não, Jô, você não entendeu. Corto esses palavrões que você botou agora, e o show será "liberado com cortes". Ninguém vai poder dizer que eu não censurei o seu espetáculo.

Nesse momento, pensei: "Esse cara é genial". Sentei e escrevi: "Meu lado esquerdo grita: 'filha da puta, que bunda'! Agora, o meu lado direito grita: 'puta que o pariu, que bunda!'". Tudo que acrescentei, que era de uma gratuidade total, ele com muita sabedoria cortou. Daí carimbou: "liberado com cortes".

Pegamos o voo de volta pra São Paulo, chegamos ao Aliança Francesa às nove da noite, na hora em que o espetáculo deveria começar. A censora bonitinha estava na porta, aflita, angustiada. Ela obedecia a ordens superiores, mas aparentava torcer para que a gente tivesse conseguido a liberação da "bunda". Quando entreguei na mão dela o texto com o carimbo "liberado com cortes", a censora olhou o papel e me disse:

— Entendi, tá ótimo, pode fazer seu show.

Posso jurar que ela estava quase feliz com a liberação da minha bunda.

Tirei umas férias e, após o Carnaval de 1970, me apresentei na Globo, onde ficaria por 33 anos, em dois períodos diferentes (no primeiro, até 1987, no segundo, de 2000 a 2016). As ideias do Boni mudaram de fato o humorismo na televisão brasileira.

O movimento hippie e as manifestações pacifistas contra a Guerra do Vietnã cresceram em todo o mundo na virada da década de 1960 para a de 1970, e o slogan "Faça amor não faça guerra" tornou-se a bandeira da juventude internacional. No Brasil, passávamos pelo período mais duro da repressão — com respostas em ações terroristas dos grupos de esquerda que se armaram — e o clima era muito pesado, apesar de o governo do general Médici incentivar a publicidade do Milagre Brasileiro, com o "Ame-o ou deixe-o". O nome do programa de estreia, *Faça Humor Não Faça a Guerra*, de certa maneira refletia o espírito de uma época. Além disso, o seriado americano *Hogan's Heroes* (aqui, *Guerra, sombra e água fresca*), lançado em 1965, mostrara a possibilidade de fazer humor de ótima qualidade com base no tema da guerra, e usamos as duas palavras, aparentemente inconciliáveis, no título da atração.

O primeiro *Faça Humor Não Faça a Guerra* foi exibido em 10 de julho de 1970, dezenove dias depois que aquela seleção considerada por muitos o melhor time de futebol de todos os tempos

— com Carlos Alberto, Gérson, Rivellino, Tostão, Jairzinho e Pelé, entre outros — conquistou o tricampeonato e trouxe definitivamente para o país a taça Jules Rimet, que acabaria sendo roubada e desaparecendo. Para pensar, escrever e dirigir o programa, Boni reuniu um time nivelado pelo excesso de talento: o Max Nunes e o Haroldo Barbosa, uma das mais importantes duplas de criadores da televisão brasileira (que recebiam colaborações de Hugo Bidet e Leon Eliachar), Augusto César Vannucci, João Loredo e Carlos Alberto Loffler, e outros mais. A Globo contratara também o meu parceiro e amigo Renato Corte Real, dono de humor refinadíssimo. Já na abertura, *Faça Humor* dava um baile em novidades, com a música alegre que incitava as pessoas a se posicionarem e com diversos bailarinos no palco, sob a direção de Juan Carlo Berardi, todos vestindo roupas psicodélicas concebidas por Aelson. (Em 1963, a Excelsior havia criado uma abertura do mesmo estilo para o programa *Times Square*, que tinha, entre muitas outras atrações, o Daniel Filho e a Dorinha Duval.) Em seu livro de memórias, o Bonifácio conta:

> [O programa] ficou pronto e escolhi o horário de 20h30, às sextas-feiras, anteriormente ocupado pela Dercy Gonçalves. A Dercy era um fenômeno e dava 60% de audiência. Todos achavam que eu estava louco. Quando o *Faça Humor* foi ao ar, atingiu 70% e eu gozei todo mundo. O dr. Roberto Marinho me mandou flores dizendo que ele e a dona Ruth, sua esposa na época, estavam orgulhosos da TV Globo.

No início, o humorístico ia ao ar às sextas no Rio e às segundas em São Paulo. Depois, fixou-se no horário da segunda às 21 horas pra todas as praças. Segundo reportagem da revista *Veja*, o *Faça Humor* era "o programa de produção mais cara da linha de shows da emissora, 100 mil cruzeiros a cada semana". Ele tinha 55 minutos e era realmente inovador. Pela primeira vez nos humorísticos na TV tudo se resolvia em flashes, em quadros rápidos e ágeis de apenas duas falas — que eram inseridos logo na abertura: tocava a música, parava a música, entrava um diálogo com uma linha para cada personagem, voltava a música e a coreografia. O Boni me disse que, anos depois, um produtor americano viu as fitas com os humorísticos da Globo e passou a utilizar os quadros curtos, de duas linhas de fala, no programa chamado *Rowan & Martin's Laugh-In*, com o Dick Martin. Nele surgiram vários comediantes, inclusive mulheres, que começavam a encontrar um espaço maior no humor nas telinhas. Foi lá que apareceu Goldie Hawn. Também Robin Williams. Ruth Buzzi fazia um quadro com uma rede no cabelo que parecia teia de aranha... Nesse programa só tinha gênio.

Em vez dos tipos caricatos que marcaram o humorismo no rádio e no início da televisão, criamos personagens mais complexos, como os psicanalistas Albuquerque de Araújo (Renato Corte Real) e Souza Pacheco (eu), ou os Napoleões, um chamado Lelé e o outro Dakuka, com seus diálogos de puro nonsense. E tinha também o quadro com dois mergulhadores, que era feito assim: vestindo roupa de mergulho, nós nos deitávamos de costas e fingíamos que nadávamos. Nessa posição ficava mais fácil imitar o gestual de um nadador. O Vanucci fazia um truque usando um aquário pequeno com peixes que borbulhavam, pedras e plantas. Ele fundia as imagens do Renato e as minhas de ponta-cabeça, de maneira a dar a impressão de que estávamos dentro do aquário. Certo dia, apareceu lá um produtor português que trabalhava com o Chacrinha e disse:

— Olha, vim aqui pedir emprestado o aquário gigantesco onde Jô e o Renato fazem aquele quadro nadando.

E a gente:

— Não, é nesse aquário pequeno aqui.

E ele:

— Ah, não me venham com histórias, o Jô não cabe aí dentro...

Minha ligação com o *burlesque* e com os comediantes franceses me ajudou bastante na televisão. Mesmo na TV dos EUA os atores da comédia burlesca se deram bem, porque dispunham do gestual, do visual, diferentemente dos humoristas do rádio. No Brasil, o rádio influenciou muito o humorismo televisivo — sobretudo no bom uso dos bordões —, mas não podemos nos esquecer da influência do teatro de revista da praça Tiradentes, com suas atrizes e seus atores, escritores, diretores, maestros, músicos, as bailarinas e os bailarinos, diretores de cenário, figurinistas... Eles foram fundamentais. Foi o caso do Vagareza, por exemplo. Certa noite, eu mal estava começando, fui esperar a Theresinha, então no elenco do musical *De Cabral a JK*, num dos teatros da praça Tiradentes. Por pura curiosidade, fui bisbilhotar uma revista noutro palco daquela "Broadway carioquíssima". O astro era o Grande Otelo. De repente, entrou um rapaz iniciante com o nome de Vagareza, sem nenhuma característica física engraçada. Era um homem de cabelo castanho para louro, bonito, casado com a Siwa, vedete famosa. Ele dizia apenas o bordão: "Ah, me afobei". Mais nada. E fazia um sucesso estrondoso, o teatro vinha abaixo. O tiro era tão certeiro que ofuscava totalmente o Grande Otelo, embora este apresentasse um número de gênio: ia tirando fotos do bolso interno do paletó e os espectadores intuíam que se tratava de fotografias pornográficas só pelas mudanças na expressão dele ao olhá-las. Como o quadro com Vagareza funcionava bem no teatro, o pessoal da TV Rio resolveu levá-lo pra televisão. Vagareza: sucesso numa única frase, "me afobei...".

Do elenco do *Faça Humor* participavam ainda, entre outros, a Berta Loran, a Renata Fronzi, a Sandra Bréa, o Miele e o incrível Paulo Silvino. Dava gosto atuar com essa turma. Para que se possa ter uma ideia da trabalheira que era fazer o programa, basta dizer que não raro ficávamos 24 horas nas gravações — e levava mais um tempão para os quadros serem editados. Inspirado no movimento hippie, que mencionei acima, o Max Nunes criou um dos personagens mais marcantes dos mais de duzentos da minha carreira na televisão: a Norminha. Era uma cantora suburbana, meio hippie, de voz bem sensual, à procura da fama. Em vez dos dois dedos do V da vitória do Churchill e do "paz e amor" dos hippies, levantava quatro dedos da mão e dizia seu slogan: "Paz, amor, som e Norminha!". Na verdade, não era pro *Faça Humor* ter quadros maiores e fixos, o conceito do programa consistia em capricho na variedade e rapidez nos cortes, mas a Norminha cresceu tanto que virou quadro fixo. Em 1971, a *Veja* a escolheu como o personagem mais bem elaborado da televisão. Na época, a Editora Abril publicava a revistinha *InTerValo* (era pequena no tamanho, inspirada na *TV Guide* americana), na qual havia uma seção chamada "A artista no lar". A Cidinha Campos, minha amiga e companheira da *Família Trapo*, apareceu nessa seção mostrando os pulsos com esparadrapo e nós não resistimos à tentação de fazer uma molecagem. Cidinha, que se separara de maneira traumática do Manoel Carlos, teria tentado o suicídio cortando os pulsos (mas a maioria das pessoas achava que era simulação pra dar mais dramaticidade ao rompimento do casal) e declarou algo do tipo:

— Não tentem, dói pacas, viu, gente?

Aí nós fizemos a Norminha dando entrevista com o dedinho enfaixado após a bicada de um papagaio e dizendo:

— Olha, gente, não tentem, dói pacas.

Foi uma sacanagem com a amiga Cidinha, mas não conseguimos nos conter. A Norminha ficou tão popular que até gravou, em 1972, um LP pelo selo Sigla com músicas cujas letras eram escritas por mim:

*O beijo da Norminha*
*foi o que mais faturou,*
*beijou, beijou, beijou.*

Uma das canções da Norminha que mais se destacaram foi "Um croquete", versão que fiz pra canção do período da Grande Depressão americana, "One Meatball", composta por Lou Singer com letra de Hy Zaret. Ela conta a história de um cara que estava tão na penúria naqueles anos difíceis que, quando ia a um restaurante, só tinha dinheiro para comprar um bolinho de carne (na internet, vi a versão hilária com Frank Sinatra e Lou Costello para o programa de rádio dos engraçadíssimos Abbott & Costello, que ia ao ar na década de 1940. Fiz, na casa paulistana Bourbon Street, em 1999, um show com o Sexteto Onze e Meia que terminava com a adaptação realizada pra Norminha, só que cantada com a minha voz natural). A única pessoa a acertar de cara que se tratava da versão do standard americano foi o Dorival Caymmi, que me privilegiou com uma entrevista maravilhosa no aniversário de dez anos do *Jô Soares Onze e Meia*, no SBT. Aliás, foi lindo quando ele, aos 83 anos, depois de ter composto as magníficas "Marina", "Dora", "Doralice", "Rosa morena" etc., declarou que não teve talento pra compor uma música à altura da sua eterna musa, Stella. Em seguida ficou em pé, bonitinho, agradecendo os aplausos da plateia.

Ao citar o Vagareza mais acima, me lembrei de algumas histórias sensacionais ligadas às revistas da praça Tiradentes e, especialmente, da figura muito pouco falada hoje, o Silva Filho, que, além de ótimo comediante, se tornou um importante empresário de teatro. Comentava-se que foi ele quem descobriu a Elza Soares (na época, alguém sempre havia descoberto alguém). Certa vez, o Zeloni, sempre sacaneando, espalhou que o Vagareza estava dizendo que o Silva Filho tinha roubado uma piada dele. Puto da vida, Silva atravessou chispando a praça, procurou o Vagareza e soltou a frase que ficou antológica:

— Vagareza, piada não tem dono!

Uma coisa que aqueles artistas faziam bastante era ir ao velório e enterro dos outros artistas. Além de ser uma maneira de prestar homenagem aos colegas, era uma forma de experimentar o sentimento de pertencimento a uma classe que vivia do riso mas que, na imensa maioria dos casos, ia de mal a pior. Viviam mal, mas gostavam uns dos outros e levavam sempre o último adeus. Também era uma ocasião em que todos se reviam e punham a conversa em dia. No funeral do irmão do Silva Filho — o pai era o Silva, um conhecido alfaiate de artistas, daí o Filho no seu nome artístico —, sócio do comediante na companhia, ele se lamentava à beira do caixão:

— Meu querido irmão, o que vai ser da minha companhia agora? Como eu vou produzir os espetáculos? Sem você, a vida pra mim não tem sentido...

Nesse momento, entrou uma das lindas vedetes de teatro de revista. Todo mundo parou pra olhar para ela, que ficou ao pé do caixão, de óculos escuros, tristonha, vez ou outra enxugando uma lágrima com o lenço. O Silva Filho se virou pro Francisco Milani e falou baixinho:

— Eu conheço aquele mulherão ali...

O Milani, constrangido, não disse nada. Então, ele continuou:

— Meu irmão amado! Como eu vou viver agora?!

Aí voltou a murmurar pro Milani:

— Eu conheço aquela vedete, tenho certeza que conheço...

Novamente pro irmão:

— E agora, quem vai fazer os borderôs da bilheteria? Quem vai controlar os pagamentos?

Pro Milani:

— Eu já comi aquela vedete, ela é um estouro, mas não me lembro o nome dela, não consigo me lembrar...

Pro irmão:

— Meu irmão amado...

De repente, ele fez uma cara de iluminado, de quem teve o vislumbre de algo importante, e gritou do fundo da alma:

— JANDIRA, filha da puta!

O Oscarito morreu, correram à casa do Silva Filho pra avisá-lo. Ele se vestiu às pressas e foi para o velório na então Assembleia Legislativa do Estado da Guanabara. Todo o pessoal de teatro e de cinema compareceu em peso, o Silva Filho chegou esbaforido e não se conteve ao se aproximar do corpo do grande comediante:

— Oscarito, você foi o maior. Jamais haverá outro como você. O que vai ser do nosso cinema agora? Você nos ensinou tudo, você foi o nosso guia…

De repente, baixou a cabeça e, olhando pro pés, gritou:

— Porra, tô com uma meia preta e outra marrom e ninguém me avisa, caralho!

Um dia, certo advogado do Ministério da Justiça me ligou dizendo que precisava muito falar comigo. Vindo do ministério, devia se tratar de algum resquício do processo do Buzaid, apesar de ter passado muito tempo. Merda, aquela chateação não ia acabar nunca… Pelo sim, pelo não, eu intuía que estaria mais protegido se marcasse o encontro em lugar público, onde poderia ser visto, e pedi a ele que nos falássemos na pérgula do Copacabana Palace. Levei comigo o José Luiz Archanjo, com quem trabalhava desde a tradução e montagem do *Romeu e Julieta*. O advogado chegou de terno, carregando uma maleta preta estilo 007. Suspense. Pôs a maleta em cima da mesa, tirou os óculos escuros, olhou pra mim, e começou a batucar na mesa e a cantar:

*Ô Dinorá, ô Dinorá…*
*Quem foi que telefonou?*
*Foi o general Figueiredo,*
*Dinorá?*
*Ou foi o general sem enredo?*
*Ô Dinorá, ô Dinorá…*

Eu e o Zé Luiz olhávamos pasmos um pro outro, sem entender. Dinorá era um dos meus personagens invisíveis que falava comigo por telefone. Tratava-se de uma empregada da minha casa que trocava o nome das pessoas. Aí o cara disse:

— "Dinorá" é uma marchinha de Carnaval que compus baseado na sua personagem. Gostaria muito que você gravasse. Vai ser um sucesso extraordinário.

Respondi:

— Eu não gravo marchinhas de Carnaval. Gosto muito do Moacyr Franco e do Silvio Santos cantando marchinhas, fazem essa coisa popular com muito jeito. Eu não sei fazer isso. Mas tenho uma sugestão: por que é que você mesmo não grava a marchinha?

— Você acha?

— Claro, estou percebendo em você um talento fantástico! Você tem de gravar, vai estourar no próximo Carnaval!

— Pois é, sempre tive esse sonho. É que, num momento complicado da vida, tive de optar entre a arte e a lei. Eu toco piano. Foi a minha mulher quem insistiu pra eu mostrar a marchinha pra você. Muito obrigado, com esse incentivo de sua parte, agora vou destrocar a lei pela arte.

— Olhe, se você não se sentir com muita coragem pra gravá-la, procure o Silvio Santos, tenho certeza que ele vai fazer um grande sucesso com ela.

Era uma brincadeira com o Silvio. Na época, havia um quadro em seu programa chamado "A semana do presidente", no qual se contava o que o general Figueiredo, o do "prendo e arrebento", tinha feito nos sete dias anteriores.

Um dos grandes prazeres de trabalhar na Globo era a possibilidade de bater papo com a maravilhosa figura do Otto Lara Resende, o maior conversador do Brasil. Eu encontrei o Otto e contei a história da marchinha "Dinorá". Aí o escritor mineiro me disse ter passado por algo muito parecido.

— Você não sabe o que as pessoas são capazes de fazer pra mostrar a "veia artística" — falou.

Certa vez, em Belo Horizonte, um importante diretor de banco (é bem provável que tenha sido um diretor do Nacional) o chamou. Quando ele entrou na sua sala, o executivo pediu à secretária que fechasse a porta e não passasse nenhuma ligação. O Otto não estava entendendo o porquê da conversa e da seriedade dada a ela. O diretor do banco abriu a gaveta, tirou uma folha de papel e disse para o escritor:

— *Cococó cocó rocó, cococó cocó rocó. O galo faleceu e a galinha ficou só.*

Se fosse história em quadrinhos, apareceria o balão acima da cabeça do Otto Lara Resende com o sinal "?".

— Já sei, Otto, você vai dizer que é plágio, mas não é. A letra da marchinha do outro é: *cococó ricó*, e não *cococó rocó*!

— ??

— Entendeu agora? Além disso, não pode ser "o galo tem saudade da galinha carijó". Galo não tem saudade. O certo está nos meus versos: "O galo faleceu e a galinha ficou só".

— ???

— Mostrei pra alguns dos nossos amigos mineiros e eles me disseram: "É genial, mostra pro Otto, ele conhece essa gente de música, de rádio, da TV". Eu queria te pedir pra levar esses versos pro Tom Jobim colocar a música. Vai ser um grande sucesso no Carnaval e o Tom vai ficar eternamente agradecido a você.

Uma tarde, ainda em 1969, me lembro de estar dirigindo por Ipanema, ouvindo a Rádio Jornal do Brasil, quando escutei pela primeira vez o Gilberto Gil cantar "Aquele abraço". Fiquei, como a maioria dos brasileiros, chapado com a maravilha do samba. O verso "Alô, alô, Realengo, aquele abraço" me levou às lágrimas. Tive de parar o carro. O humorista Lilico, vindo de Realengo, fazia no programa *Balança Mas Não Cai* um tipo muito popular que batia um bumbo e soltava o bordão "Aquele abraço". A frase já estava na alma encantadora das ruas, como diria o dândi João do Rio; já era domínio público. A história corrente entre nós, artistas, era que os militares haviam encarcerado o Gil na Escola Militar do Realengo. Agora, exilado em Londres, apagando o rancor e o ressentimento, ele mandava aquele abraço pra Realengo. A letra da música era de uma generosidade tamanha, uma lição de vida tão fora do normal, que não consegui me controlar. Tempos depois, o Gil esclareceu: os versos lhe vieram à cabeça espontaneamente, sem ligação com os acontecimentos reais, e ele não ficara preso em Realengo, mas no quartel militar do bairro vizinho, Deodoro. Seja como for, nunca mais me esqueci da emoção com a possibilidade tão magnânima de perdoar que vi naquele samba do Gilberto Passos Gil Moreira. Nunca me esqueci também do meu choro comovido, enquanto o mar batia azul em Ipanema.

Nas primeiras apresentações do programa *Faça Humor Não Faça a Guerra*, eu estava bem gordo e deixava os cabelos claros naturalmente encaracolados, o que levou o Ziraldo a me chamar de "anjão barroco" — por certo pensando nos maravilhosos anjinhos barrocos da sua Minas Gerais. Em 1973, o Boni achava que precisávamos dar ainda mais atualidade aos humorísticos, e o *Faça Humor* foi substituído pelo *Satiricom*. Muita gente pensa que o título tinha a ver com o filme de Federico Fellini, de 1969, ou com a obra de Petrônio, escritor da Roma antiga. Na verdade, era a fusão da palavra "sátira" com "sitcom" — a comédia de situações. As piadas e as sátiras se referiam aos veículos de comunicação (de massa, como se dizia na época). O programa foi excelente oportunidade para trazermos pro time de redatores, além do genial Agildo Ribeiro, o Paulo Porto, o Ivan Lessa e, um pouco mais tarde, o meu querido Hilton Marques, mas nós definitivamente não gostávamos de fazê-lo. Pelo seguinte: na ânsia de inovar e de criar esquetes muito rápidos, pecamos pelo contrário. Ficou tudo bastante pulverizado, não conseguimos "fixar", como se diz no jargão humorístico, nenhum personagem e nenhum quadro, ninguém marcou. O *Satiricom* também assinalaria a transição, no humorismo, para a TV em cores — e teríamos um novo elemento a explorar, tornando o programa mais vibrante, de preferência com cores quentes e vivas.

O Walter Clark acompanhou tudo de perto e dizia que os militares no poder queriam a TV em cores funcionando o mais rapidamente possível, pra ajudar a passar a ideia de, segundo eles, "modernização profunda" que imprimiam ao país. Para as emissoras não havia vantagem: os gastos na troca de equipamentos eram intimidativos, sem contar que a população teria que comprar aparelhos de televisão mais caros. Pra Globo, cuja liderança de audiência se baseava nas novelas, seria bem mais complexo mexer nessa estrutura — cenários, figurinos, iluminação, direção de arte etc. — com a transmissão em cores. Em 1971, as forças moralistas que apoiaram o golpe militar e o próprio governo do general Médici, por meio do seu ministro das Comunicações, o coronel da reserva gaúcho Higino Corsetti, pressionavam as emissoras para melhorar a programação da nossa TV, acusada de ser de baixo nível e desqualificada. Sem ter muita opção, os empresários que detinham direitos de retransmissão da Globo pelo Brasil concordaram com a proposta da maravilhosa figura que era o Maurício Sirotsky Sobrinho, dono da Rede Brasil Sul: inaugurar a TV em cores no dia 31 de março — dia oficial do aniversário do golpe. Na realidade, o evento se deu em 17 de fevereiro de 1972, durante a Festa da Uva em Caxias do Sul, cidade natal de Corsetti (pro Walter, ele era um sujeito bronco, ignorante e inteiramente vaidoso), que adorou a sugestão.

A Globo escalou uma comitiva de artistas — eu nela, com a Tônia Carrero e o Francisco Cuoco, entre outros — para comparecer à cerimônia no Rio Grande do Sul. O presidente Médici, nascido em Bagé, a cerca de quatrocentos quilômetros dali, inauguraria a TV em cores no país. Na hora do discurso em nome da Globo, o Walter, que era muito tímido quando não estava com um copo na mão, teve paúra e me pediu que falasse no lugar dele. Depois da inauguração, trouxeram o presidente Médici para conversar conosco, e ele chegou pra mim e disse:

— Tu já imaginou como vai ficar linda a Norminha em cores?

Inevitavelmente, uma foto minha ao lado do Médici, os dois sorrindo, foi publicada, e recebi muito patrulhamento por isso. Tempos depois, no Antonio's, o Tarso de Castro me disse que, mesmo sem querer, eu havia feito publicidade para o regime.

— Tarso, eu estava cumprindo o meu contrato de trabalho. Fui escalado junto com vários artistas da Globo. Não me ofereci pra ir a Caxias. Aliás, enquanto isso, corria contra mim um processo por escrever no *Pasquim*.

O Tarso nem sabia do processo por causa do artigo no jornal que ele fundara e na época dirigia. Mudou na hora. Perguntou se eu precisava de alguma coisa, eu agradeci e declinei qualquer oferta. Esse era o Tarso: briguento, carinhoso e beijoqueiro — como sou beijoqueiro também.

Como o Tarso de Castro, o Maurício Sirotsky Sobrinho também nasceu em Passo Fundo, onde iniciou sua carreira no rádio. Foi para Porto Alegre e lá ficou conhecidíssimo, na Rádio Farroupilha, como Maurício Sobrinho. Em 1957, ele comprou a Rádio Gaúcha, criando o grupo RBS, que se tornaria, além de retransmissor da TV Globo, dono do jornal *Zero Hora*. Maurício era um amigo queridíssimo, de um carisma extraordinário. Quando eu ia à capital gaúcha, era uma imensa alegria estar com ele e ouvir suas histórias incríveis. Depois da cerimônia de inauguração da TV em cores, em Caxias, nós embarcamos no avião que iria nos levar pra Porto Alegre. Na hora em que o aparelho começaria a taxiar, descobrimos que ele não estava a bordo:

— Cadê o Maurício?!

Para tudo, a porta do avião se abre, e esperamos, esperamos, esperamos... Meia hora depois, ele chega correndo pela pista, sobe correndo as escadas, entra no avião e diz alto, em pleno gauchês, pra todo mundo ouvir:

— Me desculpem, me desculpem. Mas eu descobri uma ponta de minga no restaurante do aeroporto maravilhosa! Não resisti!

A minga, aprendi, é uma parte da ponta da costela.

As histórias do Maurício com mulheres eram folclóricas (e eu acho que boa parte delas era inventada apenas para não perder o humor). Um dia, ele falou para a sua esposa:

— Olha, eu tenho uma reunião com o Roberto Marinho no Rio, vou pra lá amanhã.

No dia seguinte, o Maurício foi com uma "prenda" para uma das praias do Rio Grande. Sua mulher aproveitou que ele fora viajar e resolveu ir descansar no litoral gaúcho. Quando ela foi fazer o check-in no hotel, o cara da recepção se apressou em dizer:

— Boa tarde, olha, o senhor Maurício já chegou!

Tinham dito pro Maurício que miolo de pão era bom para tirar mancha de batom. Uma noite, ele chegou em casa, pegou miolo de pão na cozinha e foi pro banheiro tirar as manchas do colarinho da camisa. De repente, ouviu a porta se abrir e a mulher perguntar:

— Maurício, que tu tá fazendo aí?

Ele olhou para ela e respondeu:

— Tu sabe que eu não sei?

Noutra ocasião, numa noite em que chovia bastante, Maurício viu que sua camisa estava toda suja de batom. Antes de entrar em casa, ele tirou a camisa e jogou no quintal do vizinho. Na manhã do outro dia, ele começou a falar pra mulher:

— Tu sabe que eu estou desconfiado da nossa nova empregada? Eu estou procurando e não estou encontrando aquela camisa branca nova...

Nisso, a empregada entrou no quarto segurando a camisa encharcada da chuva e toda suja de batom, e disse:

— Seu Maurício, o vizinho mandou devolver a camisa que o senhor jogou no quintal dele ontem à noite!

Ione Sirotsky, a santa mulher do Maurício, era de uma gentileza inesquecível todas as vezes que nos encontrávamos. Espero que ela me perdoe a reprodução dessas histórias — como disse, eram casos mais engraçados do que verdadeiros —, mas o humor é como o escorpião, não pode lutar contra a sua própria natureza. Aliás, essa história do escorpião é magistralmente usada por Orson Welles no filme *Mr. Arkadin*.

# III

Por quase duas décadas, dividi minha vida entre São Paulo e o Rio de Janeiro. Costumava dizer que esse era o melhor dos mundos, eu não precisava escolher entre uma cidade e outra. Além da casa perto do Ibirapuera, na capital paulista, tinha, no Rio, um estúdio situado na avenida General San Martin, no Leblon, e uma pequena cobertura na rua Baronesa de Poconé, na Lagoa, perto de onde mora o Ziraldo. Aliás, foi nessa cobertura que o Pedro Bial, então repórter da TV Globo, me entrevistou, segundo me lembro, *dentro* da piscina, mas, quando fui ao programa dele, ao completar oitenta anos, as imagens exibidas se referiam a uma entrevista realizada *fora* da piscina. Quem pode confiar nas suas próprias memórias? Eu.

No começo dessa dupla — literalmente — cidadania, eu peguei diversas vezes a Dutra, nos dois sentidos, com a minha moto BMW R75 branca, de 749 cilindradas. O crítico Van Jafa chegou a escrever no *Correio da Manhã*: "Na sua motovoadora, Jô voa pelas ruas da cidade do mundo, seja Rio ou São Paulo, ou quando na Rio-São Paulo vem a 140 quilômetros horários, com os seus 140 quilos de peso e mais 140 quilos de humor. Jô só ouve à sua passagem: 'abram alas para um anjo barroco passar'. E lá vai e vem invicto".

Tive várias motos, entre elas uma Yamaha DTN 180, de dois tempos, ano 1987, que usava quando estava em Itaipava, no interior do estado do Rio, onde adquiri uma casa. Em 1990, a fábrica americana Harley-Davidson fez uma grande sacanagem comigo, já apaixonado pelas suas máquinas: lançou a Fat Boy, uma motocicleta de 1340 cilindradas, com as rodas sólidas (sem os raios), que se tornou imediatamente um ícone pra motociclistas de todo o mundo. Seus desenhistas criaram um modelo inspirado nas Harleys clássicas dos anos 1950, só que mais largo. Parecia até ter sido feito sob encomenda para este fat boy aqui. Existem diferentes explicações para a escolha do nome, mas uma delas é particularmente sombria: como as marcas japonesas Honda e Yamaha passaram a dominar o mercado nos EUA, o pessoal da Harley resolveu produzir uma moto que seria a vingança americana, ou seja, seria um sucesso no Japão, na casa dos concorrentes. O nome viria das bombas atômicas jogadas sobre Hiroshima e Nagasaki: Fat Man e Little Boy. Uma ironia desse episódio é que acabei vendendo a minha Fat Boy pra um dos sujeitos mais magros que já conheci, o publicitário Gabriel Zellmeister, então sócio na agência W/Brasil do meu querido amigo e quase prefeito de Londres Washington Olivetto.

Em São Paulo, eu ia muito à histórica Boca das Motos, chamada ainda de Esquina do Veneno (cruzamento da alameda Barão de Limeira com a rua General Osório), perto das Bocas do Luxo e do Lixo — zona onde estavam também as produtoras de cinema da cidade, que nos anos 1970 ficaram conhecidas pelos filmes do gênero pornochanchada. De quando em quando, nos fins de semana, eu passava na loja do Edgard Soares (que foi campeão paulista, brasileiro e sul-americano de motovelocidade), um dos pontos mais frequentados da Boca das Motos, para depois pegar a estrada com mais uma centena de motociclistas (e não motoqueiros, sempre impliquei com essa palavra).

Eu não poderia deixar de ter uma Fat Boy. A placa da minha

era FAT 1130, em alusão ao *Jô Soares Onze e Meia*. Quando eu falei pro Edgard que estava comprando uma, ele me disse, com sua pronúncia paulistana bastante acentuada:

— Ma, Jô, z-Harley tem que z-tê tudo, tem que z-cê igual pichichê de puta.

"Pichichê", ou melhor, "psichê" foi a palavra que resultou do abrasileiramento do termo francês "psyché", as penteadeiras importadas da França que tinham como ícone o desenho de uma mulher deitada. Logo pra quem o Edgard Soares foi sugerir que equipasse a moto. Comprei todos, mas rigorosamente todos, os acessórios que era possível colocar numa Harley, incluindo o kit opcional de tanque e para-lamas: dessa forma, eu podia usá-la em duas cores diferentes, verde-claro e vermelho. E não equipei só a Fat Boy: comprei pra mim toda a roupa de um harlista autêntico e também as botas com o brasão da marca. Mais tarde, já casado com a Flavinha, dei de presente a ela uma Harley 883 clássica, cujo modelo foi lançado em 1957.

A Boca das Motos surgiu na década de 1930, quando o Campos Elíseos, que fica próximo a Higienópolis, era um bairro chique, repleto de casarões, cujos moradores tinham dinheiro para comprar uma moto importada. Ali havia personagens incríveis como o sisudo Luís Latorre, um catedrático em motocicletas. O candidato a freguês entrava na loja dele e perguntava:

— Por favor, o senhor tem o escudo da BMW?

A resposta, nem sempre afável:

— Não, não tenho.

Mal a pessoa saía da loja, o Latorre abria a gaveta e mostrava vinte escudos da BMW guardados a sete chaves.

— Tudo meu. Não fui com a cara do sujeito, eu não vendo mesmo.

Comecei a andar de moto ainda na adolescência, quando estava de férias em Portofino, na Itália, na casa do querido Alberto Pederzani, cuja história contei no primeiro volume destas memórias. Portanto, sempre dirigi muito bem sobre duas rodas e isso me dava autoconfiança. É possível ver no YouTube (vocês já notaram que esse é o canal complementar e obrigatório das minhas memórias) a abertura do programa *Satiricom 74* em que apareço fazendo manobras com uma moto — chego a fazê-las levando duas pessoas na garupa. Hoje, sei que a autoconfiança, o "se achar", é um embuste para quem pilota esse veículo (os queridos motociclistas que me perdoem, mas vou entrar na parte que eles não gostam que ninguém fale mas eu faço questão de falar). Em novembro de 1992, saí de casa pra ir à loja do Edgard comprar uns acessórios. A pouco mais de um quarteirão do meu prédio, fui abalroado pelo carro de um fã que, tentando verificar se era eu mesmo que estava na moto, se aproximou demais. O cara ficou tão nervoso que eu é que tive de acalmá-lo. Depois me deu carona até o Hospital Samaritano, ali pertinho, e me deu também seu número de telefone, para que eu pudesse ligar e xingá-lo na hora que quisesse. Fraturei o ombro esquerdo e fui tratado pelo ortopedista e traumatologista Waldemar de Carvalho Pinto Filho, um homem notável de quem fiquei amigo. O médico me perguntou se queria visitar a ala dos pacientes que haviam sofrido acidentes de moto e que tiveram de amputar um braço ou uma perna, que não poderiam mais andar, com traumatismo craniano... Respondi que não, "muito obrigado, já deu pra ter uma ideia de como é e não gostei". Ele então me aconselhou a nunca mais subir numa motocicleta.

Não só não segui o conselho do dr. Waldemar, como três meses depois, em Itaipava, também não levei em conta o pedido que a Flavinha me fez:

— Bitiko [como ela me chama], acho que ainda não está na hora, você ainda não está bom, não vá andar de moto agora.

Eu estava me sentindo bem e peguei a moto pra dar uma volta. Nesse passeio, o tombo foi bem mais sério: além de fraturar o ombro direito, voltei a fraturar o esquerdo. A Flavinha tentou de qualquer maneira me levar para o Hospital Miguel Couto, no Rio, que tem expertise em traumas, pois presta os primeiros socorros aos acidentados da cidade, mas eu teimei que ela me levasse pro hospital em Teresópolis, que era mais perto. No ombro direito, foi possível colocar uma prótese, porém no outro, com duas fraturas seguidas, não. Perdi a capacidade de elevar muito o braço esquerdo — embora tenha conservado o movimento das mãos —, o que passou a ser visível na televisão. Apesar disso, considero-me um afortunado, pois as consequências do acidente poderiam ter sido bem piores. As estatísticas de morte de motociclistas no Brasil estão na escala do horror. Como sei o risco que corri e como sou uma figura que tem visibilidade (também, com este corpinho, como não ter?), sinto-me na obrigação de alertar a quem puder sobre os perigos de pilotar motocicletas. Elas não são sexy? Sim, são. Elas não passam um sabor inigualável de liberdade e aventura? Sim, passam. Não é maravilhoso sentir aquele vento na cara? Sim, é. Não tem muita gente boa que anda de moto? Tem. Mas nada disso minimiza os riscos e os danos que acidentes com o veículo vêm causando a milhares de pessoas. O capacete não protege a cabeça? Protege. Mas quem anda de moto sem necessidade tem um cérebro que nem merece ser tão protegido.

Os três lagos artificiais interligados do Parque do Ibirapuera ocupam 15,7 mil metros quadrados dos amplos e queridos jardins de São Paulo. Planejado para ser entregue ao público no dia 25 de janeiro de 1954, data que assinalou o IV Centenário da cidade, o parque projetado pelo carioca Oscar Niemeyer sobre terreno alagadiço e lodoso acabou sendo inaugurado sete meses depois, em agosto. A face externa mais visível dos lagos é a que dá para a avenida Pedro Álvares Cabral, em frente ao Monumento às Bandeiras, criado pelo ítalo-brasileiro Victor Brecheret, a quem Roberto Pompeu de Toledo, citando Mário da Silva Brito, no magnífico livro *A capital da vertigem*, chama de "o solitário do Palácio das

Indústrias" — é que o artista ficava recluso em seu ateliê, no interior desse Palácio. Ainda que concebido na madrugada do movimento modernista de 1922, o monumento, apelidado pelos paulistanos de Deixa-que-Eu-Empurro, só viria a fazer parte da paisagem da metrópole no início da década de 1950.

Ali, numa madrugada de 1968, estacionei o nosso Ford Galaxie bordô. Theresinha e eu descemos do carro, abrimos o imenso bagageiro e dele retiramos duas malas cheias de livros. De costas para a enorme escultura do Brecheret, jogamos as malas no lago. Por segundos que nos pareceram intermináveis e nos deixaram agoniados, elas flutuaram com obras como *Da Noruega ao México*, de Liev Trótski, e a minha edição francesa de *O vermelho e o negro*, de Stendhal, antes de submergirem. Depois de eu ser chamado pra depor no Dops e de nossa casa ser invadida e pichada pelo Comando de Caça aos Comunistas, resolvemos não ficar com livros que de alguma maneira pudessem agravar a situação. Pode-se avaliar a que ponto chegou uma sociedade quando as pessoas que vivem nela são obrigadas a esconder ou — como no meu caso — a se desfazer de seus livros. Como era difícil saber quais títulos os agentes da ditadura considerariam "subversivos", afogamos também o livro de Stendhal, que nada tinha de esquerdista além do vermelho no título. Entramos de novo no Galaxie e saímos dali rapidamente, ainda assustados com a nossa ousadia. Contornamos o monumento do Brecheret e pegamos a Brigadeiro Luís Antônio, de volta pra casa. A sede da Oban era lá perto, alguém poderia nos ter visto, havia fantasmas por todo lado.

As histórias do teatro de São Paulo sempre me impressionaram muito. Vindos da cena carioca, Theresinha e eu sabíamos pouco dos bastidores da tradição teatral bem consistente que existia na capital paulista. Para nós, era uma sucessão de surpresas. Havia, por exemplo, toda uma mitologia sobre a passagem da maravilhosa atriz vienense Maria Schell pela cidade. Ela pertencia a uma família de atores, e um de seus irmãos mais novos, o bonitão Carl, com certeza participou da cena teatral paulistana entre 1951 e 1954. Uma história que corria era que ele chegou a possuir uma boate no centro. Não se sabe bem se foi nessa época, ou antes, que os irmãos Schell que se tornariam mais célebres, Maria e Maximilian, também teriam passado por São Paulo, sem encontrar espaço para trabalhar. Maximilian teria batido às portas da Vera Cruz, mas não conseguiu fazer nem sequer uma ponta nos filmes da produtora. A Cacilda Becker contava que, um dia, o Franco Zampari apareceu acompanhado de uma pequena atriz loura e disse:

— A baixinha aqui diz que já fez teatro na Europa e está procurando trabalho no Brasil.

Todo mundo riu. Os irmãos não eram levados a sério quando contavam o que tinham feito como atores.

Alguém virava pra turma do teatro num bar ou restaurante e dizia:

— O alemão ali tá dizendo que vai filmar com o Otto Preminger.

E o pessoal dava risada.

Aqueles irmãos acabaram ficando famosíssimos. Maria Margarethe Anna Schell ganharia o prêmio de melhor atriz do Festival de Cannes de 1954, pela participação em *A ponte da esperança*, dirigido por Helmut Käutner, e, em 1957, contracenaria com Marcello Mastroianni no cult *Le notti bianche* (*Um rosto na noite*), do diretor Luchino Visconti, que era exigente ao extremo com os atores. No ano anterior, ela conquistara a Coppa Volpi de melhor atriz no Festival de Veneza, por seu papel em *Gervaise* (*Gervaise, a flor do lodo*), com direção de René Clément. Maria teve um fim infeliz, morreu louca e na miséria. Maximilian Schell ganharia o Oscar e o Globo de Ouro de melhor ator em 1961 pelo filme *O julgamento de Nuremberg*, dirigido pelo americano Stanley Kramer. Nunca consegui confirmar se sua irmã esteve mesmo pedindo emprego em São Paulo, mas a lenda é ótima e eu gosto de acreditar que Maria passou por aqui.

Não bastavam o programa *Faça Humor Não Faça a Guerra* e o show *Todos amam um homem gordo*: eu estava grávido de vontade de criar. Queria voltar ao teatro. Cheguei para o Ricardo Amaral e disse:

— Vou montar a peça *Black Comedy* no Brasil, você quer produzir?

— Quero, mas não vamos botar dinheiro nosso, pegamos um empréstimo com o Sérgio Carvalho, dono do Banco Andrade Arnaud. Esse empréstimo se paga rapidamente e a gente não precisa desembolsar nada agora.

O britânico Peter Shaffer ficou conhecido no Brasil pelos oito Oscars que a adaptação para o cinema de sua peça *Amadeus*, a qual explora a relação entre o compositor Mozart e seu rival Antonio Salieri, ganhou em 1985. Mas, para um público mais restrito, ele já era renomado havia uma década, desde que Paulo Autran e Ewerton de Castro (minha grande amiga Regina Braga estava no elenco também), dirigidos por Celso Nunes, atuaram em *Equus*, com notável repercussão. Que eu me lembre, até o início dos anos 1970 ninguém ainda tinha montado uma peça do Shaffer no país. *Black Comedy* foi escrita a pedido do respeitado crítico (e igualmente exímio escritor; a abertura do seu perfil de Greta Garbo é célebre: "O que um homem vê bêbado nas outras mulheres, vê sóbrio em Greta Garbo") Kenneth Tynan e aprovada por ninguém mais ninguém menos que Laurence Olivier, então diretor do National Theatre, de Londres. No elenco, a esplêndida *dame* Margaret Natalie Smith, a Maggie Smith que, muito tempo depois, os brasileiros passariam a adorar na série *Downton Abbey*. A noite de estreia foi um sucesso total, e o Shaffer contava que nela aconteceu uma coisa que o marcou pro resto da vida: sentada ao lado dele, havia uma pessoa redondamente gorda que não deu um sorriso sequer durante quase toda a peça. Nós, autores e diretores de teatro, sabemos o pânico que é sentar ao lado de um tipo desses, ainda por cima na primeira apresentação do espetáculo. Apesar de todo o público estar rindo muito, o dramaturgo já achava que a comédia seria um fracasso monumental — e um fracasso do tamanho do National Theatre (o Millôr dizia que nada mais chato para um comediante do que o cara que ri por último estar sentado na primeira fila!). De repente, ouviu-se um estrondo feito o de um vulcão entrando em erupção: o gordo, das profundezas do seu diafragma, liberou uma gargalhada cavernal, ajoelhou-se no corredor entre as cadeiras da plateia e, engatinhando em direção ao palco, só interrompia a risada pra gritar: "Chega! chega!", e caía novamente na escarcalhada.

Como o ponto de partida de *Black Comedy* é a queda de energia num apartamento, eu adaptei o título pra *Tudo no escuro*. A peça estreou em São Paulo, no Teatro Cacilda Becker, em 20 de maio de 1971. O truque criado por Shaffer estava na iluminação: começava com tudo apagado e os atores representando como se estivessem num ambiente todo iluminado. Depois de alguns minutos, todas as luzes se acendiam e alguém gritava: "Ih! Queimou o fusível!", e o elenco representava como se estivesse no escuro. Além do Zeloni, havia um ator excelente, que faleceu muito cedo e hoje está esquecido, o Luís Carlos Arutin. Ele vinha de uma família árabe de Barretos, no interior de São Paulo, era militante do Partido Comunista, e na peça interpretava um gay dono de antiquário que morava em frente ao apartamento onde ocorria toda a ação.

A crítica achou a comédia de Shaffer leve demais — os tempos eram de um teatro mais engajado —, mas ela fez um grande sucesso, e tivemos de programar matinê e duas sessões no sábado e matinê e uma sessão no domingo. Como passávamos o fim de semana no Cacilda Becker, nós, da produção, começamos a servir um lauto lanche entre a matinê e os espetáculos da noite, o que não era muito comum no teatro, sempre em dificuldades financeiras. Quando o Arutin viu aquela mesa enorme, perguntou:

— Ô Zeloni, isso tudo é pra gente comer?

— Claro!

— Mas a gente tem de pagar? Quanto custa?

O Zeloni, que adorava aprontar com os atores, respondeu:

— É de graça. Pode comer à vontade.

O Arutin, faminto, começou a pegar tudo que via pela frente. E o Zeloni falou:

— Tá vendo, Arutin, essa é a diferença entre o capitalismo e o comunismo: aqui a gente tem comida de graça, em Cuba, nos intervalos, o ator tem de ir cortar cana...

Aí ele imitava a figura do ator cubano indo cortar cana, com o olho arregalado de medo.

Anos depois, fiz outra montagem de *Tudo no escuro*, só que no Rio de Janeiro, com novo elenco. Estreou em 12 de maio de 1976, no Teatro Princesa Isabel, no Leme, e, entre os atores, estava a minha queridíssima Henriqueta Brieba, além do Jaime Barcelos, um monstro, e da Theresinha Austregésilo. Henriqueta e eu viríamos a formar uma dupla que ficou muito popular na década de 1980, num quadro criado pelo Max Nunes para o *Viva o Gordo*, na Globo. Ela era a pornomãe da Bô Francineide, um personagem inspirado na Bo Derek e nas atrizes de filmes eróticos da época, "transando o corpo numa *nice*". A Henriqueta miudinha era abraçada pela esférica — e bota esférica nisso — Bô Francineide, que dizia o bordão: "E pensar que eu saí de dentro dela".

Na década de 1960, o Mário Leão Ramos fundou no Recife a Abaeté Propaganda. O nome escolhido já era um bom exemplo da criatividade do Mário: ela apareceria sempre como a primeira agência no catálogo telefônico — as famosas Páginas Amarelas —, o que correspondia a aparecer hoje entre as primeiras opções nas buscas do Google. Como usaríamos fósforos em cena, resolvi procurar patrocínio de uma empresa do setor. Foi quando descobri a

Abaeté e o Mário, que tinha a conta de publicidade da Fiat Lux. O clima na agência era fenomenal e, sempre que dava, eu ia até Botafogo pra bater papo com o pessoal. A maior parte dos publicitários que trabalhava lá era de esquerda; o diretor de operações, Simão Gorender, era irmão do comunista histórico Jacob Gorender (filhos de asquenazes — judeus oriundos da Europa Oriental — bem pobres, que moravam em Salvador).

Um dia, invadiram a Abaeté e levaram o Mário preso, acusado de dar guarida àquele bando de comunistas ou simpatizantes da esquerda. No interrogatório, ele negou tudo:

— Não, major. Absolutamente. Eu não tenho nada, não tenho vínculo nenhum ligado ao comunismo, ao terrorismo, a coisa nenhuma.

Ele tinha sido preso pela manhã; já era tarde da noite e continuava detido. O pessoal na agência estava na maior angústia. Depois de muito perguntar e de muito enrolar, o major se convenceu de que não havia nenhuma prova contra o publicitário. Então disse:

— O senhor faz o seguinte: pega aquela máquina de escrever e põe o seu depoimento. Eu preciso dele por escrito.

O Mário escreveu dois parágrafos e a fita da máquina acabou. Eram onze horas, não tinha mais ninguém no almoxarifado do quartel para repor a fita. O militar ficou furioso:

— Isto aqui está uma esculhambação, não tem escrivão, não tem ninguém no almoxarifado... Vai ter que ficar pra amanhã. Hoje o senhor dorme aqui.

— Seu major — disse o Mário, sem a menor vontade de passar a noite lá —, se o senhor me permite, eu tenho uma proposta.

— Qual é?

— Bem, a fita tem as duas bandas, a preta e a vermelha. Acabou a preta, mas eu posso continuar na vermelha...

O major o cortou bruscamente:

— Nem pensar, eu não vou aceitar um depoimento em vermelho, porque vermelho é a cor do comunismo. Não dá, ninguém no Exército vai aceitar um depoimento em vermelho, e eu não tenho como justificar. Eu queria acabar logo com isso, mas o senhor vai ter que passar a noite até o almoxarifado abrir amanhã.

A perspectiva de passar a noite encarcerado pela ditadura era aterrorizante. E o Mário teve uma ideia:

— Seu major, o papel onde eu estou escrevendo o meu depoimento é branco, não é?

Sem saber aonde ele queria chegar, o militar respondeu:

— Sim, é branco, e daí?

— E essa caneta que está aí em cima da mesa é a que o senhor vai me dar pra assinar o depoimento, certo?

O major, mais intrigado ainda:

— É, e daí?

— Ela é de tinta azul, não é mesmo?

— É.

— Então pronto: o papel é branco, a caneta da assinatura é azul e o texto é escrito em vermelho. Vermelho, azul e branco são as cores da bandeira dos Estados Unidos da América, não têm nada a ver com o vermelho da Rússia e com o comunismo. Vai ser fácil o senhor explicar isso para seus superiores.

À meia-noite, o Mário entrava triunfante na agência. Ele contou a história pro pessoal e acrescentou:

— No final, queriam mandar uma viatura me levar pra casa. Mas eu disse que não, que eu iria pegar um táxi mesmo.

— Mas por quê? — alguém perguntou.

— Pelo seguinte: vieram me buscar num Fusca caindo aos pedaços. Eu estava no banco de trás e vi, no chão, um monte de granadas rolando de lá pra cá, daqui pra lá. Fiquei em pânico. Imagine se eles vêm me devolver no mesmo Fusca?

Enfim, poucas vezes o patrocínio de uma peça dirigida por mim funcionou tão perfeitamente, tanto no palco quanto na colaboração do pessoal da agência de publicidade, Abaeté Propaganda, a quem eu fico eternamente agradecido.

Uma noite, *Tudo no escuro* em cartaz, fomos assaltados no Teatro Princesa Isabel. Por sorte, na época eu fazia semanalmente o pagamento do elenco — que recebia um percentual sobre a bilheteria —, portanto o roubo não causou grande prejuízo. Nós éramos oito. No final de uma apresentação de domingo, eu disse:

— Gente, vamos lá que eu tenho que pagar vocês.

Aí o Jaime Barcelos falou:

— Jô, está muito tarde. Vamos deixar pra receber no começo da semana que vem, que tá muito em cima da hora.

Eu brinquei com ele:

— Se não receber hoje, não vai receber, não vou pagar, hein?

Fomos para o escritório do teatro, que era no andar de cima, e eu paguei todos os atores. Ficamos o Davi, administrador do Princesa Isabel, a Theresa e eu. De repente, a porta se abriu e entraram três homens armados. Eles conheciam bem o lugar:

— Abram o cofre, o dinheiro está lá.

Eu pensei: "Santa intuição, ainda bem que já paguei todo mundo!". O dinheiro que os ladrões levaram era a nossa parte, da Theresa, minha e do teatro. Um dos assaltantes, que devia estar totalmente drogado, encostava o revólver no meu pescoço e dizia, referindo-se ao personagem do programa *O Planeta dos Homens*:

— Se tu disser que o macaco tá certo, eu te mato!

E eu respondia:

— Não, o macaco está errado, está erradíssimo!

Uma das boas recordações que tenho dessa temporada do *Tudo no escuro* é que uma noite, no intervalo do primeiro para o segundo ato, o porteiro veio me dizer:

— Seu Jô, tem uma senhorinha aí na porta dizendo que é sua prima. Ela quer falar com o senhor.

— Não dá tempo, eu estou no intervalo de um ato para o outro… Faz o seguinte, já que é uma senhora, traz ela pelos fundos que eu vou apenas cumprimentá-la e volto para cena.

Pouco depois, vi entrar uma mulher que já devia ter quase oitenta anos. Olhei para ela e pensei: "Meu Deus do céu, quem é essa deusa?! Com quase oitenta anos ela é linda". A senhora veio na minha direção e disse:

— Oi, meu priminho, finalmente eu conheço você. Eu sou Dulce Martínez de Hoz, de solteira Dulce Liberal.

Fiquei emocionadíssimo e falei:

— Dulce! Eu nunca me esqueço de mamãe dizendo que você era a mulher mais bonita do Brasil! E agora eu digo: continua sendo a mulher mais linda do mundo.

Quase octogenária, era uma coisa deslumbrante. Prima em segundo grau de minha mãe, Dulce foi casada com o jornalista João de Sousa Lage, dono do jornal *O País*, que morreu quatro anos após o casamento. Depois, em Paris, ela conheceu o milionário argentino criador de cavalos de corrida Eduardo Martínez de Hoz, dono do famoso Haras d'Auteuil — durante a ocupação nazista, os alemães o assaltaram e levaram todos os seus cavalos. Pela elegância, pela classe, pela beleza, Dulce se tornou uma lenda entre Paris, Rio e Buenos Aires. Mamãe também tinha parentes argentinos (daí o apelido espanholado Mêcha), e certa vez encontrei o casal Lair Cochrane e sua mulher portenha Dolores Blaquier. Durante a conversa com Dolores, conseguimos estabelecer o nosso grau de parentesco e ela me convidou para passar uns dias na famosa estância La Concepción, uma das mais bonitas da Argentina, que pertencia à sua família. O Lair era uma figuraça. Uma das suas histórias ficou conhecidíssima: ele chegou acompanhado de um amigo numa roda no antigo Paddock e disse:

— Esse daqui é o fulano, aquele cara que pegaram enrabando o sogro.

Na Globo, o *Satiricom* se aguentou no ar às segundas-feiras por quase três anos — nos últimos tempos, virou programa quinzenal. Então foi substituído por um novo humorístico que, este sim, nos dava um prazer danado fazer. Resolvemos retomar parte da grande tradição do humor brasileiro do rádio e do começo da TV e misturá-la com as inovações artísticas e tecnológicas disponíveis. A série de filmes *Planeta dos macacos*, iniciada em 1968, foi um sucesso mundial estrondoso, e aproveitamos o título para lançar *O Planeta dos Homens*, em 15 de março de 1976, com direção de Paulo Araújo. Os macacos (o mais famoso deles, o Sócrates, ficou conhecido pela frase: "Não precisa explicar; eu só queria entender") eram feitos por Orival Pessini, que construía as máscaras dos personagens. A linda bailarina Wilma Dias — que foi casada com um bon vivant português, muito meu amigo — ganhou notoriedade pela sua aparição na abertura, criada pelo Hans Donner, na qual surgia dançando de dentro de uma banana.

Foi engraçado o que aconteceu na primeira reunião com o Max Nunes e o Haroldo Barbosa. Eles disseram que queriam colocar o bordão "O macaco tá certo" e eu falei:

— Não, espera lá. Acabei de fazer o *Satiricom*. Agora o papel que vou fazer é escada pra macaco? Não vai dar.

O Max, o Haroldo e o Hilton Marques riram muito e explicaram:

— Não, quem vai dizer o bordão é você.

E "O macaco tá certo" fixou.

Começamos a ousar mais no humor de fundo político, criando vários quadros e personagens que faziam alusão à realidade vivida pelo país. Tinha o Evaristo, uma espécie de funcionário público ("funcionário anônimo", ele dizia) que usava o bordão "Não me comprometa" — referência à covardia diante das delações que existem em todo regime totalitário. Na época, o Henfil criou um personagem (Ubaldo, o Paranoico) que marcou muito, refletindo o clima de desconfiança geral que alimentava os sentimentos persecutórios. Os diálogos do Evaristo eram assim:

— Às suas ordens, senhor — dizia alguém.

— Eu não quero dar ordem nenhuma, eu só quero uma passagem pra Mato Grosso.

Ou:

— Seu nome está na lista?

— Nunca esteve em lista nenhuma e nem vai estar, o senhor, por favor, não me comprometa.

Ou ainda:

— Eu queria que o senhor me indicasse...

— Eu não indico ninguém, não indico nada... Quem indica é seta ou dedo-duro. O senhor não me comprometa!

Como também era muito comum alguém conseguir emprego por ser parente ou amigo de alguém que fazia parte do governo militar — nunca a figura do pistolão foi tão usada no Brasil —, criamos dois esquetes alusivos a essa situação. Num deles, o dr. Rafael, cunhado de um político poderoso, era constantemente assediado por pessoas pedindo favores. Sua resposta não mudava:

— Cunhado não é parente.

Outro quadro falava do Gandola. O personagem chegava pra uma entrevista de emprego e ia logo dizendo:

— Quem me mandou aqui foi o Gandola.

Eu virava os olhos ao pronunciar o bordão, insinuando ser protegido por alguém muito influente. O quadro ficou no ar por um bom tempo, até que um militar protestou porque estávamos debochando dos símbolos das Forças Armadas, já que, no Sul, "gandola" é uma vestimenta militar, espécie de manta usada em substituição ao capote — nós não tínhamos a menor ideia disso. A Censura nos obrigou a trocar o nome no bordão. O pistolão passou a se chamar Bochecha. O tiro da Censura saiu pela culatra, porque todo mundo começou a achar que o novo nome fora inspirado no ministro da Justiça, Armando Falcão, mas ninguém poderia censurar um personagem chamado Bochecha.

O Paulo Silvino, o Agildo e eu brincávamos muito nas gravações, e também antes e depois. O Silvino era casado com uma moça linda e eu pegava no pé dele, dizendo que, em vez de estar ali, ele deveria estar em casa com ela. A brincadeira gerou um dos quadros de maior sucesso do *Planeta dos Homens*, aquele do bordão "Vai pra casa, Padilha". O Martim Francisco fazia o Padilha, um cara que, toda vez que chegava a um lugar, ouvia da turma: "O que é que você está fazendo aqui, com aquele mulherão em casa?", e em seguida o bordão: "Vai pra casa, Padilha!". Outro quadro que ficou muito popular foi o do Gardelón, personagem inspirado num argentino simpaticíssimo que trabalhava no Rio com o empresário de artistas Marcos Lázaro. Trata-se de um tipo de argentino que acho fascinante: as coisas estão correndo mal em sua vida, mas ele não dá o braço a torcer, continua numa boa, mantém o bom humor. O Gardelón dizia ter sido "muy amigo" do Perón e de quase todos os seus conterrâneos importantes. Eu pensei em fazer um esquete baseado nele, o Max sugeriu que incorporássemos uma ambiguidade, um duplo sentido, e funcionou. Um amigo brasileiro sempre armava pra cima dele, que reagia com o "Muy amigo". Aliás, o embaixador da Argentina no Brasil na época, Oscar Camilión, me mandou uma carta agradecendo pelo fato de eu ter criado um personagem que fazia uma ligação da maior simpatia entre nossos países.

Meus amigos de São Paulo e eu adorávamos ir à região das avenidas Ipiranga e São João. Tudo ali nos interessava: os lugares e seus frequentadores, os filmes, os espetáculos, os personagens das tardes e das noites. Uma ocasião, nós rimos à beça no cinema porque não entendemos direito a fala de um ator, o maravilhoso Basil Rathbone, nas clássicas adaptações dos contos do Edgar Allan Poe realizadas pelo rei do *trash movie*, Roger Corman (autor do livro *Como fiz dezenas de filmes em Hollywood e nunca perdi um centavo*, livro que, aliás, ele lançou aqui, no meu programa). O Jack Nicholson, que começou sua carreira nos seus filmes, era fanático por ele. O diálogo que quase nos matou de rir se deu num episódio de *Muralhas do pavor* (*Tales of Terror*), de 1962, intitulado *O caso do sr. Valdemar* (*The Facts in the Case of M. Valdemar*). Quem faz o sr. Valdemar é o Vincent Price (que trouxe classe para os filmes de terror), e o médico que o hipnotiza, Carmichael, é feito pelo Basil Rathbone. O sr. Valdemar morreu, mas está preso pela hipnose, e o Carmichael passa a perguntar:

— O que você vê? (*What do you see, Valdemar?*)

E o Valdemar responde lentamente com voz cavernosa:

— Tomaá no seu cu…

— O que você está dizendo? (*What are you saying, Valdemar?*)

— Tomaá no seu cu…

Nós brincávamos que, pelo nome, o tal do Valdemar devia ser descendente de brasileiros, por isso falava aquela frase. Na verdade, o que ele diz no filme é: "*Let me gooo, let me gooo*", com o "o" final soando como "uuu", então era perfeito dublarmos com o "Tomaá no seu cu". Aliás, Philip St. John Basil Rathbone, nascido na África do Sul, foi um dos excepcionais atores que tiveram formação shakespeariana. Não há nada que se assemelhe à escola britânica. Quando alguém como ele faz o papel terciário de um carteiro que apenas entrega uma correspondência, parece que trabalha há trinta anos nos correios de Sua Majestade! Além de ter sido um dos mais importantes Sherlocks Holmes no cinema, Rathbone ficou famoso como o capitão Esteban Pasquale, que, no filme *A marca do Zorro* (1940), trava um duelo de espada com o Zorro (Tyrone Power). Ele esteve no Brasil e apresentou um one-man show inesquecível no Teatro Record, onde contava histórias de sua vida e de seus personagens nas quais dava dicas preciosíssimas sobre a arte de interpretar. Um ator sensacional mostrando um pouco da sua ciência e do seu talento. A certa altura, Rathbone pegou um florete, executou vários movimentos clássicos com a arma e, ao terminar, disse:

— Quero declarar que sou um grande espadachim. Na verdade, esse foi um dos motivos pelos quais fui escolhido pro papel do capitão no filme do Zorro. Eu sou um bom esgrimista. E, agora que estou fazendo este espetáculo pelo mundo inteiro, quero tranquilizar os meus fãs dizendo que poderia ter matado o Tyrone Power na hora que eu quisesse.

Por falar em filmes de terror, quem me recomendou o primeiro filme de vampiro depois do *Nosferatu* foi o João Bethencourt, um cara intelectualmente injustiçado, muito amigo do Paulo Francis. Ele é o autor de *As vidas de El Justicero: O cafajeste sem medo e sem mácula*, que foi filmado pelo Nelson Pereira dos Santos. (Bethencourt escreveu uma peça que seria atualíssima hoje, *Sodoma e Gomorra: O último a sair apague a luz*, cuja ação transcorre em Brasília. O Jorge Dória fazia o papel do chefe do gabinete do presidente da República. Ele chegava ao palácio e dizia à sua secretária: "Dona fulana, eu não aguento mais. Toda vez que eu entro aqui tem esses pombos no telhado gritando: 'Corrupto, corrupto, corrupto'. Eu já cansei de pedir pra senhora esparramar esses pombos daqui!".) Estávamos na Fiorentina, o João apareceu e me disse:

— Tem um ótimo filme de terror em cartaz, com o Peter Cushing e o Christopher Lee fazendo o vampiro. Você precisa ver, é um filmaço.

Era um Frankenstein (*The Curse of Frankenstein*, 1957), considerado o primeiro filme colorido de terror, produção da Hammer, que se tornaria famosa desenvolvendo todas as películas que tinham múmias, vampiros etc. Cushing e Lee viraram ícones do gênero e melhores amigos. George Lucas convidou o Peter Cushing para fazer o papel do Grand Moff Tarkin, o comandante da *Death Star*, no episódio IV do *Guerra nas estrelas*. Foi uma espécie de homenagem a ele, que, por ter pés muito grandes, não conseguia calçar as botas do figurino e usou pantufas — os fotógrafos do filme só o enquadravam dos joelhos pra cima. Por isso, suas imagens não puderam ser utilizadas em outros episódios da série.

Como já comentei, eu frequentava o pequeno Café Jeca, no coração de São Paulo. Lá havia personagens sensacionais, como o Julinho Boas Maneiras, que sabia tudo sobre circo. Tinha uma mesa na calçada, os habitués iam chegando, sentando e se punham a conversar. Um deles era o dr. Barbosa, um advogado educadíssimo, que se trajava com esmero, terno e colete ("Sem o colete não se forma o terno, porque terno é três", ele pontificava), lencinho saindo do bolso do paletó, bigodinho fino, cabelo emplastrado de gumex. Certa ocasião, noite alta, um dos caras estava triste e amuado porque tinha se desquitado da mulher. Conversa vai, conversa vem, outro frequentador, com cerimônia, perguntou:

— Doutor Barbosa, o senhor que é advogado respeitado poderia nos dizer o que pensa da separação?

Nos anos 1960, o divórcio era proibido por lei, condenado pela Igreja Católica, e a separação era ainda um tabu, embora as estatísticas mostrassem que cada vez menos os casais ficavam juntos até o fim da vida. Dr. Barbosa fez uma expressão grave, deu uma profunda tragada no cigarro e respondeu:

— Depende muito de cada caso. (*Pausa, suspiro*) Eu, por exemplo, sou casado e, se minha mulher quiser se separar de mim, não vai ser assim tão fácil, ela vai ter de dar muitas explicações.

— Mas, se o doutor me permite, explicar por quê?

— Pelo seguinte: quando ela quer pau, dou pau; quando ela quer língua, dou língua. Eu realmente não entendo por que ela poderia querer se separar.

A mesa inteira balançou a cabeça em sinal de aprovação às palavras daquele homem que parecia conhecer os segredos mais recônditos do matrimônio. Depois de um silêncio reflexivo, pediram mais cerveja.

*O Planeta dos Homens* ficou no ar até janeiro de 1982. A cada nova temporada nós renovávamos os quadros, personagens (fiz mais de duzentos em toda a minha carreira) e bordões. Chegávamos a tirar do ar mesmo aqueles que estavam fazendo muito sucesso, pois é sempre melhor um personagem deixar saudades do que ficar no ar mais tempo que o necessário. Em 1979, o governo do presidente militar João Batista Figueiredo nomeou para o Ministério da Agricultura o economista Delfim Netto, que havia sido o superministro da Economia no início da década — o chamado período do Milagre Brasileiro. A escolha virou piada nacional: um ministro da Agricultura que não tinha nenhuma familiaridade com o campo. Nós não podíamos perder a oportunidade e criamos o dr. Sardinha — verdadeira cópia do Delfim —, um ministro que só enrolava na hora de falar sobre produtos agrícolas ("O pitangal tem que pitangar, o fruto-do-pãozal tem que fruto-do-pãozar, o cogumelal tem que cogumelar") e terminava com a frase "O meu negócio é números". O dr. Sardinha recebeu um convite, que me honrou muito, pra participar do especial do Rei Roberto Carlos daquele fim de ano.

O esquete que fizemos foi o seguinte:

ROBERTO CARLOS  Doutor Sardinha, eu queria falar sobre a música popular brasileira.

DR. SARDINHA  Mas como? A música popular brasileira não está musicapopularbrasileirando? Mas comigo ela vai musicapopularbrasileirar! Qual é o problema? O Jorge Ben não Jorgebenzeia?

ROBERTO CARLOS  Benzeia!

DR. SARDINHA  A Elis Regina não Regineia?

ROBERTO CARLOS  Regineia!

DR. SARDINHA  O Caetano Veloso não Veloseia?

ROBERTO CARLOS  Veloseia!

DR. SARDINHA  Então, comigo a música popular brasileira vai musicapopularbrasileirar. O meu negócio é números. Agora, eu sou Sardinha, mas ninguém me pesca!

ROBERTO CARLOS  Sim, mas o problema maior é que os músicos brasileiros estão parados!

DR. SARDINHA  Ah, mas vão ter que andar. Comigo eles têm que andar, não é pra ficar parado coisa nenhuma. O músico brasileiro não tem que ficar parado, ele tem que ficar é na parada. E depois, uma coisa: a banda não bandeia?

ROBERTO CARLOS  Bandeia!

DR. SARDINHA  A sinfônica não sinfoniqueia?

ROBERTO CARLOS  Sinfoniqueia!

DR. SARDINHA  O Isaac Karabtchevsky não Isaackarabtchevskeia?

ROBERTO CARLOS  Karabtchevskeia.

DR. SARDINHA  Então! Comigo vai dar certo, porque meu negócio é números, é números.

ROBERTO CARLOS  O meu também, doutor Sardinha... Música e letra, né?

DR. SARDINHA  Então faz o seguinte: fica com a música e me manda as letras todas, por favor, meu amigo. Letra imobiliária, letra de câmbio, porque meu negócio é números. Inclusive, eu tive uma ideia pra você, que é um jovem compositor, realmente extraordinária, um tema maravilhoso pra se fazer uma música que é o otimismo!

ROBERTO CARLOS  E como é que é a letra?

DR. SARDINHA  Não sei, aí você desenvolve, aí você vai desenvolvendo. Eu só tenho a ideia, o desenvolvimento é por sua conta...

ROBERTO CARLOS  Tudo bem, doutor Sardinha, mas o músico brasileiro não tem trabalho!

DR. SARDINHA  Isso já é outro departamento! Aqui não é Trabalho, aqui é Pla-ne-ja-men-to!

ROBERTO CARLOS  Tudo bem, mas o músico não tem onde trabalhar, doutor Sardinha!

DR. SARDINHA  Bom, mas isso então é só exportar os músicos, exporta música pra tudo quanto é lugar do mundo e vêm dólares em troca, dólares, dólares... O meu negócio é números, é números!

ROBERTO CARLOS  Tudo bem, tudo bem, doutor Sardinha, tudo bem. Já vi que aqui não arranjo nada mesmo. (*Roberto Carlos sai*)

DR. SARDINHA  Roberto! Roberto! Continua cantando, Roberto! E divisas, canta lá fora e divisas pra cá. Divisas pra cá, por favor, Roberto! Olha: cante que o João garante!

"Plante que o João garante" era uma das propagandas do Ministério da Agricultura no governo Figueiredo. O Zevi Ghivelder, editor da revista *Manchete*, me convidou pra entrevistar o Delfim Netto. Fui até a casa do ministro, em Brasília, almoçamos juntos. Lembro que fiquei impressionado com a simplicidade da casa, era quase um mosteiro, e com a frugalidade da refeição. O poder é engraçado: um homem como ele poderia usufruir mais da posição que ocupava. Após o almoço, eu pedi licença para ir ao banheiro. Carreguei comigo a mala que tinha levado, pus terno, gravata, penteei todo o cabelo pra trás com brilhantina e coloquei uns óculos enormes. Me transformei no dr. Sardinha. Quando voltei à sala, Delfim Netto olhou espantado para mim e disse com o "r" bem puxado que tem:

— Mas é terrrrível!

Depois da entrevista, fizemos juntos a foto pra capa da *Manchete*... os dois segurando uma cesta com bananas e abacaxis.

O Zevi e eu fomos entrevistar também o ex-presidente Jânio Quadros — "o Lincoln de Campo Grande", como o chamou com um pouco de entusiasmo seu biógrafo Bernardo Schmidt, entrevistado no meu programa —, que nos recebeu vestindo o famoso slack do Jim das Selvas. Ele tinha aquela mania de querer ser um inglês passando o verão na Índia. Sentamos na sala. Jânio se virou pra cozinha e falou:

— Maria, há café?

Com a minha impertinência, fui logo dizendo:

— Perdão, presidente, mas não é "a" café, é "o" café.

Ele riu e respondeu:

— Esta observação faz jus à sua qualidade como humorista.

Em seguida, começou a contar que tinha chegado a São Paulo na véspera. Viera dirigindo, com a mulher, Eloá, desde Mato Grosso.

— Nós viemos por uma estrada péssima. Houve um momento em que ela era muito sinuosa... Perdi-me...

Interrompi:

— Claro, presidente, é normal o senhor se perder numa estrada que não conhece bem...

— Não, não. Perdi-me agora na nossa conversa. Não sei mais o que estava falando...

Um dia, o Jânio me ligou e disse:

— Rogo-lhe me fazer um favor deveras importante.

— Pois não, presidente!

— Queria muito que você desse uma entrevista para o cachorrinho de estimação da minha filha, Tutu.

— Pro cachorrinho?

— Exatamente.

Quem sou eu pra discutir? Então recebi a Tutu com o cachorrinho. Ela me esclareceu que a entrevista era pro livro que o seu cachorrinho estava escrevendo. E assim dei a minha primeira (e última) entrevista para um cãozinho, tendo a filha de Jânio como intérprete, depois de garantir a ela que entre as línguas que eu falava não estava incluso o "cachorrês".

Anos mais tarde, num programa, eu chamei o Jânio Quadros

de trapalhão, disse que ele deveria participar do humorístico dos Trapalhões. Depois do programa, recebi um telegrama do ex--presidente dizendo: "Repilo comparação com o comediante Aragão".

# IV

Como fazia todos os domingos pela manhã, o casal Nilton Travesso e Marilu Torres foi à missa na paróquia São Gabriel Arcanjo, no Jardim Paulista, perto da nossa casa e da deles. E qual não foi o espanto dos dois quando, na hora da comunhão, me viram ministrando, ao lado do pároco que rezava a missa, a hóstia sagrada aos comungantes. Eu era Mesc (ministro extraordinário da Sagrada Comunhão) pela Arquidiocese de São Paulo, nomeado por d. frei Lucas Moreira Neves.

O chamado Concílio — encontro internacional de bispos para validar questões de fé e de política da Igreja Católica — Vaticano II, conclamado pelo papa João XXIII, em 1962, e concluído pelo papa Paulo VI, em 1965, deu autorização para que fiéis leigos distribuíssem a Eucaristia não só em missas como em hospitais e casas particulares, e também para que, na ausência de um sacerdote, celebrassem as exéquias. Hoje o Mesc é bem conhecido nas igrejas — pode inclusive ser mulher —, porém no início da década de 1970 ainda causava certa estranheza, aumentada, no meu caso, pela figura de batina branca que as pessoas estavam acostumadas a ver nos humorísticos de televisão. Graças a isso, quando viajava para o Nordeste com meus espetáculos, tinha a oportunidade de distribuir a comunhão ao lado dos bispos da região: o de Salvador,

d. Avelar Brandão Vilela, primaz do Brasil; o da Paraíba, d. José Maria Pires, que, por ser negro, era carinhosamente chamado de Dom Pelé, embora preferisse ser chamado de Dom Zumbi; o de Recife e Olinda, d. Hélder Câmara, de quem fiquei mais próximo. Graças a Deus, tive a chance de entrevistar dois deles, d. Hélder e d. José Maria, no *Jô Soares Onze e Meia*, em 1988 e em 1991, respectivamente.

Minha companheira Theresinha Austregésilo tinha clara vocação mística. Era um dos segredos da sua grande força espiritual e moral. Com o tempo, ela foi mergulhando cada vez mais numa vida interior riquíssima. Nessa busca de si mesma, Theresa passou por todas as religiões. Ficou um mês num abaçá, foi raspada e catulada no candomblé — devido a isso eu me tornei ogã de ouro, de Xangô; fui na barcada no dia em que ela saiu de iaô. Quando foi à Bahia para conhecer a Mãe Menininha, levou o Rafa. Ele adorou: mexeu em tudo, comeu do alimento sagrado. Mãe Cleusa, que na época já cuidava de toda a organização, ficou muito brava com o Rafael por isso, mas Mãe Menininha, pessoa de uma espiritualidade que jamais vi, disse com extrema doçura:

— Deixa o menino comer, deixa ele fazer o que ele quer.

E ali aconteceu algo que nos impressionou fortemente. Por ser autista, nosso filho resistia a qualquer toque no seu corpo; ele tinha um comando que o canadense Eric Berne, inventor da terapia transacional, chamava de "não se aproxime". Para mim, foi muito difícil lidar com isso. Eu queria pegá-lo, beijá-lo, e o Rafinha sempre me dizia: "Não, não *qué* abraço". Excepcionalmente, quando me dava um beijo, era uma alegria imensa. Mas a Mãe Menininha o Rafa abraçava, ficava no colo dela.

Theresa se interessou também pela filosofia japonesa Seicho--No-Ie, que prega o amor universal. Querendo conhecê-la melhor, ela procurou o Boni e lhe disse:

— Tem uma religião japonesa que é a que mais cresce no

mundo, a Seicho-No-Ie. Vai ter um encontro mundial deles. Não seria legal ir até lá fazer uma matéria para o *Fantástico*?

O Boni gostava muito dela, topou, e Theresa fez a primeira grande reportagem sobre aquela filosofia na imprensa brasileira. Poeta, ela lançou *Delírios e visões de uma feiticeira*, em 1967, com capa do nosso amigo José Roberto Aguilar e textos de Jorge Mautner, Neli Dutra, Mário Schenberg e Paulo Bonfim. O livro traz poemas que transitam entre a religião e o mágico, a maioria em português mas alguns em francês, inglês e italiano. Na quarta capa, escrevi:

> Minha mulher sentou-se à pequena máquina de escrever e com dois dedos começou pacientemente a passar a limpo os seus poemas. Durante a tarde, eu ouvia o bater das teclas, em ritmo lento mas seguro, que iam traduzindo em organizadas letras de fôrma toda aquela visão de mundo contida nos originais cheios de rabiscos. Compreendi então que um livro estava nascendo. Antes mesmo que ela me dissesse, percebi. Sabia agora que os delírios e visões que já há algum tempo descansavam em papéis soltos na gaveta do escritório, depois de terem viajado pelo cosmos que é Theresa, iam pular para suas pranchas de "surf" e, de cima das ondas da magia, chegar até às praias profanas inundando-as com suas mensagens de fé.

Eu não tinha uma formação espiritual tão intensa, mas fui sendo influenciado por Theresa, e as dificuldades iniciais com o Rafinha nos aproximaram ainda mais nesse sentido. Por interesse literário, passei a reler a Bíblia, a conhecer a vida dos santos e dos papas (uma das minhas paixões, já li muitas biografias de sumos pontífices e tenho planos de escrever um romance de mistério sobre o assassinato de um padre brasileiro no Vaticano, durante o papado de Pio xi). O fato de estar sendo processado pelo regime militar havia me deixado inseguro; se fosse condenado, seguir minha profissão se tornaria difícil, duas condenações poderiam me levar à prisão ou eu seria obrigado a me autocensurar, o que é o mesmo que decretar o fim da carreira de humorista. Resolvi fazer o Cursilho, algo muito popular entre os católicos na época.

O Cursilho se dizia um processo de evangelização, de mergulho na vivência cristã, sem partido e sem participação política. Mas, desenvolvendo-se no Brasil à sombra do golpe de 1964, ele foi encarado como movimento de extrema direita. É claro que não era. Para mim, foi a oportunidade de mergulhar na vida espiritual, o que naquele momento era muito importante: com trinta e poucos anos, eu voltava ao cristianismo, do qual ficara afastado desde os treze. Foi nessa ocasião que pude fazer uma releitura da minha própria fé. Eu havia amadurecido em vários aspectos, mas não na religiosidade.

Lembro que uma das pessoas que me pediram para descrever a experiência no Cursilho foi o Rubem Braga — leitor constante dos Evangelhos — num jantar. Falei disso publicamente raras vezes, como quando declarei, em entrevista à *Folha de S.Paulo*, em dezembro de 1971: "O que é o Cursilho é difícil dizer. [...] é uma vivência pessoal. E suas consequências são igualmente pessoais e inefáveis. Sei dizer apenas que a minha vida pessoal e profissional se tornou mais autêntica. Tornou-se mais fácil lutar com os leões de nossos dias: o cotidiano".

Àquela altura, a Igreja Católica brasileira passava por transformações, com a radicalização de visões diferentes sobre o cristianismo. Não aconteceu nada nas minhas horas de clausura que pudesse justificar a noção de que o cursilho era um braço da Opus Dei ou da TFP (Tradição, Família e Propriedade), os grupos ultrarreacionários do catolicismo. Muito pelo contrário. Havia até um frade beneditino alemão, frei Max, que eu classificaria como muito sensível ao pensamento da Igreja mais à esquerda, da Teologia da Libertação. Lembro-me de outro padre, numa palestra, dizendo que, se ao morrer se encontrasse no céu ao lado de pensadores como Karl Marx, não ficaria nem um pouco surpreso. Além do mais, diversos participantes, eu entre eles, procuraram unir a experiência individualmente iluminadora da proximidade com Cristo ao entendimento de que a verdadeira Igreja não poderia ignorar os direitos fundamentais do ser humano, o direito à alimentação e à liberdade de expressão. Aliás, um dos aspectos que a partir de então passaram a me impressionar no cristianismo, em oposição a algumas outras religiões, foi justamente a ideia da dádiva, da abnegação, da preocupação com o outro.

Ao longo da minha carreira, criei vários personagens religiosos. Mantive viva a minha vocação de humorista diante da Igreja. Deus talvez seja o único a não precisar de humor, mas, se permitiu ao homem o pecado, permitiu simultaneamente o humorismo… e precisa aguentar as consequências de seus atos. No volume anterior desta autobiografia, mencionei que comecei no teatro interpretando o bispo no *Auto da Compadecida* e também que fiz o Frei Tuck, na Tupi, numa das minhas primeiras apresentações na televisão.

Um religioso meu que alcançou enorme sucesso foi o Irmão Carmelo, um padre italiano. O quadro deu tão certo que ficou no *Planeta dos Homens* por temporadas. Contracenava comigo o personagem do sacristão Batista, vivido pelo ótimo comediante Eliezer Motta. Seu papel era muito bom, tanto que ele sobreviveu, sozinho, como protagonista, na *Escolinha do Professor Raimundo*, do Chico Anysio, por bastante tempo. O bordão "Cala boca, Batista" foi um tiro. Em 1977, após grande polêmica e pressão da Igreja Católica, o divórcio foi aprovado secularmente no Brasil. O quadro basicamente trazia um casal que procurava o Irmão Carmelo para marcar o casamento mas sempre havia um empecilho, pretexto para eu dizer: "Pra evitar o casa-separa, casa-separa, casa-separa, io non caso". Enquanto falava essa frase, eu ia fazendo um movimento para fora e para dentro com a mão esquerda, no que era acompanhado pelo Eliezer. O Batista, um sacristão semialfabetizado, anotava tudo errado no livro da paróquia. Um exemplo foi o do menino que seria batizado como Ignácio Pinto e virou "E Nasce O Pinto". Em 1979, por coincidência, o general Figueiredo, cujo nome completo era João Batista Figueiredo, assumiu a Presidência da República. E o "Cala boca, Batista" passou a ter significado dúbio. Num episódio, chegou um menino para ser batizado pelo Irmão Carmelo. Ele iria se chamar João Figueiredo. Eu disse:

— Escreve aí, Batista, João Figueiredo, o nome mais bonito que eu já vi.

Outro personagem religioso engraçadíssimo era o Frei Paulino, quadro do Costinha. Quando as pessoas perguntavam como ia passando, ele dava a resposta genial:

— Um dia pão, um dia não.

Nos esquetes, sempre aparecia uma situação em que o Frei Paulino teria que ficar junto de uma mulher bonita e sensual. Aí ele soltava o bordão famoso: "Tás brincando!".

Anos mais tarde, já no *Viva o Gordo*, um quadro marcante foi o da dupla Frei Cosme (eu) e Frei Damião (Paulo Silvino), os devotos de Frei Serapião (personagem invisível, que Frei Cosme dizia ser "narigudo e charutudo"). Tratava-se de um esquete todo na base da insinuação maliciosa, tipo de humor em que o Paulo Silvino era imbatível. Nós aproveitamos um bordão que ele costumava usar na vida real ("Ah! como era grande, ah! como era enorme") e o repetíamos toda vez que mencionávamos o nome de Frei Serapião:

— Ah! como era grande — eu dizia.

— Ah! como era enorme — completava o Silvino.

Aos poucos, fomos trabalhando mais os esquetes e personagens, tornando mais longos os quadros nos humorísticos: Frei Cosme e Frei Damião chegaram a ficar no ar, no mesmo programa, por quase sete minutos, o que é muuuito tempo em televisão. Só quadros muito bons seguram tanto tempo. Criamos até um hino — em ritmo de tango — em homenagem a Frei Serapião:

*Como era grande, como era enorme*
*Com essa tentação ninguém mais dorme*
*Como era enorme, como era grande*
*Essa tentação que mais expande*
*Ela era muito grande*
*A enorme tentação*
*Do fundador da ordem*
*Que era Frei Serapião*
*Por isso a sua força*
*Era mesmo admirável*
*Já que a tentação que tinha*
*Era incomensurável*

Paulo Silvino, amigo querido e inesquecível. Ah! como era grande, ah! como era enorme. Beijo grande e enorme pra você.

Normalmente, o caricaturista pega uma ou duas características do rosto de alguém e as exagera, como se usasse os chamados "espelhos mágicos" de parque de diversões, que distorcem as proporções do corpo de quem se mira neles. O humorista faz a mesma coisa: vê os fatos através de uma lente de aumento deformadora, a qual expõe detalhes não perceptíveis ao olho nu das pessoas. Parodiando o autor de máximas vienenses Karl Kraus, eu diria que o humorista nunca diz a verdade: ou ele diz meia verdade ou ele diz verdade e meia. O Millôr alertava que ninguém devia se preocupar, porque o humorista nunca atira para matar.

Quando passei a ler os Evangelhos, não pude deixar de observá-los também com a minha visão de mundo de comediante. De quem presta atenção em detalhes que se transformam em grandes questões. Jesus não poderia pregar para seguidores semialfabetizados ou analfabetos com a linguagem empolada que aparece nas versões da Bíblia. Ele devia ser informal, empregar a linguagem do dia a dia, senão não faria tanto sucesso. E tem outra coisa: tinha de falar rapidamente e sair correndo, porque, mal terminava, já estava levando pedradas. Está escrito: ele falava não como os escribas, mas como alguém que tinha autoridade. Eu sempre me lembro de que o poeta francês Antonin Artaud, também um homem de teatro (dramaturgo e diretor), depois da sua conversão ao catolicismo, foi assistir a uma missa. Horrorizado com o que viu, dirigiu-se à sacristia para falar com o padre:

— Como vocês querem manter as pessoas no catolicismo se você reza a missa numa língua que ninguém entende, o latim, fica de costas pra plateia e a iluminação é péssima?

(Quem me contou essa história foi o cardeal d. Lucas Moreira Neves, que era primo do Tancredo Neves, numa conversa que tivemos sobre as ligações da Igreja com o teatro.)

No maravilhoso Sermão da Montanha — se se puder ler um só texto do cristianismo, talvez o texto a ser lido seja esse —, tem-se a ideia do Cristo pregando, no cimo de uma colina, para o seu grupo de seguidores, uma voz troante vinda dos céus. Mas as pessoas não leem a rubrica dos Evangelhos. Lá está escrito que Jesus estava sentado. E eu fiquei pensando: sentado onde? Certamente não haveria nem banco nem cadeira na montanha. Acho que Jesus estava de cócoras, os discípulos se aproximaram, formaram uma roda, também acocorados. O filho de Deus, apesar dos imperativos da fala de um líder transcritos na narrativa de Mateus, provavelmente conversava em tom baixo, como um amigo de seus seguidores. Ele diz: "Alegrai-vos e regozijai-vos". Pede um catolicismo com sorriso.

Em João, numa das passagens mais bonitas dos Evangelhos, Jesus acolhe a mulher adúltera que seria apedrejada declarando: "Quem de vós estiver sem pecado, seja o primeiro a lhe atirar uma pedra!". E, quando todos se retiram, diz a ela: "Nem eu te condeno. Vai, e não tornes a pecar". Ou seja, ele não fez o que o mundo fez — e faz: incrível que isso aconteça até hoje em alguns países! — com as adúlteras em quase todas as épocas e em quase todas as sociedades (basta pensar nos grandes romances do século XIX, nos quais a condenação delas é recorrente). O que me chama a atenção nessa passagem é o fato de Jesus não ter aplicado nenhuma pena à mulher, nenhuma penitência, nenhum anátema. Por qualquer bobagem que se revele no confessionário, o padre manda rezar não sei quantas ave-marias como penitência. Jesus, não; ele deixou aquela mulher seguir a sua vida.

Enfim, existem tantos detalhes interessantes que passam batido, que durante muito tempo pensei em escrever um texto ao qual chamaria *O Evangelho segundo Jô Soares*, em que apresentaria a minha visão de humorista sobre a Bíblia. Sei que o título é polêmico e pretensioso, mas o que eu posso fazer? É a minha visão pessoal da "Boa Nova", ou "Notícia Alegre", do Verbo cristão: então, o título não poderia ser outro.

Ansioso, cheguei ao quarto de hotel, peguei o telefone e liguei para o Palácio São José, em Manguinhos, sede episcopal de Olinda e Recife. A vozinha do outro lado da linha disse:

— Alô.

— Quem fala?

— É Hélder.

— Dom Hélder... o senhor mesmo atende o telefone?

— Sim, eu mesmo. Quem fala?

— Dom Hélder, que prazer. É o Jô Soares, estou aqui no Recife pra fazer o meu espetáculo e gostaria de encontrá-lo.

— Oi, Jô. Venha já me ver!

\* \* \*

Um brasileiro que participou ativamente do Concílio Vaticano II foi o cearense Hélder Pessoa Câmara, por quem sempre tive grande admiração. D. Hélder está entre as pessoas de vulto que o país vem colocando no armário dos esquecidos. Ainda seminarista, ele recebeu forte influência do pensamento católico conservador dos nossos dois mais importantes líderes laicos, Jackson de Figueiredo e seu sucessor, Alceu Amoroso Lima, que assinava os textos sob o pseudônimo de Tristão de Athayde (aliás, a minha prima lindíssima Dulce Liberal Martínez de Hoz diz, no seu livro de memórias, que Alceu foi um dos seus melhores parceiros de tango na juventude em Petrópolis — tempos de jeunesse dorée da República Velha —, o que destoa da imagem dele que viria a se formar).

Nessa época, o seminarista Hélder começava um trabalho atuante de aproximação da juventude católica com os movimentos operários em Fortaleza, o jocismo (da Juventude Operária Católica). Desenvolveu-se, no círculo dos pensadores católicos, a convicção de que o Brasil precisava de um Estado forte, nacionalista, inimigo do comunismo e do capitalismo burguês (individualista, materialista, liberal), pensamento que, em linhas gerais, se articulava com a hegemonia ideológica nos Estados latinos da Europa: o salazarismo, em Portugal; o, pouco tempo depois, franquismo na Espanha; e, sobretudo, o fascismo de Mussolini na Itália.

Com o lançamento da Ação Integralista Brasileira, em 1932, por Plínio Salgado, o jovem padre viu espaço para suas ideias prosperarem. Tornou-se secretário e militante ativo da AIB no Ceará. Um panfleto datado desse ano dizia: "Ele é sacerdote de Cristo, mas também apóstolo de sua geração, do Brasil novo". Conta-se que, certa vez, num fim de tarde no Café Emídio, na praça do Ferreira, após um debate sobre os caminhos da educação no Brasil, um grupo de integralistas deu uma surra no educador Edgar

Süssekind de Mendonça, que, juntamente com Fernando de Azevedo e Anísio Teixeira, criara um projeto de educação pública e liberal para o país.

Em 1936, Hélder, que havia atuado na pasta de Educação do seu estado, foi convidado para trabalhar, na mesma pasta, na prefeitura do Rio de Janeiro e conseguiu também a transferência das dioceses, mas com uma condição: deixar a militância política na Ação Integralista. O padre obedeceu, porém continuou próximo dos camisas-verdes: foi ele quem levou, em missão secreta, a pedido de Plínio Salgado, que, por seu turno, agia sob o comando de Getúlio Vargas, ao poderoso cardeal Sebastião Leme, então o único cardeal do país, o esboço da Constituição de 1937, a qual instituiria o Estado Novo. Outra vez por influência de Alceu Amoroso Lima — que gostava de citar a frase de Rolando Corbisier: "O grave não é ter sido integralista na adolescência, mas continuar a sê-lo na maturidade e na velhice" —, Hélder passou a seguir a linha de um catolicismo mais humanista e democrático, sobretudo depois da leitura do livro *Humanismo integral*, de 1936, de autoria do pensador católico francês Jacques Maritain. Com o fim da Segunda Guerra, ele arregaçou as mangas da batina para trabalhar pela renovação da Igreja brasileira, inaugurando os anos de conflito com os setores mais conservadores.

A partir de 1950, começou a articular a organização do episcopado no país, tendo sido decisivo na criação da Conferência Nacional dos Bispos do Brasil (CNBB), em 1952. Pouco antes, recebera, na igreja da Candelária, a cruz peitoral, as tunicelas, a casula e o manípulo a que tinha direito ao ser eleito bispo, tornando-se também o auxiliar da Arquidiocese do Rio de Janeiro. O agora d. Hélder assumiu o posto de secretário-geral da CNBB, cargo que ocupou até 1964, e, sendo seu principal operador, construiu uma instituição que teria, nas décadas seguintes, voz política e atuação social inéditas no catolicismo brasileiro. Como disse o brasilianista Ralph della Cava, a CNBB foi uma experiência "sem precedentes no direito canônico ou na história do catolicismo".

Carismático, articulador, incansável trabalhador, aos poucos o bispo-auxiliar se transformava numa das pessoas importantes da ainda capital da República. O jornalista Roberto Marinho convidou-o para ser padrinho do Roberto Irineu, seu filho — com quem convivi muito nos primeiros anos de TV Globo e de quem sou amigo até hoje. A elite carioca apoiou as iniciativas de d. Hélder… mas só até ele dar início a um projeto que iria mexer com a riqueza imobiliária da cidade: a Cruzada de São Sebastião, que pretendia erradicar as 150 favelas então existentes no Rio de Janeiro. No entanto, diferentemente do governador da Guanabara, Carlos Lacerda, ele não queria levar seus moradores para pontos distantes, e sim construir habitações perto do trabalho deles, das escolas, dos serviços, isto é, perto das casas e dos prédios mais valorizados. Daí em diante, uns passaram a ver d. Hélder como santo e outros como a encarnação do diabo — o qual, aliás, o papa Francisco viria a declarar que não existe. Determinado, criou o Banco da Providência (e subsequentemente a badalada Feira da Providência), que funcionava como uma forte agência arrecadadora de recursos preciosos contra a pobreza. Ele se aproximou tanto do risonho presidente Juscelino Kubitscheck de Oliveira, que este o convidou, primeiro, para ser ministro da Educação, convite não aceito, e, segundo, para ser prefeito do Rio — enquanto Distrito Federal —, convite também não aceito.

Além de possuir as características mencionadas, o bispo cearense era astucioso, matreiro e muito bem-humorado, como mostra esta história que ele mesmo contava:

Lembro-me de um dia em que saímos [d. Hélder e d. Jaime Câmara] juntos num automóvel e passamos pela praia de Copacabana. Os primeiros biquínis começavam a aparecer, e eis que uma bela moça, usando um deles, atravessa à nossa frente, vindo do mar. Fiquei deslumbrado com sua beleza: a água lhe escorria dos cabelos, do rosto e dos braços. Olhei-a embevecido, mas pude notar que o meu cardeal se punha inquieto e desconfortável com meu olhar de beatitude, com meu sorriso de apreciação. Eu lhe disse, então: "Veja, meu cardeal, como é difícil julgar... Ao seguir essa moça com os olhos, juro-lhe pelo Nosso Senhor, penso que deve ser com essa mesma beleza interior e exterior que nos sentimos ao fim da missa. Ela nos permite mergulhar no Espírito de Deus e a graça escorre pelos nossos dedos, pelas nossas mãos, por todo o nosso corpo... Acho admirável o corpo humano, pois é a obra-prima da criação. E como há beleza nele. A imagem que essa moça me trouxe, repito, foi a da alegria total que a missa nos proporciona...".

D. Hélder era ainda um poço de contradições. A princípio, apoiou o golpe de 1964 e foi amigo do primeiro presidente militar, o também cearense general Humberto de Alencar Castelo Branco, que chegou a visitá-lo no Recife. O bispo fora transferido para lá poucos dias antes do golpe, numa reviravolta na CNBB e na hierarquia da Igreja Católica, que passou a ser dominada pela ala mais conservadora. Resolveram fazê-lo arcebispo de Olinda e Recife, retirando-lhe, assim, a grande visibilidade e a força de atuação que tinha no Rio.

Anos mais tarde, o jornalista Elio Gaspari contaria que o conservador cardeal do Rio de Janeiro, d. Eugênio Sales, disse-lhe em depoimento ter visto uma lágrima escorrer pelo rosto de Castelo Branco na sua primeira visita a d. Hélder, logo depois de virar presidente, ocasião em que revelou ao arcebispo que a esposa, Argentina, morta em 1963, era sua seguidora. Mas a temporária bonança entre d. Hélder e os militares iria abaixo em 1965, quando ele, corajosamente, recusou o convite do comandante do IV Exército para celebrar a missa de primeiro aniversário da autoproclamada "revolução de 31 de março". No ano seguinte, houve uma tentativa de contemporização, novo convite, agora para rezar a missa de segundo aniversário da "revolução", e nova recusa. O filme dele ficou definitivamente queimado com a direita brasileira.

O Palácio de Manguinhos foi alvo de tiros disparados pelo braço local do Comando de Caça aos Comunistas. D. Hélder recebia ameaças por telefone, havia batidas policiais nas entidades em que atuava. Mas a ação das forças repressivas da ditadura que o machucou profundamente se daria em 1969, com o sequestro, tortura e morte de um jovem padre ordenado por ele, Antônio Henrique Pereira Neto, de 28 anos, a quem tratava como filho (a vítima, entre outros suplícios, foi amarrada, enforcada, cortada por facão e fuzilada com três tiros na cabeça). Antônio foi o primeiro padre assassinado pelo regime. Meses depois, o arcebispo desfechou o seu mais forte torpedo contra o governo militar. Em 26 de maio de 1970, a pouco tempo da estreia da nossa Seleção na Copa do Mundo em solo mexicano, d. Hélder, diante de uma plateia de 10 mil pessoas dentro do Palácio dos Esportes de Paris e outras 10 mil do lado de fora, fez ao mundo a mais barulhenta denúncia das torturas a que eram submetidos os presos políticos no Brasil, baseado no depoimento de dois religiosos violentamente seviciados.

D. Hélder foi o primeiro religioso brasileiro a aproveitar muito bem a força nascente da televisão, além de hábil utilizador do poder de divulgação dos veículos de comunicação em geral. Ele conhecia os limites das práticas paroquiais e queria falar ao país — e depois ao mundo. Corria até uma piada entre os jornalistas dizendo que o arcebispo — autor do livro *O deserto é fértil*, traduzido em quase todo o universo cristão — morreu e foi para o céu. Chegando lá, em vez de entrar, ele ficou esperando na porta. Incomodado com a sua demora, são Pedro foi se inteirar do que estava ocorrendo, e d. Hélder respondeu:

— Deve ter acontecido alguma coisa, a imprensa está atrasada... Vamos aguardá-la para cobrir a minha entrada no céu, ok?

O jornalista e escritor Carlos Heitor Cony (que, certa vez, esteve lá em casa para me entrevistar e não fez uma única pergunta; ele falou, falou, e foi embora — a Theresinha achou muito engraçado), ex-seminarista, escreveu numa crônica na *Folha de S.Paulo* que d. Hélder Câmara "dava palpite sobre qualquer assunto que rendesse espaço na mídia: concurso de misses, operação do menisco do joelho de Ademir [de Meneses, o Queixada, jogador do Sport de Recife e do Vasco da Gama], enchente no Catumbi, crime na rua Sacopã, a morte de Aída Curi, ossos de Dana de Teffé, tricampeonato do Flamengo, a crise dos mísseis em Cuba".

D. Hélder havia se tornado uma figura de proeminência internacional, o brasileiro mais conhecido no mundo depois de Pelé. Aonde ia, era recepcionado por câmeras de TV, microfones e blocos de anotações de jornalistas de vários países. Enviavam-lhe cerca de oitenta convites internacionais por ano para fazer conferências, dar aulas, participar de encontros e receber homenagens. A ele foi concedido o título de doutor honoris causa das universidades Harvard, nos EUA, e Sorbonne, na França. Mas, para a direita brasileira, d. Hélder se tornara o bispo vermelho, o condottiere dos comunistas no país, um arcebispo turista que mais viajava difamando sua pátria do que convivia com as ovelhas do rebanho da sua diocese, o Fidel Castro de batina. Chegaram até a divulgar que o religioso coordenava um exército clandestino de guerrilheiros armados que iam liderar a luta contra a ditadura no Brasil.

O teatrólogo e cronista Nelson Rodrigues e o sociólogo de prestígio nacional e internacional Gilberto Freyre eram dois dos mais inflamados combatentes de d. Hélder nas páginas da imprensa diária, enquanto o já decadente David Nasser — que fora o mais famoso jornalista brasileiro nos anos 1950 — fazia campanha contra ele na então também decadente revista semanal *O Cruzeiro*, de Assis Chateaubriand. Aliás, o arcebispo despertava tanto as paixões que, como Fernando Morais conta, Chatô, no leito de morte, semiconsciente, com galões de água sendo drenados do pulmão, reuniu o resto de suas forças para, num dos últimos artigos que conseguiu escrever, dar mais uma estocada em d. Hélder:

> Vejo o arcebispo de Olinda e Recife como a ovelha da madre Igreja que mais e mais se afasta de seu redil. Não está cumprindo a missão de servo de Deus, ungido pelos princípios da eternidade espiritual de sua fé. [...] Açoitado pelas paixões humanas, precipita-se em fúria, sem pouso, sem paz, num apostolado que seria o da Nova Igreja do Nordeste. D. Hélder se faz, sem ter a mesma sólida envergadura de pensamento, um Carlos Lacerda de saias.

Mas nada mais curioso do que o relacionamento do "reacionário" Nelson Rodrigues com d. Hélder. Os biógrafos do religioso, Nelson Piletti e Walter Praxedes, no livro *Dom Hélder Câmara: O profeta da paz*, dizem que, em 1943, ele recebeu uma cópia do texto de *Vestido de noiva* das mãos do amigo e poeta Augusto Frederico Schmidt, cujo intuito era saber se a Igreja Católica se posicionaria contra a encenação da peça. D. Hélder leu o texto com suas colaboradoras na Ação Católica e ninguém ficou escandalizado. A estreia se deu no Teatro Municipal do Rio, em 28 de dezembro daquele ano, com direção consagradora do Ziembinski e figurinos e cenografia do Santa Rosa. O biógrafo do teatrólogo, Ruy Castro, diz no ótimo livro *O anjo pornográfico* que Nelson Rodrigues ainda recorreria a d. Hélder por mais três vezes: a primeira, em 1957, para a liberação da peça *Perdoa-me por me traíres* (atendida); a segunda, no início da década de 1960, para que o bispo-auxiliar intercedesse junto aos pais da bem-nascida Lúcia, que seria sua segunda mulher, a fim de que o aceitassem como genro (quem falou com o bispo foi o psicanalista e escritor Hélio Pellegrino; d. Hélder conversou com o médico Carlos Cruz Lima e esposa, mas não se sabe o partido que ele tomou, se contra a união da filha com o dramaturgo ou a favor, já que ambos eram casados); a terceira, em 1963, na verdade foi um pedido do Walter Clark, que queria colocar no ar, no horário nobre da TV Rio, uma novela de autoria de Nelson, *A Morta sem Espelho* (o religioso viu alguns capítulos, fez muxoxo, solicitou que se cortassem certas cenas e recomendou que a telenovela *não* fosse transmitida no horário pretendido).

Não se sabe o quanto esses pedidos pesaram, mas, depois de um tempo, d. Hélder passou a ser um dos sacos de pancada preferidos do autor de *Toda nudez será castigada*. Ele dizia que o agora arcebispo do Nordeste queria ver sangue correndo como groselha no país e que era um religioso que só levantava os olhos para o céu quando queria saber se precisaria usar o guarda-chuva. Em seu livro *A ditadura escancarada*, Elio Gaspari reproduz o seguinte trecho de uma crônica de Nelson, publicada em *O Globo*, em abril de 1968: "Se pudesse morrer como a Sarah Bernhardt no quinto ato de *A dama das camélias*, e se, como a diva, pudesse levantar-se, em seguida, para receber os bravos, os bravíssimos e as corbeilles, d. Hélder representaria, todas as noites, o próprio assassinato".

Nelson jogava pesado, uma vez que, sobretudo depois do AI--5, decretado no fim daquele ano, havia risco real de d. Hélder ser assassinado pelos radicais de direita. Seu prestígio internacional era tão grande que, em 1974, ele foi convidado a participar do encontro mais importante do capitalismo, o Fórum Mundial de Davos, na Suíça. Pediu licença para falar aos donos do mundo em nome dos dois terços da "humanidade que sofrem as consequências da fome e da miséria". Nenhum brasileiro esteve tão perto de ganhar o Nobel: d. Hélder foi indicado quatro vezes ao Nobel da Paz, e nas quatro indicações o governo do Brasil, por meio do Itamaraty e da atuação do embaixador em Oslo, Jaime de Sousa Gomes, fez pressão para que ele não viesse a recebê-lo. Segundo se pode ler em *Cobras criadas*, livro de autoria do repórter Luiz Maklouf Carvalho, o jornalista David Nasser, em sua campanha

Norminha foi um dos maiores sucessos na estreia dos programas de humor na Globo; a cantora hippie-suburbana gravou um disco pela Som Livre no qual cantava "Um croquete", versão que fiz para "One Meatball", sucesso na voz de Josh White na década de 1940.

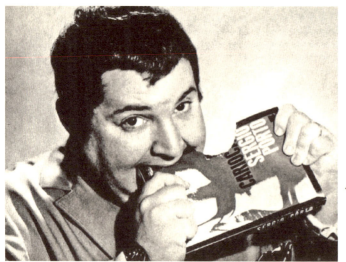

◀ Em 1969, fiz uma campanha a fim de desenvolver o hábito de leitura para a editora Civilização Brasileira, do Ênio Silveira.

▲ Os personagens Lelé e Dakuka foram alguns dos que ficaram famosos na minha parceria com Renato Corte Real no *Faça Humor Não Faça a Guerra*.

CARLOS DRUMMOND DE ANDRADE

     Considero Jô Soares um dos maiores humoristas brasileiros, sob diferentes formas de expressão. Suas criações são de molde a situá-lo entre os artistas contemporâneos de categoria internacional. Merece, por isto, a nossa admiração.

     Pelas poucas linhas de sua colaboração em <u>O Pasquim</u>, sob o título "A Cama", não posso julgá-lo um pornógrafo ou um corruptor da juventude. É antes, e acima de tudo, um humorista que se permite discorrer com graça e malícia dosada, sem infringir nenhum código de moral absoluta, que de resto não existe, sobre temas de todos os tempos e sociedades.

     Parece-me demasiado subjetivo tachá-lo de imoral, dada a amplitude de conceitos e a multiplicidade de pontos de vista que suscita o exame de textos literários em face da moral. Jô Soares é, isto sim, alguém que desperta alegria e reações psicológicas saudáveis no público imenso do Brasil. E todos nós lhe devemos muito, pelo bem que nos faz.

     Rio de Janeiro, 18 de novembro de 1971.

                            Carlos Drummond de Andrade

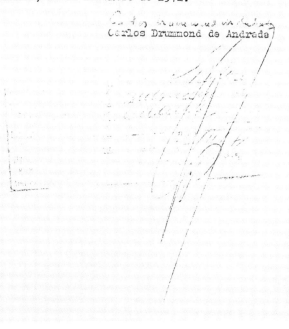

Uma das maiores homenagens que recebi: o depoimento do poeta Carlos Drummond de Andrade para ser anexado à minha defesa no processo movido pelo ministro da Justiça Alfredo Buzaid.

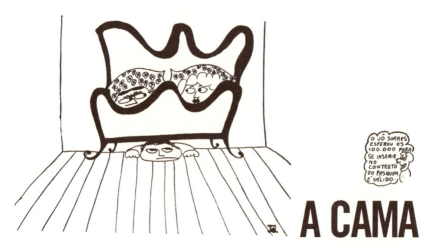

# A CAMA

Muito tem sido feito e dito, embaixo, sobre e dentro da cama, mas pouca gente conhece realmente a origem e a história desse extraordinário objeto. A cama foi inventada em 1213 pelo famoso engenheiro italiano Américo Cama, passando a chamar-se "cama" em sua homenagem. Giorgio Cama era uma bicha notória da Idade Média, que tinha o hábito de só manter relações sexuais com pessoas célebres – daí o ditado "crie fama e deite-se no Cama" – e por isso mesmo resolveu criar um campo de ação mais propício aos seus debates amorosos. Da primeira vez que Américo Cama apresentou a sua invenção ao rei, o então famigerado Luigi, o Louco, assim chamado exatamente pela sua mania de ser rei apesar de ser mulher e mãe de cinco filhos; este achou que o invento era absolutamente imoral e mandou-o de volta dizendo a frase que o tornaria celebre: "Américo, go home." Tudo teria terminado aí, se Américo não tivesse descoberto totalmente por acaso uma outra utilidade para o seu invento: percebeu que descontraindo totalmente o corpo, em posição horizontal sobre a cama, conseguia quase que imediatamente conciliar o sono. Assim, a cama, desviada do seu primeiro objetivo, passou a ser usada como dormitório. Sua primeira vítima foi ironicamente o seu próprio criador, morto dentro dela (fenômeno que se repetiria mais tarde com o doutor Guillotin, inventor da lâmina interminável, que morreu fazendo a barba).

Voltemos para a cama. Os anos foram passando, e a verdadeira função sexual da cama caiu no esquecimento das noites medievais. Aqueles que, de princípio, ainda tentaram profaná-la com suas vergonhosas práticas homossexuais, foram exterminados de uma só vez num massacre ordenado pelo rei e que ficou conhecido como a "Noite do Bichicídio". Só muito mais tarde, a cama voltaria a ser utilizada como instrumento de prazer. Levada subrepticiamente (isto é, embaixo de répteis) para a França por um discípulo de Cama, Luchino Fornicante, pouco a pouco ela foi conseguindo o seu lugar na sociedade. O dito discípulo, vendo-se em fragilíssima situação financeira, começou a alugá-la para casais de sexo oposto (homem-mulher), abrindo assim um novo campo para a cama. Foi a partir de então que ela fez verdadeiramente suas provas, passando por experiências de acoplamento jamais suspeitadas pela limitada imaginação de seu inventor. Algumas freqüentadoras mais assíduas conseguiram inclusive ter nela quatro ou cinco filhos.

Passaram-se, no entanto, muitos séculos antes que a cama tivesse total aceitação popular. O fato só se deu sob Luís XIV, chamado "Roi Soleil" (Rei Sol) precisamente por ser rei e todo mundo querer puxar-lhe o saco. Num dia de transcendente inspiração, Luís XIV levantou-se da sua poltrona Luis XV ainda não inventada e, aproximando-se da sacada do palácio, gritou ao povo que se comprimia para saudá-lo: "L'État c'est moi!", ou seja "o estilo é homem". Tamanho era o seu magnetismo pessoal que a multidão ficou paralizada, olhando para ele de olhos esbugalhados. Talvez o fato dele estar sem calças na ocasião também tenha contribuído um pouco. Logo depois com sua força descomunal, levantou a cama sobre a cabeça enquanto dizia: "Je n'aime pas les raviólis, mas je suis ravi au lit". O que em português não quer dizer absolutamente nada. A partir de então, a cama ficou sendo definitivamente usada com total liberdade. Alguns estudiosos insistem em dizer que antes disso ela já era sexualmente usada, afirmação que pode ser facilmente desmentida, bastando para isso consultar alguns compêndios especializados no assunto como, por exemplo, "Le sacanage au Moyen Age", de François L'amour. Como se vê, parece que, pelo menos no mundo ocidental, coube aos franceses a divulgação da cama, mas no oriente, um comerciante de incrível talento, o hindu Shri Sutra, registrava em seu nome o formidável invento, que passou desde então a ser conhecido como Cama Sutra, mais tarde sofisticado para Kama-Sutra.

Jô Soares

Texto (e ilustração) sobre a cama, que publiquei em 1969 no *Pasquim* nº 20 — a famosa edição histórica de 100 mil exemplares do hebdomadário — e que originou o processo do governo Médici contra mim; o Zózimo Barroso do Amaral escreveu uma nota antológica sobre a festa dos 100 mil do *Pasquim*.

Um debate inédito sobre futebol promovido pela *Folha de S.Paulo* pouco antes da Copa de 1970: o historiador Sérgio Buarque de Holanda, o crítico de teatro Décio de Almeida Prado (com quem eu ia assistir a jogos do São Paulo no Pacaembu), o publicitário Roberto Duailibi e eu, estourando de gordo.

Com o meu padrinho de dois casamentos, amigo, parceiro, conselheiro, o maior redator de programas humorísticos do Brasil: Max Nunes, que se mexia tanto que a barra da calça vivia subindo.

▲
Com Theresinha a meu lado, conversando com o Walter Clark, em Caxias do Sul, na inauguração da TV em cores no Brasil em 1972 (Francisco Cuoco e a mulher mais atrás); na hora H, o Walter pediu para eu falar em nome da Rede Globo.

Em 1973, com a maravilhosa Dina Sfat no meu primeiro programa de entrevistas, o *Globo Gente*; por não ser diário, não ter banda e plateia, que fazem parte da fórmula de um talk show, o programa não decolou.
▼

◀ Eu havia emagrecido oitenta quilos em 1973 e apareço ao lado de Tereza Rachel no filme *Amante muito louca*; em 1975, eu a dirigiria na peça *Oh Carol!*

Em *O pai do povo*, meu personagem era o Magnífico Contreras, ditador populista da ilha da Silvestria, o menor país do mundo; esta cena foi rodada na sede das Laranjeiras, do meu querido Fluminense.

▲ Em 1976, me diverti à beça dirigindo meu único filme, *O pai do povo*, que teve um lançamento quase clandestino; ao dirigi-lo, entendi por que Orson Welles dizia que o cinema era o trenzinho elétrico do adulto.

Imitando Winston Churchill para a abertura de um dos programas da Globo; Churchill salvou a democracia e sabia de cor as principais peças de Shakespeare.
▼

Um dos maiores sucessos do programa *Viva o Gordo* foi o Capitão Gay, personagem que me veio num estalo, enquanto tomava banho; o defensor das minorias estava sempre acompanhado de seu fiel escudeiro Carlos Suely (feito pelo grande humorista Eliezer Motta).

▲
Maria Claudia Raia (como seu nome aparecia nos primeiros créditos do *Viva o Gordo*) fazia dupla comigo no quadro "Vamos malhar?"; grande bailarina desde pequena, cantora, atriz, foi uma namorada que se transformou numa maravilhosa amiga até hoje.

O Reizinho era um personagem completo e tinha em sua corte alguns dos melhores atores e humoristas da televisão brasileira; mas acabei com os meus joelhos, por ter de representar o tempo todo apoiado neles.

▲
Impossível descrever o humor em tempo integral de Paulo Silvino; aqui aparecemos no quadro da Rádio Cruzeiro; fiz com ele também outro quadro que eu adorava, o "Jornal do Gordo", o único jornal televisivo para "pessoas mais ou menos surdas".

Nos anos 1980, voltei a pintar; como minhas telas eram grandes, precisei criar uma espécie de maca para conseguir executá-las (a pintura em progresso da foto hoje pertence ao José Maurício Machline).

▲
Delfim Netto foi nomeado ministro da Agricultura do governo Figueiredo e, em 1979, criei o personagem Doutor Sardinha, para fazer humor com a sua suposta ignorância sobre as coisas da agricultura; esta foto foi feita para a capa da revista *Manchete*.

contra o "anjo do terror" — era assim que Nasser chamava o arcebispo de Olinda e Recife —, chegou a revelar nas páginas do *Cruzeiro* como o dinamarquês Henning Albert Boilesen, o já mencionado presidente do Grupo Ultra, trabalhou contra a candidatura de d. Hélder ao Nobel:

> Todo mundo pensava que o arcebispo de Olinda seria o Prêmio Nobel da Paz. Boilesen empacotou trinta exemplares de meu artigo, ilustrado pela foto de dom Hélder no meio dos integralistas, e partiu ao encontro do rei, lá na Escandinávia. Mostrou-lhe a ilustração, traduziu-lhe o texto. E fez o mesmo com um editorial de *O Estado de S. Paulo*, onde a frase de Hélder era manchete, na sua definição dos nossos terroristas, a seu ver, "admiráveis guerrilheiros urbanos. Eu os amo! Eu os amo!". O rei ficou horrorizado. Fez publicar no mais importante jornal a fotografia e a tradução. Os homens que iam escolher dom Hélder leram, bestificados, o título: "Um fascista para o Prêmio Nobel?".

Depois do meu telefonema, fui visitar d. Hélder Câmara. Embora a sede da diocese fosse no Palácio São José, ele morava num quarto na sacristia da igreja das Fronteiras. Quando cheguei lá, uma equipe da televisão francesa gravava o documentário que estava fazendo sobre o "bispinho", como ele se referia a si mesmo. O repórter afirmou que d. Hélder havia dito que faria a sua conversão. D. Hélder respondeu que não poderia ter dito isso, porque, antes de convertê-lo, teria de julgá-lo e, se o julgasse, não poderia ser considerado cristão:

— No momento em que eu começar a julgar, deixo de ser cristão.

Esse diálogo me marcou muito. Na hora senti uma emoção forte. Em volta, as pessoas olhavam para o arcebispo de Olinda e Recife como se olhassem para um santo. Eu usava uma corrente de ouro com medalhas e pedi a ele que as benzesse. D. Hélder me explicou que não precisava, já estavam bentas:

— É o trabalho do homem que abençoa. Tudo que é fruto do trabalho do homem já está abençoado por Deus.

Não me dei por vencido:

— Está bem, mas deixa eu segurar essa sua mãozinha aqui — e apertei a mão dele contra o meu peito.

Uma das aparições públicas de d. Hélder se dava na Procissão do Encerro, que marca, juntamente com outros ritos religiosos, a Quaresma no Recife. Como tinha vários assuntos a tratar com as autoridades estaduais e da capital e nem sempre podia falar abertamente, ele — a fim de não levantar suspeitas — aproveitava o cortejo para, entre uma reza e outra, ir conversando com os políticos. Caminhava bem devagarzinho, rezava, conversava, rezava, conversava... e assim a procissão podia levar duas ou três horas a mais.

Como era ministro da Eucaristia, pedi a d. Hélder que me permitisse ajudá-lo a distribuir a hóstia sagrada. Na hora da comunhão, a fila dos fiéis que vinham comungar com o arcebispo era sempre imensa, chegavam de todo o país e até do exterior. Mas, naquela ocasião, muita gente veio receber a hóstia das minhas mãos. Ele olhava para a minha fila, dava uma risadinha e dizia baixinho:

— Você está fazendo uma concorrência muito grande, desviando os meus fiéis...

Por causa dessa ligação com d. Hélder, ganhei uma segunda ficha nos prontuários da repressão do governo militar:

Soares, Jô. Qualificação no DOPS, inderex: Elemento da TV, possui diploma de ministro extraordinário da Eucaristia, fornecido por d. Hélder Câmara.

Ajudei também na comunhão em João Pessoa, terra de papai, na missa celebrada por d. José Maria Pires, o arcebispo da Paraíba.

Ele morreu há pouco tempo, com quase cem anos. Quando chegou a hora do sermão, d. José Maria puxou uma folha de papel e eu pensei: "Puxa, eis aí um bispo que deve ser fraco de oratória, precisa trazer o sermão por escrito". Aí notei que ele nem olhava para o papel. Começou a pregar com uma beleza de oratória. Perguntei ao seu assistente:

— Mas, falando tão bem, por que trouxe o sermão por escrito?

— Porque o DOPS o obriga a mandar uma cópia de cada sermão antes de pronunciá-lo.

Então me virei para a porta da igreja e vi dois tipos com cara de agentes do DOPS, papel nas mãos para conferir se o bispo dizia exatamente o que estava escrito ali. Aliás, no jubileu sacerdotal de d. Hélder, foi d. José Maria quem falou, numa bela homilia. Em Salvador, ajudei na missa oficiada pelo cardeal primaz do Brasil, o arcebispo d. Avelar Brandão Vilela. Alguns fiéis, surpresos com a minha presença na igreja de Santana, sem saber que aquele gordo da televisão era ministro da Eucaristia (talvez nem soubessem que existia essa figura na Igreja Católica), reclamaram, o que originou uma nota no *Correio da Manhã* explicando a minha condição. Eu brincava — de maneira herética e profundamente respeitosa —, referindo-me ao grande poder dos três arcebispos do Nordeste como se eles fossem as três bruxas do *Macbeth*, de Shakespeare, em torno de um caldeirão no qual ferviam o governo militar. Sinto orgulho imenso de ter concedido a comunhão com esses três homens, três religiosos, três brasileiros corajosos.

No *Jornal do Brasil* de 11 de dezembro de 1975, Tristão de Athayde escreveu uma coluna (publicada abaixo de uma charge do Ziraldo; imaginem como os jornais mudaram: um cara com a dimensão do Ziraldo era chargista do *JB*!) sobre a morte de Plínio Salgado. Começava esclarecendo que nunca fora integralista de fato, embora tivesse sido amigo e admirador do escritor (Salgado era autor de *O estrangeiro* — o título antecede o maravilhoso livro de Camus em quase duas décadas — e Athayde o considerava o iniciador no país do romance moderno de preocupação social, no qual desaguaria o modernismo) e político fundador da Ação Integralista Brasileira. Com clareza, afirmava que a política no Brasil passara de regionalista e coronelista — entre 1922, ano da fundação do Partido Comunista, e 1932, ano da criação da AIB — para uma política ideológica e de expressão mais nacional, e que Plínio havia sido um homem de seu tempo.

Tive uma longa discussão sobre essa coluna com o Otto Lara Resende. Na minha interpretação, Alceu Amoroso Lima tentava desculpar o Plínio e o integralismo, amenizar a visão retrospectiva da "última flor do fascio", como foi chamado. Otto, que sempre se manteve um católico fervoroso — ainda que atormentado: "Fernando Sabino, Deus é cáustico e sem alpendre" —, defendia não Plínio Salgado, mas a percepção do Tristão sobre o líder dos camisas-verdes. Nossa controvérsia durou algum tempo; o Otto era um estimulador intelectual para mim. Até que me sentei à então moderníssima máquina de escrever elétrica da marca IBM e datilografei esta carta (Otto Lara Resende foi, ao lado de Mário de Andrade, o melhor escritor de cartas do país) em forma de poema rimado e enviei a ele:

> *Querido Otto, amigo tão prezado.*
> *Antes de tudo, peço mil perdões*
> *por escrever-te em estilo ultrapassado*
> *que outrora fez as glórias de Camões.*
>
> *Foi um milagre — Deus, que eu não blasfeme*
> *mas o hodierno artigo do Tristão*
> *metamorfoseou minha IBM*
> *em pena colorida de pavão.*

*Sua peça literária é tão conclusa*
*versátil, pertinaz, inteligente*
*que consegue ser clariconfusa,*
*mantendo-se confusa claramente.*

*Em relação ao Plínio, é curioso:*
*o bom doutor Alceu é imparcial,*
*o seu ponto de vista é Amoroso*
*mas em nenhum momento é passional.*

*E lendo Mussolini elogiado*
*descubro-lhe outro dom além da estética,*
*ao perceber o autor também dotado*
*de uma visão dinâmica e profética.*

*Quanto ao tal "juramento", que felizes*
*e tranquilizadoras conclusões!*
*Não é ao "chefe" e sim às "diretrizes"*
*que se deve acatar sem restrições.*

*Enfim, amigo e irmão, muito obrigado.*
*Agora, o mestre Alceu tem mais um fã,*
*pois conseguiu um fato inusitado:*
*criou a dialética cristã.*

Tempos depois, fiquei sabendo de uma história sensacional: todos os dias, durante trinta anos, Alceu Amoroso Lima deixava sua casa, na rua Mosela, e seguia em direção aos Correios de Petrópolis, na antiga avenida Quinze de Novembro, onde postava uma carta endereçada à filha Tuca, que era monja beneditina na abadia de Santa Maria, em São Paulo. E todos os dias ele reclamava junto aos funcionários da agência da falta de um corrimão na escadaria imponente que era preciso subir para entrar ali. Após sua morte, seus descendentes resolveram instalar o corrimão que ele pedia tanto, em homenagem à dedicação de Alceu à filha. Houve até inauguração, com corte de faixa. Foi o primeiro corrimão com foros (merecidos) de monumento público da história.

Falei na mulher adúltera, em Nelson Rodrigues, em hóstias.

A maior parte das pessoas não sabe, mas, para quem concede a hóstia — já consagrada —, é um problema grave se ela cair no chão. Existe todo um ritual para recolhê-la, pois ali está presente, simbolicamente, o corpo de Cristo. Eu brincava que não bastava ter sofrido tanto, Jesus corria o risco de ser ainda pisoteado por algum devoto desatento. Usei também a hóstia com fins perversos numa passagem do meu livro *Assassinatos na Academia Brasileira de Letras*, de 2005:

> Em 1321, em plena Idade Média, surgiu, na França, o hábito de envenenar cisternas com um caldo composto de sangue de leprosos, esperma de um enforcado e ervas daninhas, ao qual se adicionava uma hóstia consagrada, pois o bispo Hugues Géraud garantia que a fusão sacrílega da pureza com a impureza lhe decuplicava a força destrutiva.

Em 1975, eu liguei para o Nelson Rodrigues:

— Ô Nelson, tô fazendo um espetáculo chamado *Feira do adultério*, são seis peças curtas, e entre elas tem o depoimento de várias pessoas. Você se incomodaria se eu fosse até aí pra pegar um depoimento seu sobre o adultério?

— Pode vir.

Na casa dele, armamos o equipamento e, quando já estamos para gravar, Nelson pergunta:

— É sobre o quê, mesmo?

— Sobre o adultério!

— Ah, pois não... Pode gravar.

Ligamos a câmera e ele diz:

— O pior adultério é o da viúva que se casa novamente, porque trair um morto não tem perdão, assim na terra como no céu.

Ficamos todos em silêncio diante daquela pérola rodriguiana. Aí ele pergunta:

— Quer outro?

— Não, não, está ótimo, não quero mais nada…

Aos poucos fui me afastando das práticas religiosas, mas não da fé e da crença na força espiritual ou nos milagres que acontecem. Continuo cristão. Quando entrevistava padres no talk show, costumava provocá-los dizendo que passara a ser um excomungado (isto é, aquele que não pode comungar; logo eu que fui ministro da Eucaristia…), pois me casara novamente. Não me perguntem o porquê, mas desde sempre fui devoto de santa Rita de Cássia, protetora das causas impossíveis e dos desesperados. Construí na minha casa uma capela para a minha santinha. Estive em Cássia com a Flavinha e uma amiga nossa, que caiu num pranto sentido ao chegar lá. Guardo comigo a imagem de santa Rita deitadinha de mãos postas, parece que está sonhando o sonho dos justos.

# V

O reencontro com Max Newton Figueiredo Pereira Nunes foi um dos momentos mais importantes da minha vida profissional. Ele era o meu maior parceiro. Começamos a trabalhar juntos em 1969, planejando os meus personagens no *Faça Humor Não Faça a Guerra*, e não paramos até sua morte em 2014. O Daniel Filho, conhecedor como poucos do mundo do humorismo do rádio, dos teatros de revista, das chanchadas e da televisão, afirmou que ele foi o maior redator de humor do Brasil. O dr. Max Nunes (ele dizia que, quando pedia a palavra, nunca a devolvia em boas condições) tinha um escritório na Ataulfo de Paiva, no Leblon. Nos reuníamos lá para redigir os programas. As máquinas de escrever eram da marca Royal, de ferro, pesadíssimas. Max escrevia com a Royal no colo, uma coisa incompreensível. Se a campainha da porta tocasse, ele se levantava para atender e o monstro de ferro ia ao chão.

A Nina Rosa, mulher dele, costumava deixar ali uma camisa reserva pendurada num cabide. Ao chegar, Max tirava a que estava usando e vestia a do cabide, toda furada pelas brasas dos incontáveis cigarros tragados por dia. Meu querido amigo e parceiro Hilton Marques e o Haroldo Barbosa completavam nosso quarteto. Haroldo sentava ao lado de Max, com um copo d'água na mão.

Quando a camisa dele começava a pegar fogo, o Haroldo, *tchuá*, botava água na fervura.

Havia só uma sala no escritório. Haroldo Barbosa tinha mania de abrir a porta da entrada quando estávamos trabalhando, falar uma frase e fechar a porta; abria a porta, falava outra frase e fechava a porta…

— Mais uma vez o Fluminense…

Fechava a porta. Dali a pouco:

— Vocês ouviram a última do Chico…

Fechava a porta. Um dia ele abriu a porta e disse:

— Vou me separar da Hilda.

Saiu. Fechou a porta. Voltou. Abriu-a novamente:

— Dessa vez não tem jeito, vou me separar.

— O que houve, Haroldo?

— Fui sacar o dinheiro no Itaú aí embaixo, compreendeu?, e o caixa me falou: "O senhor só tem cinquenta centavos na conta". E eu: "Mas como? Eu tinha um milhão e pouco!". Fui falar com o gerente e ele me entregou: "Sua senhora, que é dona da conta conjunta, sacou todo o dinheiro".

Fechou a porta. Voltou. Abriu a porta:

— Sabem o que ela fez com todo o dinheiro sacado do banco?

Silêncio no escritório.

— Comprou um túmulo pra mim. Um túmulo!!!

E, *pá*, bateu a porta com toda a força. Voltou, abriu a porta de novo:

— Comprou um túmulo pra mim!

Repetiu a cena:

— Um túmulo!

E de novo:

— Um túmulo!

Dessa vez emendou:

— Quando eu morrer, eu quero que me fodam! Eu não quero um túmulo, quero que me fodam! Que me fooodam!

\* \* \*

Max Nunes escrevia oito programas de rádio por semana. Na sua humildade, aceitou escrever esses oito programas a cada sete dias sem deixar de exercer a medicina. Certa vez, o Assis Chateaubriand cruzou com ele e disse:

— Max, você precisa escrever no meu jornal uma página de domingo.

Como não sabia dizer não, passaram a ser oito programas por semana e mais uma página inteira aos domingos no *Diario da Noite*. Max Nunes nunca recebeu um tostão dos jornais do Chatô. De acordo com Sérgio Augusto, "em onze anos seu nome apareceu vinculado a 36 peças do teatro de revista", a maioria escrita em parceria com J. Maia, que, "segundo Max, como diretor de esquetes, conhecia como ninguém o tempo correto de uma piada". Sou agradecidíssimo à minha editora, Companhia das Letras, por ter publicado dois volumes com os textos do Max Nunes, organizados pelo Ruy Castro: *Uma pulga na camisola* saiu em 1996 e *O pescoço da girafa* em 1997. Pela primeira vez, um humorista consagrado ao escrever para o rádio, o teatro de revista e a televisão (embora também fizesse colunas de jornais e revista) recebeu o tratamento digno de um grande escritor (que ele era). Além da ótima seleção feita pelo Ruy, as orelhas de autoria do Carlos Heitor Cony e do Janio de Freitas e o posfácio do Sérgio Augusto colocaram o Max no lugar a que ele tinha direito nas letras no nosso país. Janio afirma: "Nunca existiu quem ouvisse um programa do Max e não sentisse logo a vida mais leve, o corpo menos remoído, o futuro — mesmo sendo brasileiro — menos antipático". Cony ressaltou a qualidade do Max como cronista e, de fato, como ele diz, uma crônica da envergadura de "Luz vermelha" — na qual Max Nunes agradece a quem colocou uma luzinha vermelha numa estrada, evitando um desastre para o motorista e sua família — merecia estar nas antologias de melhores crônicas brasileiras.

Se existem personagens destinados a ficar para sempre na história do nosso humor, o Primo Rico (feito pelo Paulo Gracindo) e o Primo Pobre (feito pelo Brandão Filho), do programa *Balança Mas Não Cai*, são candidatos fortíssimos a essa posição — até porque a desigualdade que os viu nascer em lados opostos só piorou desde então. No humor político, Max era todo sutileza e sofisticação, como mostram estes dois exemplos: "Em frente à rampa do palácio parou um carro vazio. Dele desceu o Marco Maciel". Que também se manifestavam em trocadilhos nada gratuitos: "As revoluções no Brasil são contos de *farda*".

Lá em Vila Isabel, onde viveu — e cresceu, vizinho do Noel Rosa, Max aprendeu a tocar violão sentadinho no colo dele. E, imaginem, Noel também o acompanhou ao violão, numa festa; adolescente, Max era cantor, o Gargantinha de Veludo, ganhava todos os concursos de calouros nos programas de rádio —, havia um juiz que, todo começo de noite, ficava sentado no alpendre de sua casa tomando limonada. Uma vez (um caso importantíssimo estava sob sua responsabilidade), chegou ao seu portão um homem carregando uma mala. Ele deu boa-noite, o juiz deu boa-noite também, convidou o cara para entrar e tomar uma limonada. O homem da mala subiu ao alpendre, tirou o chapéu e perguntou:

— O senhor sabe o que tem nesta mala?

O juiz responde:

— Não, não sei.

O cara da mala:

— Cem milhões de cruzeiros. O senhor já viu cem milhões de cruzeiros?

— Já, já vi, sim. (*Pausa*) Mas duzentos milhões eu nunca vi.

Pronto. Estava resolvido o preço da sentença.

Fanático pelo time do América até o fim da vida (cunhou a frase "O América não tem mais torcedores, tem testemunhas"), Max relatava histórias sensacionais ligadas ao futebol. Para começar, o refrão "Mengo, tu és o maior", de sua lavra, repetido semanalmente pelo humorista Germano no papel do Peladinho, morador do Edifício Balança Mas Não Cai, acabou definindo o apelido carinhoso pelo qual a torcida do Flamengo, a maior do Brasil, passou a se referir ao seu time: "meengo!".

Sempre que dava, Max ia ao Maracanã assistir aos jogos instalado nas cabines de rádio. O Mário Viana era um dos personagens mais importantes da então chamada "crônica esportiva carioca", ao lado de nomes como Valdir Amaral e Jorge Curi. Pertenceu à Polícia Especial do Getúlio, identificada pelo quepe vermelho e pelo símbolo da tocha, e depois se tornou juiz da Liga de Football do Rio de Janeiro — chegou a atuar como árbitro e bandeirinha em jogos da Copa do Mundo de 1950. Foi expulso da Fifa por ter denunciado corrupção na entidade (nada mudou muito...) e passou a trabalhar como comentarista na Rádio Globo. Um domingo em que o Max estava vendo o jogo na cabine, começou uma discussão sobre uma jogada do Quarentinha:

— Se ele tivesse passado a bola antes, não teria sofrido a falta duvidosa dentro da área...

— Não, eu acho que, se ele não tivesse forçado o drible, ele teria feito o gol antes de sofrer o pênalti...

— Bem, se o zagueiro tivesse...

Um dos comentaristas perguntou:

— O que você achou, Mário?

O Mário Viana não aguentou e encerrou a discussão pontificando:

— O *verbo* "se", no condicional, não existe no futebol!

Em outro domingo, havia um cara que, em vez de assistir ao jogo, virava para trás, olhava para a cabine e gritava:

— Mário Viana! Mário Viana!

Aí alguém disse:

— Mário, tem um fã seu ali, mostra a cabeça, fala com ele.

O Mário se esticou para fora da cabine, acenou para o cara e disse:

— E aí, tudo bem?

O torcedor gritou:

— Ladrão de antigamente!

Era um fã, imaginem.

Como mencionei no volume anterior destas memórias, Max era cardiologista — profissão que exerceu até quase o fim da vida. Perto dos oitenta anos, ainda dirigia o posto de Ipanema do Instituto Brasileiro de Cardiologia. Vinha para São Paulo, fazíamos o talk show, e ele voltava para o seu trabalho de médico no Rio. Brincava que a medicina era seu hobby, e o tempo todo estudava textos sobre o assunto, além de ler livros de história, sua paixão. Certa vez, estava cuidando de uma velhinha, bem velhinha, já à beira da morte. A família dela era muito religiosa, encheu o quarto de imagens de santos, e passava o dia rezando, rezando. Mas não teve jeito, a velhinha deu um suspiro e se foi. Aí os parentes carolas, indignados, se puseram a xingar todos os santos que tinham levado para o quarto.

Ele contava que, uma ocasião, foi atender uma emergência e para isso subiu correndo vários lances de escada. Na hora de examinar o doente, que havia infartado, Max estava tão esbaforido que desmaiou. Quando retornou a si, ocupava a cama do paciente que, de pé, a seu lado, perguntou:

— Está tudo bem com o senhor, doutor?

Max dizia ter um método infalível de diagnosticar cálculo renal:

— Quando eu entro na enfermaria, se o paciente estiver debaixo da cama, é pedra no rim.

No incêndio da Globo, em 1976, o Boni estava inspecionando os destroços e, de repente, notou que o Max Nunes o seguia.

— Max, o que é que você está fazendo aqui, grudado em mim?

— Sei lá o tamanho do susto que você vai levar. Se infartar, eu estou aqui.

Meu padrinho Max só tinha medo de uma coisa: qualquer

tipo de inseto voador. Tinha asas, como a borboleta, a barata etc., ele corria.

— Leão eu passo a mão na juba — dizia —, mas inseto com asa…

Certa vez, num plantão médico noturno no IBC, avistou uma borboleta no corredor. Entrou na primeira porta que viu. Era o quarto de um paciente. Sentou-se na cadeira ao lado da cama:

— Vim ver como o senhor está passando.

Ficou a noite inteira sentadinho ali. De vez em quando, entreabria a porta, e lá estava o terror alado. De manhã, chamou um enfermeiro e pediu socorro. Pôde finalmente sair do quarto. O paciente, encantado, comentava que nunca tinha visto tamanha dedicação num médico.

Max Nunes era ótimo músico, autor de maravilhosas marchinhas não assinadas e, nas assinadas, sempre dava parceria a alguém necessitado, mesmo que o parceiro não tivesse contribuído com uma única nota para a canção. Compôs um clássico da música popular brasileira, a marcha-rancho "Bandeira branca" (gravação de Dalva de Oliveira, em 1970). Quando completou noventa anos, em abril de 2012, nós fizemos uma homenagem a ele na qual o elenco inteiro do *Zorra Total* cantou "Bandeira branca". Aliás, o querido Arnaldo Jabor usou essa música de maneira marcante na trilha sonora da sua versão para o cinema de *Toda nudez será castigada*, baseada na peça do Nelson Rodrigues, com Darlene Glória no seu esplendor. Na cena em que Serginho, filho do personagem principal, Herculano, é currado na cadeia por um ladrão boliviano, os outros presos entoam o refrão: "Bandeira branca, amor, não posso mais…".

Um dos atores do elenco do *Satiricom* e do *Planeta dos Homens* foi o Álvaro Aguiar. Pouca gente então se lembrava dele como um enorme sucesso do rádio brasileiro. Foi de Álvaro a ideia de adaptar uma série radiofônica americana chamada *As aventuras do Anjo* para a Rádio Nacional. Ela ficou no ar por dezessete anos, com o patrocínio do sabonete Cashmere Bouquet. Álvaro Aguiar também escrevia o texto e era o galã da série; fazia o próprio Anjo, um playboy justiceiro. Mas o público não sabia da história que assombrou — nos bastidores das rádios e TVs — toda a carreira de galã do Aguiar. Apaixonado por uma mulher comprometida, ele deu em cima da senhora boazuda feito louco. A moça, bem casada, resistia ao famoso "Anjo". Xaveca daqui, xaveca dali, finalmente um dia ela concordou em terem um encontro. Principalmente, para se livrar daquele assédio inoportuno. Como Álvaro não tinha para onde levá-la, pediu emprestada a garçonnière de um colega da Rádio Nacional, o ator e diretor Domício Costa, morador de Copacabana. Na tarde ("antes à tarde do que nunca", dizia uma socialite carioca citada pelo Zózimo Barroso do Amaral) combinada, ele resolveu chegar uma hora antes, queria dar uma geral no cafofo. Ao entrar na miniquitinete, ficou surpreso. Como mobiliário, havia apenas uma cômoda com espelho e um sofá-cama. Foi verificar o banheiro. Tudo brilhando, mas… a privada e o bidê estavam amarrados com um arame. No espelho, o bilhete do amigo:

> Álvaro, tem um problema sério no encanamento. Então, não vai dar pra usar. Além disso, no prédio costuma faltar água das duas da tarde até as oito da noite. Mas, pra compensar, eu comprei seis garrafas grandes de água Salutaris e deixei ao lado do bidê. Manda ver, campeão. Tudo pelo amor! Do amigo Domício.

O Álvaro não gostou muito, mas não havia o que fazer. Tirou o paletó, abriu sua maleta, vestiu um robe três quartos, passou uma echarpe no pescoço e ficou esperando o mulherão. De tão ansioso, começou a ter cólicas. Foi tomado por uma dor de barriga lancinante. Levantou-se, e já corria na direção do banheiro quando lembrou que não poderia usá-lo. "Meu Deus, o que é que eu vou fazer?" Tentou segurar. Faltavam dez minutos para as duas, a hora do encontro tão batalhado. Novo ataque de cólicas acabou com seus devaneios heroicos: "Eu vou fazer esse cocô na escada de serviço, dá tempo".

Pegou o rolo de papel higiênico no banheiro, abriu a porta, desceu meio lance da escada e, ao arriar as calças, ouviu crianças brincando no corredor do andar de baixo. "Não vai dar." Reuniu todas as forças que ainda lhe restavam para dar marcha a ré e conseguiu segurar. Voltou correndo para o apartamento, contorcendo-se. Duas em ponto. "Eu não vou aguentar. Eu não vou aguentar. Vou descer até o térreo, uso o banheiro dos funcionários, rapidamente, terei o tempo necessário. Encontro com ela na volta." Numa agonia danada, chamou o elevador. Quando a porta se abriu, ele deu de cara com a deusa dos seus delírios eróticos, mais deusa do que nunca. Sorriso escandalosamente aberto, olhos verde-azulados, ai, meu Deus! E, apesar das cólicas, Álvaro, de robe, echarpe, conseguiu dizer, com sua puta voz de galã de radionovela:

— Ô meu amor, eu pressenti a sua chegada e vim correndo te receber...

Ela, deslumbrante, se atirou nos seus braços e, por alguns instantes, ele esqueceu a dor de barriga. Entraram no apartamento, sentaram no sofá-cama. Álvaro tirou os sapatos e, quando os jogou debaixo do sofá, ouviu um barulho salvador. "Tem um penico aí!"

Entre beijos, a mulher recuperou o fôlego e disse:

— É a primeira vez que faço isso... Vou ao banheiro e já volto.

O "Anjo" pensou: "Graças a Deus, enquanto essa diva vai ao banheiro, eu faço rapidamente no penico, é um tiro só. Estou salvo".

Ela abriu a porta do banheiro, viu o vaso e o bidê amarrados com arame, e ele escutou:

— Que horror!

Vendo seu plano ruir, Álvaro falou, quase gemendo:

— Meu amor, não tem importância. Nada pode impedir o nosso romance. Tem umas garrafas ali de água Salutaris, caso a gente necessite.

—Ah… — disse ela, ligeiramente enojada.

Ele pensou depressa e calculou: "Nem tudo está perdido. Enquanto ela estiver tirando a roupa, quando o vestido estiver passando na frente dos seus olhos, eu puxo o penico, dou o tiro, chuto o penico de volta pra debaixo do sofá e digo que vou ao banheiro. Aí uso uma garrafa de Salutaris pra me limpar". À sombra da "*media luz, crepúsculo interior*", como diz a letra do tango, ela começou a levantar o vestido. Álvaro puxou o penico, sentou e… *bororom, bororom, brom, brrororm*. Não parava o jorro de merda. *Borobomrborbormmrom*. Quase às lágrimas, constrangido, ele implorava sem coragem de olhar para ela:

— Perdão, amor. Amor. Perdão, amor…

Só ouviu a mulher botando o vestido de volta e o passinho firme do sapato de salto martelando o assoalho: pá, pá, pá, pá, pá… e, PÁ, a porta bateu. E o Álvaro continuou lá, *boromborom, borombo-rom, bororobmrobmbom*. Dizia ter sido o cocô mais longo de sua vida. No dia seguinte, foi à Rádio Nacional para devolver a chave ao Domício. Estavam gravando uma radionovela quando ele, grave, arrasado, contou o desfecho do encontro amoroso. Todo mundo se estabacou de rir, tiveram até de interromper a gravação. O pobre do Álvaro não se conformava:

— Mas não é possível, foi uma tragédia. Como é que vocês acham graça numa tragédia dessas?

Quem me contou esse episódio foi o Lafayette Galvão. Tempos depois, o Álvaro Aguiar estava no estúdio de gravação do *Satiricom*, sentado numa escada e fumando um cigarrinho. Eu pensei: "Vou conferir, não é possível que isso tenha acontecido". Cheguei, puxei assunto e perguntei:

— Ô Álvaro, aquela história do cocô é verdade, ela aconteceu mesmo?

— Ah... nem me lembre, Jô! O pior foi quando eu a reencontrei. Fui todo envergonhado pedir desculpas e ela me olhou com ódio e disse: "Tarado!". Pra ela, eu tinha essa tara, a de fazer cocô na frente de uma mulher nua. Era isso que ela achava que eu era, um depravado.

As histórias de rádio contadas pelo Max Nunes eram sensacionais. Houve um apresentador que apareceu com uma ideia brilhante: pedir aos ouvintes que decidissem onde ele deveria passar as férias. Com sua voz potente, dizia:

— Querida ouvinte, querido ouvinte, mandem para cá as suas cartas ou telefonem para dar suas sugestões. Pela primeira vez um locutor vai satisfazer a sugestão de suas e seus ouvintes, e irá passar as férias na cidade que elas e eles indicarem. Escrevam ou telefonem pro concurso "Onde o Ramos deve ir passar suas férias?".

Aí recitava o texto do patrocinador do concurso — uma agência de turismo —, dava o número da caixa postal e o telefone da rádio. Chegado o grande dia, o Ramos anunciou:

— Querida ouvinte, querido ouvinte, a produção do nosso programa foi obrigada a fazer uma alteração na premiação. Este locutor vai passar as férias na cidade classificada em segundo lugar no nosso concurso, a belíssima Caxambu. O primeiro lugar, bem, o primeiro lugar eu não posso dizer: teve um monte de engraçadinhos, que não têm nada pra fazer, que me mandaram ir pra... Bem, minha amiga ouvinte e meu amigo ouvinte, só tenho a declarar que estou muito feliz em ir passar minhas férias na cidade que ficou em segundo lugar no nosso concurso, um patrocínio da agência de viagens...

Num Carnaval, fui a um baile no Municipal do Rio de Janeiro na companhia do maravilhoso comediante português Raul Solnado. Para que se possa ter uma ideia do quanto ele era engraçado, em sua terra corria uma lenda dizendo que, num de seus shows, uma mulher na plateia havia morrido de tanto rir. O gentil e inteligente Ricardo Araújo Pereira, humorista português da nova geração, perguntou ao Raul se a história era verdadeira. Solnado não só confirmou, como fez uma revelação: foram duas mulheres, e não apenas uma, a morrerem de tanto rir. E acrescentou:

— Como também duas mulheres deram à luz nos meus shows, o placar está empatado: 2 pra morte e 2 pra vida.

Foram conosco a Theresinha e uma prima dela, a Helena, uma mulher muito bonita, recém-separada do filho do Nereu Ramos (o político que, após uma série de incidentes sucessórios, saiu do cargo de vice-presidente do Senado para cumprir o final do mandato de Getúlio Vargas na Presidência da República). O Raul Solnado ficou embevecido pela beleza da Helena. Quando o baile terminou, eu, vestido de revolucionário mexicano — ganhei um chapéu autêntico de corda mexicana do Nanai, músico do Bando da Lua, que acompanhava a Carmen Miranda —, me encontrava muito, mas muito, bêbado, fato raro na minha vida. Como não estava acostumado a beber em excesso, o porre era pra valer, porre de iniciante. Na saída do Municipal, havia muitos policiais na calçada. Completamente descontrolado, comecei a vociferar contra eles:

— Vocês são uns merdas. Essa ditadura vai acabar! Vocês todos vão se foder…

Os soldados em roupa de gala, surpresos com o meu destempero, só diziam:

— Calma, seu Jô, calma…

— Calma o caralho, isso vai acabar, essa porra vai acabar…

Só caí em mim quando a Theresa me deu uma bofetada na cara e disse, disse não, ordenou:

— Vam'bora já!

A tv Record, em São Paulo, sofreu incêndios em 1966 e em 1968; em 1969, seus dois teatros, o Paramount e o Consolação, locais de gravação de programas e shows, também pegaram fogo. Nesse mesmo ano, as chamas atingiram ainda a TV Bandeirantes e a TV Globo. Como escreveu o Walter Clark, importante testemunha daqueles dias e noites terríveis para a televisão,

> incêndio é o maior risco em uma estação de televisão. Tudo é combustível, tudo é altamente volátil. Uma pane no ar-condicionado já é suficiente para deixar as pessoas preocupadas. Um curto-circuito sempre assusta. Imagine então o próprio fogo. Quando ele começa, há muito pouco a fazer, além de tentar salvar o equipamento mais caro e o acervo de fitas de videoteipe, que é irrecuperável. Mas incêndio de TV costuma ser tão rápido que mal dá para fazer uma coisa e outra.

O incêndio do Paramount teve início num domingo, logo que terminou o programa *Jovem Guarda*, do Roberto e do Erasmo Carlos. Passaram-se poucas horas, e chegou a notícia de que os estúdios da Globo também estavam pegando fogo. Começou no teatro da rua das Palmeiras, onde Silvio Santos tinha apresentado o seu programa. Não conseguíamos entender. Para nós, profissionais do meio, parecia o fim dos tempos. Mas não era ainda: dois dias depois, a TV Bandeirantes também teria o seu incêndio, como se fosse uma competição dos infernos entre as emissoras na capital paulista. A perplexidade era geral. O Walter Clark permaneceu para sempre com a convicção de que os incêndios foram atos terroristas. Deixou registrada a sua versão:

> No caso da TV Globo, não tínhamos a menor dúvida de que fora um terrorista que ateara o fogo. […] Nós sabíamos disso, o Paulinho Carvalho também, o João Saad idem e da mesma forma, a polícia. Só que ninguém podia fazer nada. Nós das emissoras porque tínhamos contratos de seguro que não previam sabotagem, não tinham cláusulas garantindo a cobertura do sinistro nesse

caso. E a polícia porque era tempo de censura, não podia ser divulgado que a guerrilha urbana tinha incinerado três televisões em menos de 48 horas — aliás, com grande precisão, o fogo começando em duas delas logo após os programas de auditório. Era uma demonstração de força da esquerda que o regime não poderia tolerar. Com isso, ficou todo mundo de bico calado, sustentando a versão absolutamente fantasiosa de que os incêndios, apesar da coincidência, eram acidentais.

Apesar da certeza do Walter, no entanto, nenhuma das organizações de esquerda reivindicou a autoria dos atentados (e ações espetaculares como as que praticamente destruíram os canais dificilmente deixariam de ser usadas como propaganda). Havia ainda a hipótese — também jamais comprovada — de os atentados terem sido realizados pelos setores mais duros da ditadura militar, inconformados com a grande quantidade de comunistas e/ou de pessoas ligadas a comunistas que trabalhavam nas emissoras. Mas nunca ficou descartada a possibilidade de ter sido tudo uma atroz coincidência, dadas as precárias condutas de prevenção de incêndios nos estúdios e teatros das tvs nos anos 1960. Era comum ver cabos e fios soltos por toda parte, equipamentos exigindo mais voltagem do que as fontes de energia eram capazes de fornecer etc. Em 1976, voltei a passar pelo mesmo horror, na ocasião em que pegou fogo na Globo do Rio, no Jardim Botânico. Todos que participavam da programação foram até lá para ajudar. Eu tentava resgatar alguns videoteipes quando um repórter me perguntou:

— Se o senhor fosse chefe dos bombeiros, o que o senhor mandaria tirar primeiro do prédio?

— O fogo.

Daniel Daly, um capitão dos bombeiros de Nova York que trabalhou no resgate das vítimas dos atentados às Torres Gêmeas, no dia 11 de setembro de 2001, foi ao *Programa do Jô* e deu um depoimento impressionante sobre os meses passados nos escombros do World Trade Center. Estive na cidade pouco tempo depois dos ataques terroristas e me lembro muito bem de que, toda vez que um carro do corpo de bombeiros com a sirene ligada recortava as ruas, era aplaudido pelas pessoas nas calçadas. O capitão me contou que a mistura de fumaça com certos componentes químicos detonados nos atentados aéreos escureceu como uma noite vários quarteirões. Um irmão dele, que também era bombeiro, se demitiu por ter ficado traumatizado ao ver a mão de alguém saindo dos destroços e não conseguir salvá-lo. Ao puxar a mão, vieram só ela e o braço. Além das mortes — 3 mil pessoas de mais de noventa nacionalidades perderam a vida e o fogo queimou por mais de três meses —, algo marcante foi o fato de todos os computadores e celulares terem se derretido. Eu já entrevistara o diretor do centro comercial das torres, o único de sua empresa a sobreviver — chegou atrasado ao trabalho naquela manhã. O caso dele era curiosíssimo. No dia em que tinha havido outro atentado ao World Trade Center, em 1993, quando um carro-bomba explodiu na garagem, ele também estava atrasado e se safou. Acho que aquele homem nunca mais cumpriu horário na vida, era a prova viva de que atrasar pode dar certo.

Conversando com o capitão, revelei uma das minhas inúmeras fixações infantis (na verdade, nunca cresci): ter um capacete dos bombeiros nova-iorquinos. Então, ele me disse:

— A próxima vez que estiver em Nova York, me ligue. Eu vou convidar você pra almoçar no quartel dos bombeiros de Queens. Você vai almoçar lá com a gente e nós te daremos um capacete de presente.

Agradeci, mas não levei aquilo a sério. Tempos depois, quando fui renovar meu visto americano, a Ana Paula Ferreira, assessora de imprensa do consulado em São Paulo, me disse para não deixar de ligar para o Dan Daly.

— Ele tá esperando você pra marcar o almoço.

Em Nova York, o Dan fez exatamente o prometido. Me convidou para visitar o quartel do Queens, um prédio de tijolos vermelhos. Lá, todos os bombeiros eram obrigados a trabalhar na cozinha, em sistema de rodízio. Antes do almoço, ele alertou que a comida não seria grande coisa naquele dia, pois na escala estava um cuja especialidade exclusiva era frango com batata. Sem muita qualidade, acrescente-se.

— Pena você não pegar o dia de um bombeiro descendente de italianos, um verdadeiro chef — me disse o comandante.

Depois do almoço, Dan Daly improvisou uma breve cerimônia para me presentear com um capacete retirado dos escombros das torres. No lugar da placa que identificava o número do bombeiro, estava o número de bombeiros mortos na tragédia do wtc. Foi um dia emocionante. Na volta ao Brasil, como eu não tinha onde colocar o capacete, vim com ele amarrado na bagagem de mão. Quando cheguei à Imigração, no aeroporto John Fitzgerald Kennedy, os funcionários, ao verem o capacete dos bombeiros de Nova York, me deixaram passar direto, tal o respeito por aquela corporação de verdadeiros heróis.

Os humorísticos da Globo se destacavam pela excelência do time de redatores. No *Planeta dos Homens* chegaram, entre outros, o Claudius, o Redi, o Hilton Marques — companheiro de vida — e o Luis Fernando Verissimo, grande amigo, que muito me honrou com a sua participação na bancada do programa *Roda Viva*, da tv Cultura de São Paulo, quando fui entrevistado por ocasião do lançamento do meu primeiro romance, *O Xangô de Baker Street*. Entre suas inteligentíssimas criações está o quadro de um gaúcho, casado com uma francesa, que é dono de um restaurante chamado Tchê Françoise. Costumo brincar que o Luis Fernando deu a entrevista mais notável da história da televisão para o extraordinário jogador de futebol e ótimo escritor, o mineiríssimo Tostão: como o ex-craque daquela que está entre as melhores seleções jamais vistas pelo mundo, a Brasileira de 1970, não perguntava nada e o Luis Fernando não respondia. São dois dos mais maravilhosos seres lacônicos nascidos no nosso país. O filho do Erico Verissimo começou a escrever muito jovem, no jornal *Zero Hora*, de Porto Alegre. O Maurício Sirotsky contava que as crônicas do Luis Fernando logo passaram a ser bastante faladas na cidade e que um empresário amigo seu ligou para ele e disse:

— Esse rapaz filho do Erico está escrevendo muito bem, tenho muita admiração por seus textos. Eu queria muito almoçar com ele, conhecê-lo melhor.

O Maurício, se divertindo e já antevendo como seria o almoço, respondeu:

— Claro, vou falar com ele.

— Você acha que ele aceita o convite?

— O Luis Fernando não sabe dizer não, é educadíssimo, então ele vai, sim.

Marcaram o encontro. No dia combinado, logo depois do almoço, o amigo do Maurício ligou:

— Olha, foi tudo bem, mas que pessoa estranha. Ele sentou, almoçou, agradeceu e foi embora. Eu pensei que ia ser uma conversa extraordinária, mas não teve papo…

Maurício deu gargalhadas. O almoço foi exatamente como imaginara. Quando ele me contou essa história, me lembrei de uma do Gary Cooper. Convidado para um jantar no qual seria a principal atração, o ator chegou calado e só não saiu mudo porque havia murmurado um pouco antes:

— *Good soup*.

Não deixa de ser engraçado o fato de Verissimo estar muito falante nas ocasiões em que o entrevistei. Ele é também um dos caras mais desligados que conheço. Certa vez, eu estava em temporada com o show em Porto Alegre e a Lucia, sua adorável mulher, e o Luis Fernando me convidaram para almoçar. O local do almoço é uma lenda na capital gaúcha: a casa do Erico Verissimo no bairro de Petrópolis, na qual o Luis Fernando cresceu e criou seu filho e suas duas filhas. Uma casa agradável, nela se respirava com intimidade parte da história da nossa literatura — além de escritor, Erico foi um excepcional editor, tendo trabalhado na lendária Editora Globo, que traduziu o cânone ocidental em língua portuguesa do Brasil. Ao passearmos pelo jardim, perguntei ao Luis Fernando:

— Esta casa onde você nasceu é maravilhosa... Quantos quartos ela tem?

Ele pensou, refletiu, e indagou à esposa:

— Lucia, quantos quartos tem essa casa?

Um dos melhores quadros não só do *Planeta dos Homens*, como também do humorismo da Globo do período, reunia o professor de mitologia Aquiles Arquelau, feito magistralmente pelo Agildo Ribeiro, e o mordomo Múmia Paralítica (Pedro Farah). O texto era de altíssima qualidade e Agildo, com todo o seu talento, incluía digressões exaltando as mulheres, em especial a atriz Bruna Lombardi, obsessão do professor. Infelizmente, Agildo morreu no momento em que eu estava escrevendo sobre nossa participação naqueles programas da década de 1970. Quando o meu programa de entrevistas comemorou quinze anos, achei que precisava fazer uma homenagem aos grandes humoristas do país. Convidei o Zé Vasconcelos, o Chico Anysio, o Paulo Silvino e o Agildo. Como se tratava de um aniversário importante (na época, eu acreditava que manter no ar um programa de entrevistas diário por quinze anos constituía uma enorme façanha — o talk show durou quase trinta...), os convidados todos vestiram smoking. Para minha tristeza, o Agildo Ribeiro chegou a São Paulo com uma virose, foi internado e não pôde participar da homenagem. Deixei, no ar, a sua cadeira vazia, como maneira de lembrar que ninguém poderia ocupar o lugar dele...

Agildo era filho de Agildo da Gama Barata Ribeiro, militar por toda a vida dedicado à luta política. Batizado nas "hostes tenentistas", conspirou com as forças constitucionalistas contra Getúlio Vargas, em 1932. Por isso, foi exilado em Lisboa, ao lado de gente como o ex-presidente Artur Bernardes, o coronel Euclides de Oliveira Figueiredo, pai do futuro general e presidente João Batista Figueiredo, e Júlio de Mesquita Filho, dono do *Estadão*. Agildo, o novo, contava apenas seis meses quando o Agildo, o velho, foi condenado a viver em terras lusitanas dominadas pela ditadura salazarista. O governo Vargas, a fim de punir o militar, não autorizou a viagem do menino a Portugal alegando que seu passaporte não tinha foto. Como não se aceitavam fotos de bebês nesse documento, Agildo passou seus primeiros anos sofrendo as agruras de um regime totalitário na alma e kafkiano no corpo burocrático. Três anos depois, em 27 de novembro de 1935, já de volta ao Brasil e reintegrado ao Exército, o capitão Agildo Barata levantou o 3º Regimento de Infantaria, na praia Vermelha, no Rio, no episódio que se tornou conhecido pelo nome exagerado de Intentona Comunista. Agildo, pai, foi um dos brasileiros que viveram mais tempo entre grades por motivos políticos. Dez anos no total, com temporadas na ilha de Fernando de Noronha e na ilha Grande.

A infância e a adolescência do humorista estiveram estigmatizadas pela perseguição ao pai, facilitada pelo fato de ele carregar o mesmo nome e sobrenome. Após uma visita ao capitão preso, Agildo e a mãe foram levados à Delegacia de Ordem Política e Social, onde, divulgou a polícia getulista, se encontraram "bilhetes marxistas de grande periculosidade" nos sapatinhos do futuro companheiro do Topo Gigio — o boneco de maior sucesso na história da nossa televisão. Agildinho não conseguiu estudar no Colégio Militar sem pagar, o que era praxe para os filhos de oficiais das Forças Armadas. A tábua de salvação foi seu talento artístico e humorístico, incólume a preconceitos políticos. Um dia

— juntamente com Paulo Francis, Augusto César Vannucci, Tereza Rachel e Consuelo Leandro, entre outros — foi fazer teste no Teatro Duse, o primeiro "teatro-laboratório" do país, dirigido por Paschoal Carlos Magno, o verdadeiro inspirador do professor de mitologia Aquiles Arquelau, e nunca mais deixou os palcos e os holofotes. No único filme que dirigi, *O pai do povo*, Agildo faz uma participação especialíssima como o Munhoz (da rádio El Magnífico, "a de maior potência"), o extraordinário locutor de futebol, narrando uma cena de sexo em pleno gramado do estádio das Laranjeiras, do meu querido Fluminense.

Nas inúmeras entrevistas do Agildo Ribeiro no meu talk show, fiz questão de pedir a ele que repetisse um dos episódios mais engraçados da sua vida (como o Paulo Silvino, o Agildo não fazia distinção entre humor e vida). Era a história do tratamento da doença venérea — "gota matinal", "pinga-pinga", apelidos dados pela molecada à gonorreia, bem comum então — que contraíra ao frequentar um rendez-vous barato do Rio, na década de 1940. Ele ia se tratar com o dr. Campos da Paz, que atendia de graça os membros do Partido Comunista e seus familiares. Na época, o dr. Campos era praticante de um método quase medieval: o uso de um instrumento de ferro oco chamado "beniquê". Para pavor dos "gonorreosos", a ferramenta médica era introduzida no canal da uretra a 47 graus! O grito do paciente quando se iniciava o procedimento chegava a ser ouvido em Niterói! Ainda não havia medicamentos acessíveis capazes de acabar com aquela doença. Na hora em que o doutor abria a porta e perguntava quem seria o próximo, ninguém na sala de espera se manifestava. E, quando o cara começava a urrar lá dentro, ficavam todos com vontade de sair correndo. Agildo imitava esses berros como se fossem aqueles que se ouvem nas montanhas-russas dos parques de diversão: AAAAAHHHHH!!! É impossível traduzir apenas com palavras o quão divertido era o Agildo Ribeiro narrando a história do beniquê — inútil tentar reproduzir seu ritmo, suas pausas, suas caras, seus movimentos. Quem se interessar, pode assistir às entrevistas — que trazem a cada vez detalhes mais engraçados — no incrivelmente rico museu da imagem e do som universal que é o YouTube. Querido Agildo: bravo, bravo, bravíssimo!

# VI

Os dois homens que mais admiro são o americano George Orson Welles e o britânico sir Winston Leonard Spencer-Churchill. Dois gordos. Dois charuteiros (por falar nisso, além de gordo, também fumei charutos por um período, cheguei até a lançar uma linha no Brasil). Dois seres descomunais, inclusive no tamanho de seus erros. Os dois bebiam muito. Cada um, à sua maneira e em idades diferentes, foi precoce e tinha a arrogância dos gênios prematuros. Os dois foram globe-trotters, viajaram muito desde cedo. Os dois adoravam o melhor da vida, mas ambos tiveram problemas financeiros. Os dois mantinham a autoconfiança nos momentos mais difíceis. Os dois possuíam uma desconcertante agilidade mental e eram exímios domadores de palavras.

Há um terceiro nome, alguém que viveu séculos antes e faz a ligação entre Orson e Winston: William Shakespeare, de quem traduzi e montei *Romeu e Julieta*, *Ricardo III* e *Tróilo e Créssida*. Em 1951, em Londres, Orson Welles produziu, dirigiu e atuou em *Otelo*, sua primeira aparição teatral nos domínios do bardo. Quando a notícia de sua montagem da tragédia se espalhou, o influente ator John Gielgud, incrédulo, perguntou a ele:

— Você vai fazer *Otelo*? (*Pausa*) No teatro? (*Pausa longa*) Em Londres? (*E não disse mais nada*)

Vi Orson Welles contar, no talk show do Dick Cavett, na televisão americana, que uma noite, enquanto fazia *Otelo* em Londres, ouvia um barulho perturbador vindo da primeira fila da plateia. Era Winston Churchill murmurando as falas do mouro Otelo. Terminada a peça, o primeiro-ministro britânico deu um pulo no camarim, elogiou a montagem e passou a repetir as falas do personagem, inclusive os cortes feitos por Welles. Em 1889, quando tinha quinze anos e ainda era interno na Harrow School, Churchill escreveu aos pais dizendo de sua dedicação em ler Shakespeare por causa de um concurso de memorização de mil versos de sua obra (sua capacidade de guardar de cor era de dar inveja em elefante; ele corrigia os professores quando erravam as citações de Shakespeare, o autor que Churchill mais citou em seus famosos discursos e em seus artigos). Perdeu a disputa por pouco.

Ainda nessa entrevista ao Dick Cavett, Orson Welles contou que, certa vez, hospedado no majestoso Hotel Excelsior, no Lido, em Veneza, buscava desesperadamente dinheiro para terminar um de seus filmes. Por coincidência, o casal Churchill e Clementine também estava no hotel. Com todo o seu corpanzil, o homem que modificou a história da Segunda Guerra Mundial adorava nadar no mar e tinha acabado de dar seu mergulho no Adriático. Na volta, de roupão e chapéu, passou pela mesa onde o ator e diretor americano tentava descolar um patrocínio com um milionário russo exilado. Churchill acenou pra Welles. O financista russo ficou impressionadíssimo com o respeitoso cumprimento que o cineasta americano tinha recebido de Winston Churchill em pessoa e decidiu liberar o cheque pra Orson Welles.

No outro dia, à beira da piscina, esses dois monstros do século xx se esbarraram novamente. Welles contou a Churchill o que se passara no dia anterior e agradeceu a ajuda — mesmo involuntária — do primeiro-ministro britânico. No almoço, no restaurante do Excelsior, o cineasta e o milionário russo estavam sentados a uma mesa, quando o casal Winston e Clemmie passou por eles. Ao se dar conta da presença de Orson Welles, Churchill voltou, se aproximou da mesa de Welles e se curvou diante dele como fazia diante de sua majestade o rei George VI.

Não achei menção a esses encontros entre Orson Welles e Winston Churchill nem nas inúmeras biografias do cineasta que li nem nas do político. Mas, curiosamente, outro ator, o britânico Richard Burton, com sua voz de Zeus no Olimpo, contou uma história parecidíssima numa entrevista que deu à BBC: em 1953, ao fazer sua temporada de *Hamlet* no templo sagrado do teatro, o Old Vic, em Londres, começou a ouvir um murmúrio forte vindo da primeira fila. Olhou, e lá estava o ex-premiê ruminando alto as palavras do herdeiro do reino da Dinamarca. Acabada a peça, no camarim, o ator estava levando seu copo de uísque com soda à boca pra relaxar, quando a porta se abre de repente e ele dá com a imponente figura de sir Winston em pessoa. Polidamente, o último dos grandes heróis ingleses pergunta para Burton:

— *My Lord Hamlet, may I use your lavatory?*

Embora fosse um ator divino, Orson Welles preferia dirigir a atuar, e só participou de alguns filmes pra levantar dinheiro pras suas produções (chegava a ganhar a fortuna de 100 mil dólares por filme como ator). Por isso atuou no clássico *O terceiro homem* (1949), dirigido por um mestre do suspense, Carol Reed. Segundo a lenda, Orson foi o responsável pela introdução na película deste famoso trecho, tirado de uma peça húngara: "Na Itália, depois de trinta anos sob os Bórgia — onde houve terror, assassinatos, derramamento de sangue —, eles produziram Michelangelo, Leonardo da Vinci e o Renascimento. Já na Suíça, onde havia amor fraterno, quinhentos anos de democracia e paz, o que eles produziram? O relógio cuco". Ele adorava o filme, mas se arrependia de não ter cedido a uma tentação durante as filmagens: ter dado em cima da belíssima atriz italiana de ascendência alemã Alida Valli, que havia filmado *Agonia de amor* (*The Paradine Case*, 1947), de Alfred Hitchcock, e que faria *Sedução da carne* (péssima tradução pro ótimo *Senso*, de 1954), de Luchino Visconti.

É quase inacreditável que Orson Welles, com apenas 25 anos, tenha escrito (em parceria com o veterano e alcoólatra roteirista Herman J. Mankiewicz), dirigido e atuado numa obra como *Cidadão Kane* (1941), considerado por muitos o filme mais importante da história do cinema. Sua precocidade é coisa de conto de fadas. Aos vinte, teve a primeira oportunidade de aparecer artisticamente: foi convidado a participar de um dos movimentos culturais mais vigorosos e importantes da história — por sinal, muito pouco mencionado no Brasil. Durante a Grande Depressão de 1929, os americanos viveram o paradoxo de passar por um período de penúria econômica, ao mesmo tempo que viviam anos de uma abundante e fértil produção artística e cultural. Entre as várias iniciativas tomadas pelo presidente Franklin Delano Roosevelt no chamado New Deal, conjunto de medidas de combate à recessão, estava a criação de projetos artísticos e culturais bancados pelo governo. Milhões e milhões de dólares foram destinados a financiar projetos para a massa de atores desempregados, músicos, fotógrafos, diretores, documentaristas.

Um braço do New Deal era a WPA (Works Progress Administration), criada para apoiar o teatro, a música, as artes plásticas e a literatura, empregando cerca de 40 mil pessoas. Ao contrário do que acontece no Brasil, onde o menor sinal de retração econômica significa corte nas já minguadas verbas para a cultura, a administração Roosevelt considerava a produção cultural a alma do país — ela não poderia ser entregue aos ratos e cupins de uma era de ruína econômica e social. Uma das iniciativas foi a criação do Teatro Negro do Harlem, para o qual o jovem Orson Welles foi convidado a dirigir uma montagem de *Macbeth*. A participação nesse projeto desenvolveu nele a consciência das obrigações do Estado com a cultura. Na frase do crítico Kenneth Tynan, Welles considerava "a arte um direito social, não um privilégio acidental". Ele teve a ideia brilhante de montar um *Macbeth* representado no Haiti do início do século XIX. A montagem ficou conhecida como *Voodoo Macbeth*. Sua tese era que o vodu haitiano seria mais adequado ao público do Harlem do que a bruxaria escocesa da tragédia original.

Orson Welles, que mal deixara a adolescência e nunca havia dirigido teatro profissional, se saiu com uma montagem histórica. O sucesso foi acachapante. No final do espetáculo, a plateia invadiu o palco aplaudindo e abraçando o elenco. O espetáculo levou os atores negros do Harlem a excursionarem por todo o país. Quando vejo hoje posições muito radicais sobre a questão do "lugar de fala" — um não afrodescendente não poderia dirigir um teatro de afrodescendentes —, me recordo desse corte abissal na história dos negros nos Estados Unidos, feito pelo serrote de um gênio acima dos gênios, branco e nascido no reacionário estado de Wisconsin.

Com 23 anos, Orson Welles causou sensação no rádio americano com sua montagem radiofônica de *A guerra dos mundos*, baseada no livro de H.G. Wells e levada ao ar na véspera do Dia das Bruxas, em 30 de outubro de 1938. Ao tomar conhecimento da repercussão apavorante provocada pela sua transmissão da história de ficção científica, Orson terminou a apresentação dizendo: "Se a campainha da sua porta soar e na hora que você abrir não houver ninguém, não era um marciano… é Orson Welles e o Mercury Theater desejando a todos um feliz Halloween!".

Como já disse, eu era muito pequeno quando Orson Welles veio ao Brasil, em 1942. Pena. Uma das pessoas que mais aproveitaram a estadia dele por aqui foi o poeta Vinicius de Moraes, que então dividia seu tempo com as atividades de cronista de cinema. Vinicius tinha suas idiossincrasias. Por exemplo, era contra o cinema falado. Além disso, sustentaria uma polêmica com outro poeta, Carlos Drummond de Andrade, sobre quem era melhor: Marlene Dietrich, defendida por ele, ou Greta Garbo, defendida por Drummond. Pra justificar sua paixão por *Cidadão Kane*, um filme falado, Vinicius fez um volteio semântico incrível: "Aí está um filme que, perdoem o paradoxo, realiza, sonoramente, o ideal da imagem muda".

No mundo inteiro, o real significado da palavra "rosebud", pra muita gente a chave enigmática de *Cidadão Kane*, causou polêmica (em Hollywood havia os que tinham a certeza de que esse era o apelido carinhoso dado pelo magnata da imprensa William Randolph Hearst, inspirador da figura de Kane no filme, à xoxota de sua amante, a atriz Marion Davies). Vinicius contava que certa vez, numa roda, a discussão sobre o significado da palavra "rosebud" ficou tão acirrada que quando um cara disse "é a mãe" o outro respondeu:

— O quê?

— É isso mesmo, é a mãe, está surdo?

— Repete se você é homem.

— É a mãe.

O outro partiu pra cima, dando bofetões. No calor da discussão se sentiu ofendido e não entendeu que seu suposto ofensor tinha querido dizer que "rosebud" se referia à mãe de Kane…

Além de Orson Welles ter se tornado quase um brasileiro quando esteve aqui, as cenas dos jangadeiros cearenses dirigidas por ele valeram todo o dinheiro (que, na verdade, não foi muito) despendido com o cineasta no Brasil. As imagens, só descobertas em 1993 nas latas de filmes no depósito da RKO, compõem um poema épico-praieiro mudo, sem nenhuma palavra, como o Vinicius tanto gostava. São imagens precursoras do cinema novo. É como se Camões, Fernando Pessoa e Caetano Veloso tivessem baixado em Orson Welles pra ele filmar a ideia de que navegar é preciso, mesmo que seja apenas com uma vela e algumas toras de madeira.

Juliette Gréco trabalhou com Orson Welles no filme *Raízes do céu* (1958), rodado na África, sob a direção do John Huston. Certa vez, numa conversa à beira da piscina do Copacabana Palace, ela me disse que Orson poderia ser ao mesmo tempo o mais delicado e o mais grosso dos homens. Tinha ataques infantis. Um dia a camareira que o atendia nas filmagens de *Raízes do céu* levou uma camisa mal passada a Orson e ele virou um monstro: jogou suas roupas no chão, ficou gritando possesso, pisoteando paletós, calças, camisas. No dia seguinte, deu flores pra camareira e pediu milhões de desculpas. Quem também trabalhou nesse filme foi o excelente ator Trevor Howard, que acabou se tornando amigo do Vinicius de Moraes (em 1947, Vinicius visitou Orson Welles nas filmagens de *A dama de Xangai*, em Hollywood, ao lado do crítico brasileiro Alex Viany). Vinicius e Trevor saíram juntos algumas vezes. Um dia, na roda do Villarino, em frente ao Petit Trianon da Academia Brasileira de Letras, no centro do Rio, alguém mencionou o nome do ator britânico, e na hora o nosso grande poetinha fez o seguinte comentário:

— Esse bebe!

Imaginem o quanto o Trevor Howard devia beber pra merecer esse comentário sucintíssimo do Vinicius.

Uma vida imensa também se escreve por linhas tortas. Sir Winston Churchill bebia diariamente desde o café da manhã (um de seus cardápios no breakfast: ovos, linguiças, bacon, café, seguido de uísque com soda e um charuto), era glutão (achava o jantar a hora mais importante do dia), fumava charutos o dia e a noite inteiros, a vida toda se sentiu rejeitado pelo pai e pela mãe, não praticava esportes (jogou polo a cavalo, mas não de forma assídua, e, diferentemente da maioria dos ingleses, detestava futebol), travou batalhas imensas sob a pior das tensões (uma guerra mundial cujo destino estava em suas mãos), viajou incansavelmente durante a Segunda Guerra (180 mil quilômetros pelo mar e pelo ar entre setembro de 1939 e outubro de 1943, por rotas totalmente inseguras, podendo ser abatido a qualquer momento), carregava nos ombros curvos a responsabilidade pela vida de outras pessoas como poucos carregaram na história e... morreu com noventa anos. Seu caso é considerado na medicina como "O efeito Churchill".

Foi um dos raros políticos a permanecer cinquenta anos na Câmara dos Comuns. Como Hitler, gostava de acordar tarde (eu também gosto). Trabalhava até as três ou quatro da manhã e tirava uma soneca depois do almoço. Muitos diziam que uma de suas principais armas era a concentração absoluta no trabalho. Ditava seus artigos, livros e discursos. Pronunciou 5,2 milhões de palavras em seus discursos e escreveu 13 milhões de palavras em livros e artigos. Foi o campeão em lutar com as palavras — contra tanques, bombardeiros e granadas. Ganhou o prêmio Nobel de literatura em 1953.

Churchill talvez tenha sido o maior bebedor de champanhe da história. E se não foi o maior pelo menos foi quem disse mais frases memoráveis sobre a bebida:

"Eu bebo champanhe em todas as refeições e, entre elas, baldes de claret com soda." (O *claret cup* é um drinque tradicional inglês.)

"Do que eles precisam? De charutos, champanhe e de uma cama de casal." (Sobre os presentes para o casamento de seu filho Randolph.)

"Nós vivemos de maneira frugal — mas com um bom abastecimento das coisas essenciais da vida: banho quente, champanhe gelada, ervilhas novas e conhaques velhos."

"Eu não poderia viver sem champanhe: nas vitórias, eu mereço; nas derrotas, eu preciso."

Aliás, esta última frase me lembra a do meu querido amigo

português Quim Machaz, dono de hotéis, que estava sob restrição médica à bebida. Ele me disse: "Jô, eu não posso beber porque um copo é muito e uma garrafa é pouco".

Gostei muito do livro *O fator Churchill*, escrito pelo ex-prefeito de Londres Boris Johnson. Ele conta que havia um ministro homossexual no Partido Conservador com uma conduta pouco condizente com o chamado decoro do cargo. Um dia a polícia o flagrou transando com um soldado da guarda do rei (aqueles da troca da guarda em frente ao palácio, usam o dólmã vermelho e o longo chapéu cilíndrico preto e peludo) em praça pública (no Hyde Park), em pleno rigor do inverno. A imprensa escandalosa londrina já tinha a história e foi difícil abafar o caso. O *Chief Whip* (líder da bancada) não teve saída senão ir relatar o caso a Churchill. O primeiro-ministro o ouviu atentamente, pensou um pouco, deu uma baforada no charuto e então perguntou:

— Ouvi corretamente o senhor me dizer que esse fulano foi flagrado com um soldado do regimento?

— Sim, senhor primeiro-ministro.

— Em um banco de praça?

— Sim, senhor primeiro-ministro.

— Às três da manhã?

— Correto, senhor ministro.

— Neste mau tempo! Meu bom Deus, isso dá na gente um orgulho danado de ser inglês!

Uma das histórias mais famosas da Segunda Guerra Mundial dizia que, numa das vezes em que Winston Churchill ficou hospedado na Casa Branca, estava enrolado na toalha depois do banho, quando o presidente americano Roosevelt entrou inadvertidamente no banheiro. Churchill deixou a toalha cair aos seus pés dizendo:

— Como o senhor vê, nada tenho a lhe esconder...

O ex-ministro do Planejamento Roberto Campos conta, no seu volumoso livro de memórias, *A lanterna na popa*, que no início da sua carreira diplomática, quando servia na embaixada brasileira de Washington, corriam várias histórias engraçadas sobre o primeiro-ministro britânico. Uma delas: quando estava na Conferência de Potsdam, em julho de 1945, depois da vitória dos aliados na Europa, Stálin ficou incomodadíssimo ao ver Anthony Eden, ministro do Exterior britânico, passar um bilhete por baixo da mesa pro Churchill. Este, por sua vez, respondeu e mandou o torpedo de volta. Terminada a reunião, o líder soviético pediu que seu serviço secreto procurasse o bilhete na lixeira da sala de reuniões. Eles acharam o papel. Eden tinha escrito: "Winnie, sua braguilha está aberta". Churchill tinha respondido: "Não se preocupe, pássaros mortos não voam". Os dois brincavam com os múltiplos significados da palavra "fly" em inglês (entre outras coisas, pode ser tanto braguilha como voar).

Pra mim, Churchill tomou duas atitudes na Segunda Guerra que mostram a dimensão épica de sua figura. A primeira foi ter apelado (e sido amplamente atendido) para os donos de barcos civis ajudarem na retirada das tropas de Dunquerque, no litoral norte da França. Parece cena de mitologia grega. A segunda atitude foi quando, depois dos ultimatos para o comandante francês se render na base francesa de Mers-el-Kébir, ter tido a coragem de bombardear os navios (aliados) da França a fim de evitar sua integração à esquadra alemã. Parece até provação bíblica. É preciso ter muita convicção de seus atos para, mesmo na guerra, tomar uma decisão terrível como essa. É como se ele tivesse se atirado de um desfiladeiro, sem proteção, para o julgamento futuro da história. Acabada a Segunda Guerra, Churchill disse que uma "cortina de ferro" (foi o primeiro a usar a expressão) baixava sobre a Europa e previu a Guerra Fria. Talvez ninguém tenha feito mais pela causa da democracia. Ela entrou humilhada na Segunda Guerra e, ao final, saiu mais fortalecida do que nunca como valor universal, em grande parte por causa de Winston Churchill.

De vez em quando, escrevo alguns textos sem uma finalidade específica, apenas pelo prazer de escrever. Um deles, de catorze páginas, foi baseado em informações reais e se chama "A Bolsa e a vida: A quinta-feira negra de Wall Street". Nos dois primeiros parágrafos, escrevi o seguinte:

São dez horas da manhã. Um Rolls-Royce trafega velozmente pela Broadway. Na altura da Trinity Church, o Rolls diminui a velocidade e entra à esquerda numa rua estreita. A ruela foi aberta no século XVII, para proteger Manhattan dos bisões. Normalmente é uma rua vazia. Nesta manhã, quinta-feira, 24 de outubro de 1929, uma multidão silenciosa tomou conta dela. São cinco mil homens e mulheres que querem invadir o arranha-céu que faz esquina com a Broad Street: o Stock Exchange, a Bolsa de Valores de Nova York.

O homem no banco traseiro do Rolls faz um sinal ao motorista: a multidão bloqueia a rua, é impossível prosseguir. Ele desce do carro e continua a pé para o edifício sitiado. Tem um passe especial para acessar os bastidores da Bolsa assinado por Andrew Mellon. Com cinquenta e quatro anos, já foi ministro do governo inglês. Está de férias nos Estados Unidos, onde pretende esquecer seu recente fracasso eleitoral dedicando-se à pintura. Seu nome é Winston Churchill. Nesta quinta-feira, decidiu visitar Wall Street. Escolheu bem o dia.

Assis Chateaubriand era obcecado por Winston Churchill. Em 1949, arrancou dinheiro dos milionários brasileiros pra arrematar, num leilão da Christie's, por 5200 dólares, o quadro *Blue Sitting Room*, pintado pelo então ex-premiê britânico. O montante pago pelo quadro foi tão extravagante que o próprio Churchill quis conhecer o comprador. Em Chartwell, de macacão azul, ele recebeu no jardim Chatô, seu advogado Nehemias Gueiros e o embaixador brasileiro José Joaquim de Lima e Silva (ufa!) Muniz de Aragão, ex-embaixador na Berlim de Hitler — ele esteve nos dois lados da guerra. Segundo Fernando Morais, Churchill disse:

— Mas o senhor perdeu o juízo, doutor Chateaubriand. Nenhum quadro meu vale mais que cem libras...

O Cidadão Kane brasileiro mais que depressa tirou de uma malinha um chapéu de cangaceiro e um gibão de couro cru, pediu para o maior estadista do século XX se ajoelhar e sagrou-o Cavaleiro da Ordem do Jagunço, honraria inventada pelo próprio Chatô, invocando as palavras oficiais:

— Winston Churchill: em nome de Chico Campos, do suave sertão das Gerais, grão-mestre da Ordem, e de Antônio Balbino, senhor do Rio Grande no sertão duro da Bahia, eu vos armo comendador da mais valorosa jerarquia do Nordeste do Brasil, a Ordem do Jagunço.

Quando Orson Welles visitou um estúdio pela primeira vez, virou criança em parque de diversões, era puro excitamento. Disse que um estúdio de filmagem funcionava para um adulto como um trenzinho elétrico para uma criança. Me lembrei muito dessa frase quando dirigi meu único filme — e coproduzi, escrevi, fiz o papel principal e até compus a marchinha tema —, *O pai do povo*, lançado em 1976. Poucas vezes na vida me senti tão animado pra realizar um trabalho. Contra o meu hábito, acordava cedíssimo, às seis da manhã, já todo ligadão, cheio de energia pra iniciar as gravações. A história se passa numa ilha chamada Silvestria, o menor país do mundo, onde restara o último homem fértil da face da terra. Depois que as potências mundiais detonaram no mesmo dia três bombas de quinhentos megatons, a humanidade ficou impedida de reproduzir, dada a infertilidade masculina gerada pela precipitação da radioatividade. Apenas um homem da ilha — governada pelo pai do povo, o Magnífico Contreras — não é atingido pelo problema e se torna um reprodutor para o mundo. Apesar de todo o nosso esforço, do entusiasmo na produção e nas filmagens, *O pai do povo* foi lançado em uma data ruim, foi um cano terrível. Acho que nem meus amigos assistiram.

Durante as filmagens, aprendi muito com o diretor de fotografia, Leonardo Bartucci, que, entre outros filmes, havia trabalhado em *Mandacaru vermelho* com o Nelson Pereira dos Santos. De tanto Leonardo ter se exposto à luz do sol nesse filme do Nelson, a lente da câmera ficou impressa num de seus olhos e, quando filmou comigo, ele só podia usar o outro olho. No ano anterior, eu havia atuado como ator numa superbobagem chamada *Tangarella — A tanga de cristal*, dirigida pelo Lula Torres, no qual fazia o papel de fada madrinha da Alcione Mazzeo. O Lula queria que eu fizesse uma cena imitando uma cobra se arrastando pelo chão, uma coisa...

Mas o melhor deste filme foi a amizade que criei pra vida toda com o escritor Paulo Coelho, que fazia o papel de irmão da Alcione. Vi um show maravilhoso dele com o Raul Seixas. Aliás, me orgulho de ter feito a última entrevista do Raulzito na televisão, em 12 de julho de 1989, junto com o Marcelo Nova. Durante o governo Geisel, Raul Seixas teve que se exilar, porque os militares andavam com medo de uma tal "sociedade alternativa" que ele estava criando. Exilou-se em Nova York, onde se encontrou com John Lennon, na época separado da Yoko Ono. Os dois batiam um papo sobre os grandes nomes da história da humanidade, quando o ex-Beatle perguntou pro Raulzito quem era a grande figura da história do Brasil. Na hora, ele não se lembrou de ninguém, foi ficando nervoso, e aí é que não se lembrou mesmo. De repente, lhe veio um nome à cabeça:

— Café Filho!

Imaginem o John Lennon, depois, dando uma entrevista e dizendo que havia um brasileiro muito importante para o mundo chamado Café Filho...

Sinto o maior orgulho do Paulo Coelho ter se tornado uma das pessoas mais influentes do mundo graças apenas à sua cabecinha, ao seu talento de criador. Escrevendo em português, ele é traduzido pra cerca de oitenta línguas diferentes, é conhecido no Oriente Médio, na Ásia, África, além de ser o autor mais lido nas *high schools* americanas. É um dos fenômenos literários contemporâneos. Me lembro muito bem do Millôr Fernandes, exigentíssimo em matéria de leitura, elogiando os livros do Paulo Coelho pra mim. Penso que um dia poderemos fazer uma dupla: o Gordo e o Mago.

Curiosamente, minha participação no cinema, muito forte no início da minha carreira, foi diminuindo com o passar do tempo, embora a atividade de cinéfilo viciado jamais tenha se interrompido. Na época da *Família Trapo*, participei de uma comédia chamada *Papai trapalhão*, com o Othelo Zeloni e a Renata Fronzi. Fiz pequenas participações no "noir paulistano" *Cidade oculta* (1986), do Chico Botelho, no maravilhoso *Sábado* (1995), do Ugo Giorgetti, e no *Xangô de Baker Street* (2001), dirigido pelo Miguel Faria Jr., baseado no meu primeiro romance. Por falar em "noir paulistano", criei um detetive chamado Nicky Nicola, personagem do conto "Meu nome é Nicky Nicola", publicado na antologia *São Paulo noir*, organizada pelo Tony Bellotto. Talvez um dia eu volte a escrever mais contos policiais com o detetive.

Orson Welles considerava o risco a essência da teatralidade, o imprevisível senhor a assombrar todo artista no palco. O ator verdadeiro deve ter talento pra improvisar, pra encontrar soluções instantâneas quando algo inesperado ocorre e não há muito tempo pra pensar sobre elas. Na década de 1960, houve a montagem de uma peça francesa no Teatro de Bolso, *Inimigos íntimos*, com a Nicette Bruno e o Paulo Goulart, da qual participavam também minha saudosa amiga Yolanda Cardoso e um ator chamado Waldemar Duran Bell, um tipo moreno de cabelo grisalho, queimado de sol, um galã clássico. Ele tinha o hábito de carregar no bolso do blazer um monte de papeizinhos com seu nome e telefone, que, lá do palco, atirava no colo das mulheres da primeira fila. O Aurimar Rocha, dono do teatro e produtor do espetáculo, deu um esporro no Waldemar: as mulheres estavam começando a reclamar do assédio dos papeizinhos. Waldemar ficou ressabiado, na bronca, e se mandou da montagem sem avisar ninguém, só deixando um bilhete no espelho: "Galinhas, vou ciscar em outro galinheiro".

No outro dia, chega a hora dos atores se apresentarem para o espetáculo, e cadê o Waldemar? Tinha sumido. O dono do teatro pensou que uma solução de emergência seria chamar o ator Edson Silva, companheiro do Fábio Sabag no *Teatrinho Troll*, um longevo programa infantil da tv Tupi (na Globo, contava-se uma história da inteligência mordaz do Sabag: ao pegar um elevador cheio na emissora, ele encontra o Moacyr Deriquém acompanhado de um rapaz. O Moacyr pergunta se o Sabag conhecia o sobrinho dele. "Claro, ele foi meu sobrinho na semana passada"). O Aurimar sabia que o Edson morava numa rua de Ipanema perto do teatro, mas não exatamente em que prédio. Então saiu gritando:

— Ééédson Siiiilva! Ééédson Siiilva!

A dada altura, o Edson, um mineiro pequenino e supermagrinho, apareceu numa janela com papéis na não, pois estava decorando sua próxima participação no *Teatrinho Troll*, que ia ser um mico fujão. Devido ao seu físico franzino, todo papel de mico sobrava pra ele. O Aurimar, ali da calçada, praticamente o intimou a entrar no elenco de *Inimigos íntimos*. Os dois foram correndo pro teatro, enquanto o Aurimar recomendava:

— Assim que chegar, já muda de roupa pra entrar em cena. Estamos em cima da hora.

— Mas sem nem saber o texto?

— É uma participação pequena, já coloquei as suas falas dentro de uma revista, que você vai ficar segurando. Só preste atenção nas deixas. Outra coisa: o personagem usa um cavanhaque.

— Mas eu tenho que usar?

— Sim. E ele é asmático. Tem uma bombinha que você precisa usar de vez em quando.

— Acho que eu vou me atrapalhar com tanta coisa. Não posso dar as bombadas a partir de amanhã?

O Edson Silva estava ficando preocupado.

— Não, você tem que dar as bombadas já hoje, porque é engraçado, é tiro certo.

Com tanta convicção, o pobre Edson não ousou contestar.

— E tem mais uma coisa.

— Mais?

— O personagem é fanho.

— Fanho? Eu vou ter que fazer um fanho?

— Vai. As falas do fanho são outro tiro certo. Você só precisa decorar a primeira fala, a da entrada. O resto você vê dentro da revista. Certo?

— Acho que sim…

— Ah, antes que eu me esqueça: seu nome é Max. Como você é fanhoso, diga "Mannnx". Você bate na porta, a Nicette vai abrir. Sua fala é, preste bem atenção: "Puxa, como vocês demoraram pra abrir a porta". Entendeu?

— Sim… entendido.

Na correria pra achar o ator substituto, o Aurimar Rocha se esqueceu de avisar a Nicette Bruno e o elenco da troca do Waldemar pelo Edson Silva. Aí, a peça em andamento, a Nicette abre a porta e dá de cara com um ator que ela não fazia a menor ideia de como tinha ido parar ali. Toma um susto imenso e… trava completamente. O Paulo, com a agilidade de anos no palco, intervém rapidamente para salvar a cena dos dois, pula as frases iniciais do Edson Silva e o empurra para uma poltrona com sua revista na mão. Vendo a Nicette paralisada, o Edson também trava. Não tem importância: o excelente Paulo Goulart já havia salvado a situação. A peça segue seu caminho tranquilo. Edson recupera o fôlego sentadinho na poltrona, abre a revista e, sem mais aquela, balbucia fanhosamente:

— *Puxa! Até que enfim voncês anbriram am pornta!*

O susto por ter dado de cara com um ator inesperado, a aflição por ele ter demorado a dizer sua fala, o balbucio fanho estranhíssimo, o cavanhaque ridículo, a bombinha de asma, enfim, tudo isso junto fez a Nicette Bruno cair na risada de maneira incontrolável. Tão incontrolável que a atriz começou a fazer xixi em pleno palco. O xixi começou a escorrer pelas pernas e molhar o vestido. Como o palco era ligeiramente inclinado, o líquido passou a escorrer pela boca de cena mínima do Teatro de Bolso e a pingar perto dos que estavam na primeira fila. A Nicette não conseguia parar de rir, rir, rir. E o xixi avançava em sua implacável aparição: xorororó… xorororó… O Aurimar correu pro microfone do teatro e anunciou:

— Senhoras e senhores, por razões técnicas vamos suspender o espetáculo por alguns minutos. Obrigado pela compreensão.

A plateia, que tinha visto tudo, caiu na gargalhada. Dez minutos depois, a campainha toca três vezes, as luzes se apagam, sobe o pano… e a plateia vai ao delírio novamente: a Nicette Bruno, que tinha entrado com um vestido azul, agora estava com um vestido amarelo.

O risco de alguma coisa não dar certo não é exclusivo do teatro. Também os programas de TV ao vivo estão sujeitos a imprevistos, com a desvantagem de que a audiência é muito maior. Eu adorava escrever para o *TV Mistério*, da TV Rio, apresentado ao vivo. Num dos episódios (não escrito por mim), uma senhora era a testemunha-chave. Ela só tinha uma fala. Durante o interrogatório, o detetive perguntava pra ela:

— A que horas exatamente a senhora se encontrou com Lord Guantman?

A única coisa que a velhinha figurante precisava responder era:

— Às quinze pras sete.

Daí o detetive que investigava o assassinato concluía:

— Logo, é impossível que Lord Guantman tenha sido o assassino.

Todo mundo gostava da senhorinha figurante, ela já fazia o *TV Mistério* havia tempos e nunca tinha tido uma fala. Como vivia pedindo uma chance pra falar, deram essa linha pra ela. Ensaiaram três vezes, tudo correndo às mil maravilhas. Na hora de ela entrar em cena, o contrarregra ainda soprou pra ela:

— O detetive vai perguntar a que horas a senhora se encontrou com o lorde e a senhora só tem que responder "Às quinze pras sete", certo?

— Tá, tá certo. Não tem problema.

*TV Mistério* no ar, corre tudo muito bem. Na delegacia, o detetive pergunta:

— E a que horas exatamente a senhora se encontrou com Lord Guantman?

— Foi às sete e quinze.

Em vez de quinze pras sete, ela falou sete e quinze. Pronto. Pânico. No *switcher*, todo mundo apavorado. O detetive mantém a calma:

— Hum… Vamos pensar bem, minha senhora. Por acaso, não teria sido talvez um pouquinho antes?

Ele virou o rosto, evitando a câmera, e soprou: "Quinze pras sete!". A velhinha figurante se manteve firme:

— Não, não. Eu tenho certeza. Foi às sete e quinze.

O contrarregra, sempre preparado pra qualquer emergência, desenhou um relógio imenso numa cartolina marcando "quinze pras sete" e ficou pulando com ele atrás da câmera.

— É quinze pras sete.

O detetive, com ar circunspecto, andou pra lá, andou pra cá, e disse:

— A senhora me parece um pouco nervosa e, quando estamos nervosos, às vezes não nos lembramos bem das coisas…

— Pois eu me lembro muito bem. Foi às sete e quinze.

Desespero geral. O contrarregra joga a cartolina fora, se abaixa, entra engatinhando no estúdio, chega do lado da figurante, dá um puxãozinho na saia dela e diz baixinho:

— Foi às quinze pras sete.

Diante da pressão, a figurante não consegue mais conter o nervosismo e diz:

— Foi às sete e quinze, eu tenho certeza, eu olhei no meu relógio.

O contrarregra, ajoelhado ao pé dela, continuou dizendo baixinho:

— Pelo amor de Deus, é quinze pras seeete! Quinze pras seeete!

E a velhinha, quase gritando:

— Foi às sete e quiiinze! Foi às sete e quiiinze! Foi às sete e quiiinze!!!

Aí, o diretor tirou o som do estúdio, subiu a música e de lá de cima do *switcher* gritou:

— Quinze pras seeete, sua figurante surda! Fala "quinze pras seeete, quinze pras seeete"! Era só o que me faltava: uma figurante completamente surda!

E ela:

— Não adianta me ofender, eu sei que foi às sete e quinze! Foi sete e quinze!

Diante da confusão, o ator que fazia o detetive em nenhum momento perdeu a fleuma. Deu uma tragada no cigarro e disse:

— Bom, neste caso, esse crime não tem solução.

Desceu o pano. Subiram os créditos. Fato inédito na história da televisão: um episódio do *TV Mistério* ficou sem solução. Quando o programa saiu do ar, o elenco, os técnicos, o diretor, todo mundo partiu pra cima da velhinha.

— É quinze pras seeete! Quinze pras seeete.

A velhinha figurante começou a dizer:

— Mas eu falava quiiinze pras sete. Não entendo isso. Eu dizia quiiinze pras sete…

O autor do episódio, vestido com um terno preto, paletó sem

gravata, o típico intelectual da época, estava encostado numa das paredes do estúdio, lívido. Com toda a serenidade ele disse:

— A senhora não disse quinze pras sete, a senhora falou sete e quinze. E sabe por quê? Porque a senhora é uma velha filha da puta. Foi por isso que a senhora não disse quinze pras sete. Se a senhora não fosse uma velha filha da puta, a senhora teria dito quinze pras sete. Mas não, a senhora falou sete e quinze porque a senhora é uma velha filha da puta que estragou toda a minha história.

Poucas coisas geram mais tensão do que televisão ao vivo. Todo mundo fica com os nervos no limite da explosão. Quando uma coisa dá errado, mesmo as mais doces e educadas criaturas se transformam em monstros.

Mas esse tipo de acidente acontecia até com certa frequência na TV ao vivo. Na sua estreia como figurante, o Daniel Filho também fez o papel de testemunha. Alguém chegava pra ele e perguntava: "Você presenciou o caso?". E o Daniel só tinha que responder: "Não, eu não vi nada".

Sabendo que era a estreia dele, o elenco todo ficou em volta, sacaneando.

— Daniel, fala "Sim, eu vi". Fala "Sim", Daniel. Daniel, fala "Sim".

E ele:

— Parem com isso, vocês vão me confundir.

O Daniel fez um esforço, ignorou a gritaria em volta dele e se concentrou, repetindo: "Não, não, é *não*, tenho que falar não, não". E o elenco: "Sim, sim, fala sim". Aí chegou a hora, ele entrou e perguntaram:

— E você, presenciou esse caso?

O Daniel Filho respondeu:

— Nim.

Nem não, nem sim.

Falei da história que o Roberto Campos contou sobre o

bilhetinho do Churchill passado por baixo da mesa pro seu ministro, e agora me lembrei que o economista, um dos homens mais inteligentes do Brasil, um dia foi ver um dos meus shows e nos tornamos amigos. Outro ex-ministro que eu encontrava nos voos de ida e volta a Nova York era o Mário Henrique Simonsen, considerado um craque em fazer contas em economia. Acho que ele ia toda semana a Nova York participar da reunião do *board* de algum banco ou empresa financeira. Sempre com o cabelo em desordem, o terno amarrotado, a gravata desalinhada, com aquele visual descuidado dos gênios. O Simonsen conhecia muito música clássica e era um glutão. Como não suportava a comida de bordo, primeiro jantava em um restaurante de Nova York e depois seguia pro aeroporto John Fitzgerald Kennedy. Sentava na poltrona, exausto, e antes do avião taxiar já estava em sono profundo. Certa vez, Flávia e eu embarcamos com uma fofura chamada Isabel, uma filhotinha de cão da raça buldogue inglês que nos deu alegria por muitos anos. A dada altura do voo, a comissária veio delicadamente nos avisar que havia passageiros reclamando do ronco da pobre Isabel, que dormia inocentemente. Eu disse pra ela:

— Eu também concordo com a reclamação.

E apontei para a poltrona de trás, onde o Simonsen estava dormindo. Seu ronco saía das profundezas de uma caverna de barítono e subia às notas mais altas de uma soprano, uma coisa jamais ouvida. Fazia de todo o avião uma Metropolitan Opera House.

Essa comissária, uma pessoa maravilhosa, trabalhava também no restaurante Guimas, no Rio de Janeiro. Um dia, num voo para Nova York, um americano pediu pra ela um drinque, o manhattan, normalmente servido com uma cereja. Como ela não achou cereja na cozinha do avião, não teve dúvida: colocou uma azeitona na taça. Quando serviu a bebida pro passageiro, ele perguntou:

— O que é isso verde no meu manhattan?

Ela respondeu imediatamente:

— O Central Park.

# VII

Em 1972, resolvi emagrecer. Contei essa história no primeiro volume. Encolhi dos 160 para os oitenta quilos. Em oito meses, perdi dez quilos por mês, fazendo uma dieta rigorosa de cortar radicalmente tudo que era carboidrato. Também falei que não tive incentivo nenhum pra permanecer magro. No YouTube, existem imagens minhas dessa época, em preto e branco, contracenando com o Renato Corte Real. Tem também vídeos de 1974 e 1975, da época do *Satiricom*, onde apareço ao lado do Miele, da Célia Biar, do Antônio Pedro e do Antônio Carlos, pai da Glória Pires. Como havia perdido muito peso, meu segundo one-man show estreou em São Paulo, no Aliança Francesa, com o nome de *Ame um gordo antes que acabe*, com direção de Osvaldo Loureiro. Em janeiro do ano seguinte, foi pro Rio, no Teatro da Lagoa. Para José Márcio Penido, crítico da *Veja*, só a balança tinha saudades do meu excesso de peso. E descreveu alguns números do espetáculo, que compartilho aqui pra vocês terem uma ideia do show:

> Os melhores momentos estão na "novela de rádio erótica", onde ele acumula as funções de radioator, radioatriz, radiobicho e radiocoisa. Numa sucessão rapidíssima e brilhante, ele faz o papel de

herói, mocinha, floresta, papagaio, lago, cavalo e, como se não bastasse, de deserto.

Quando os repórteres vinham me perguntar se eu, magro, continuaria a provocar a mesma quantidade de risos, eu respondia: "Se gordura fosse engraçada, o que seria do Chico Anysio?". O Chico, espertamente, aproveitou o título do meu show e fazia a seguinte chamada pro espetáculo dele, em cartaz na mesma época no Rio, no Teatro Ginástico: "Veja um magro antes que acabe". Era uma brincadeira entre nós. Ele foi, junto com o Millôr, parceiro de criação dos textos do show, que contava também com um trio musical pra me acompanhar.

Em 1972, Roberto Marinho e seu jornal *O Globo* — então um vespertino com pouco anúncio classificado — deram um passo ousadíssimo. Tomaram a decisão de circular aos domingos. Na época, jornais populares não circulavam nesse dia. Em compensação, os chamados *prestige papers* tinham seu horário nobre nas edições dominicais: neste dia, saíam massudos, com matérias grandes, analíticas e, sobretudo, forrados de classificados. Classificados, circulação e prestígio, nem sempre nessa ordem, era tudo que o Roberto Marinho queria para o seu jornal. O fato de ter uma boa circulação às segundas, por causa da seção de esportes, não era suficiente pro dr. Roberto. Lembro que, pouco antes da mudança, eu estava de papo na sala do Walter Clark, quando ele me contou a novidade. Estava irritado com um comentário saído na véspera no *Jornal do Brasil*. Informado da decisão de ser torpedeado em seu front, o olímpico *JB* contra-atacou: na toada de um barquinho da bossa nova, decidiu sair às segundas-feiras (com prejuízo certo, pois era dia de edições magras em anúncios). Esse duplo movimento definiu a guerra entre os jornais no Rio de Janeiro. O jornal de Roberto Marinho contava com uma arma letal: a força da audiência da televisão pra promover a nova edição de domingo, e o bordão "Leia amanhã em *O Globo*" era repetido inúmeras vezes durante a programação de sábado da TV Globo.

Vários conhecidos dos dois doutores, o Brito e o Roberto, tentaram impedir o choque de frente entre os periódicos. Sem sucesso. Um amigo meu, muito amigo do Otto Lara Resende no final da vida, me contou a seguinte história. O diretor do *Jornal do Brasil*, Manuel Francisco do Nascimento Brito (ele fazia questão de grafar o último nome com o T duplo, embora seu nome de família fosse com um T só), genro da condessa Pereira Carneiro — que tomou a decisão de dar uma virada na história do periódico, até então uma publicação de classificados —, logo percebeu que a guerra estava perdida. Como o Otto era querido pelo Roberto Marinho, o Brito pediu pro jornalista e escritor ser emissário de uma proposta de pacto pra desfazerem o negócio. O *Jornal do Brasil* deixaria a TV Globo em paz e o *Globo* não circularia mais aos domingos. Um dia, Marinho recebeu Otto na sua famosa casa do Cosme Velho. Ouviu o que ele tinha a dizer e perguntou:

— Otto, você já viu no prado, quando um cavalo está em segundo lugar e tão obstinado em ganhar a corrida que começa a morder a traseira do animal que está na frente?

— Não, nunca vi.

— Pois está vendo agora. Este cavalo sou eu.

Com o projeto de o jornal sair aos domingos, o Evandro Carlos de Andrade, meu amigo muito querido, que foi muito importante na minha volta à Globo em abril de 2000, diretor de *O Globo*, me convidou pra fazer uma página na edição dominical. Isso me dava mais uma atividade, a de jornalista. Minha primeira colaboração em jornal, na *Última Hora* de São Paulo, havia sido uma coluna de notas curtas sobre o ambiente teatral e a noite; agora era uma página mais autoral. Agora, uma colaboração semanal mais longa demandava acertar o tom dos textos, disciplina pra não atrasar a entrega da coluna, atenção na escolha dos temas a abordar.

Depois, eu viria a escrever regularmente pra *Folha de S.Paulo*, pro *Jornal do Brasil* e pra revista *Veja*. A editora gaúcha L&PM, que editava os livros do Millôr Fernandes, me propôs fazer uma antologia das colunas do *Globo*, e daí nasceu, em 1983, o meu primeiro livro, *O astronauta sem regime*. Ele chegou às listas dos mais vendidos e depois foi também distribuído pelo Círculo do Livro. Desde que o homem tinha pisado na Lua, em imagens inesquecíveis, o astronauta se convertera em uma espécie de herói da mitologia daqueles tempos; *Eram os deuses astronautas?* foi um dos livros mais lidos na época; pra completar o cardápio, estava na moda uma certa dieta dos astronautas, e — gordo ou magro — todo mundo adorava falar de comida ou de dieta comigo. Numa das colunas, claro que com o título de "Dietomania", eu conto uma história que aconteceu comigo. Em 1968, eu estava em Genebra, na Suíça, pesando 160 quilos e...

... comprei um relógio numa loja e para não pagar as taxas, já que eu ia viajar, ficaram de me entregar a compra no aeroporto, pouco antes de eu embarcar. Como eu não sabia ainda o dia e a hora, fiquei de telefonar na véspera, dando o horário. O funcionário da relojoaria disse que EVIDENTEMENTE não teria problema em me achar no aeroporto para entregar o embrulho. Era fácil me identificar.

Três dias se passaram e finalmente chegou a hora de avisar ao homem da loja que no dia seguinte eu embarcaria para o Brasil. Telefonei procurando por ele:

— Eu queria falar com monsieur Frossard.

— Monsieur Frossard não está. Quem deseja falar?

— Aqui fala M. Soarés. Eu comprei um relógio aí há uns três dias e monsieur Frossard ficou de me entregar no aeroporto, por causa das taxas. Eu embarco amanhã às cinco horas da tarde.

— Ah, pois não, monsieur Soarés. Meu nome é Delormes. Eu não estava aqui quando o senhor fez a sua compra, mas monsieur

Frossard me avisou que o senhor ia telefonar. Sou eu quem vai lhe levar o relógio. Como eu não o conheço, me diga, como é que eu faço para identificá-lo no aeroporto?

O óbvio seria dizer para ele que entregasse o embrulho para a pessoa mais gorda que encontrasse no balcão da companhia aérea, mas não sei por que um certo pudor me fez dizer com discrição:

— É fácil, monsieur Delormes. Eu vou estar vestido com uma calça cinza-clara, gravata listrada vermelha e prateada, camisa branca e blazer preto. Além disso, uma revista *Paris-Match* embaixo do braço.

— Ótimo! Para que o senhor também me reconheça logo, eu vou lhe fazer uma discrição minha. Estarei de terno marrom listrado, camisa marrom em tom mais claro, gravata verde-escura e sapatos de camurça marrom-escuros. Ah! na mão direita levo um embrulho de papel dourado que é o seu relógio. Até amanhã às cinco, monsieur Soarés. — Desliguei o telefone e fui tratar de fazer as malas sem pensar mais no assunto.

Na tarde seguinte, às cinco para as cinco, eu estava encostado no balcão da companhia de aviação esperando o tal do monsieur Delormes e o meu relógio. Eu vestia exatamente a roupa que descrevera pelo telefone e trazia a revista embaixo do braço. Às cinco horas em ponto, olhei para a porta do aeroporto e vi monsieur Delormes chegando, vestido como ele dissera e com o embrulho na mão. Assim que nos olhamos, não pudemos deixar de sorrir um para o outro, pensando que realmente havia uma maneira bem mais simples de identificação entre nós, se não tivéssemos sido tão discretos: eu, por causa dos meus cento e sessenta quilos e ele porque não tinha a orelha esquerda.

O que não revelei na coluna foi que na verdade eu havia comprado um revólver — uma fixação que guardei durante muito tempo, certamente influenciado pelo cinema americano. O maravilhoso crítico cultural Robert Warshow, que deixou apenas um livro, *The Immediate Experience*, que o Sérgio Augusto adora, tem uma frase lapidar: "As duas criações de maior sucesso dos filmes americanos são o gângster e o caubói: homens com revólveres". Na época não havia o pânico de terrorismo nem de sequestro de avião, então a revista nos aeroportos era menos rígida. E, para comprar uma arma, você precisava mostrar o passaporte e receber no aeroporto, daí a necessidade do encontro com o Delormes. Durante um tempo, como todos nós fazemos coisas estúpidas na vida, colecionei revólveres e facas, felizmente um hábito abandonado. A outra coisa que não revelei na coluna foi o diálogo final, quando vimos que tínhamos feito a bobagem de não nos identificarmos pelo nosso sinal corporal mais óbvio.

— Que discrição, monsieur Soarés!
— Que discrição, monsieur Delormes!

Já que mencionei a *Manchete*, eu adorava o Adolpho Bloch. A saga da sua família — judeus vindos da pequena Jitomir, na Ucrânia, unidos permanentemente pelas desavenças — é quase impossível de se acreditar e está retratada brilhantemente no livro *Os irmãos Karamabloch*, do jornalista Arnaldo Bloch, sobrinho-neto do Adolpho. O título refere-se ao apelido, de finíssimo humor, dado por Otto Lara Resende, aludindo aos irmãos rivais Karamázov, do romance do russo Fiódor Dostoiévski. O Adolpho construiu um imenso grupo de mídia lastreado nos seus conhecimentos gráficos e nos papagaios que voavam de banco a banco. Estava sempre apertado financeiramente. Um dia, andando juntos na luxuosa sede da rua do Russel, na Glória, com vista deslumbrante pra baía da Guanabara, ele aponta pra uma mesa e me diz com seu forte sotaque, totalmente harmonioso com sua figura:

— Olha lá o Justino. Ganha mais do que *eu*. Merece, trabalha muito, mas ganha mais do que *eu*.

O gaúcho Justino Martins, tio do Luis Fernando Verissimo,

foi um dos jornalistas mais importantes do seu tempo, diretor da *Manchete* de 1959 a 1975. A revista tinha o melhor elenco de cronistas do país: Rubem Braga, Paulo Mendes Campos, Fernando Sabino, Antônio Maria… Um dos jovens jornalistas que aprendeu muito com ele foi o Ruy Castro. Como o Justino era filho de estanceiro uruguaio, Bloch o chamava de "Índio". Adorava cinema, ia todos anos ao Festival de Cannes e era um homem bonito e sedutor. Um dia, eu vou a Paris com a Theresa, e o Bob Zagury passou no hotel pra nos visitar. Estava apaixonadíssimo, de quatro, pela sua acompanhante, a brasileira Regina Maria Rosemburgo, Miss Lagoinha Country Club 1958, garota de classe média de Copacabana, estudante de cinema junto com o Glauber Rocha e que se tornaria uma princesa do jet set internacional. O estado do Bob poderia ser classificado como "idiotamente apaixonado", bobo, babando. Não era pra menos: a Regina era um terremoto na vida dos homens. Foi casada com Wallinho Simonsen, com Gérard Lecléry — magnata da indústria de calçados; ele produziu o filme *Quem é Beta?*, dirigido pelo Nelson Pereira dos Santos, no qual Regina faz uma ponta —, nocauteou o Walter Clark. Eu a conhecia desde adolescente, o pai era contador na tv Continental e dizia que o sonho da filha era ser estrela de televisão.

Quando o Bob e a Regina chegaram ao hotel, ela se atirou na Theresa para um abraço longo e visivelmente agradecido. Eu pensei: "Aí tem coisa". Pusemos a conversa em dia, matamos a saudade e, quando o casal foi embora, eu disse pra Theresa: "E aí, me conta tudo. Por que essa garota te abraçou daquele jeito?". Como já sabemos, Theresa havia estudado em Paris. No dia em que voltaria ao Rio, uma brasileira desconhecida a procurou pedindo pra ela entregar uma carta pra mulher do Justino Martins. Theresa desconfiou um pouco de que fosse uma roubada, mas naquela época era muito comum pessoas viajarem levando correspondência umas pras outras, mesmo não conhecidas. Quando estava desfazendo suas malas no Rio, Theresa é procurada pela Regina Rosemburgo, ainda uma jovem desconhecida. Muito nervosa, ela pediu:

— Sei que você está com uma carta pra mulher do Justino Martins. Vim até aqui te implorar pra não entregar a carta.

A Theresa, sempre correta em todas as atitudes, respondeu:

— Eu não posso fazer isso.

— Eu te peço de joelhos: não entregue essa carta, vai ser um desastre.

Vendo o desespero da Regina, muito mocinha, Theresa disse:

— Eu vou fazer uma coisa totalmente contra os meus princípios. Eu vou abrir e ler esta carta. Dependendo do que estiver escrito, do conteúdo dela, ou eu rasgo na sua frente ou eu entrego a ela.

Theresa foi pra um canto, leu a carta, pensou um pouco e a desfez em pedacinhos. Picotou tudo e jogou no lixo. Ela foi a mão do destino que impediu uma tragédia familiar. Regina morreu jovem, aos 33 anos. Estava no avião da Varig, de prefixo PP-VJZ, voo 820, que caiu próximo ao aeroporto de Orly, às três horas da tarde de 11 de julho de 1973. Na edição seguinte da revista *Manchete*, lia-se: "Um filme sobre a vida de Regina Rosemburgo Lecléry pareceria, em sua maior parte, um moderno conto de fadas. Ela viveu como se pressentisse que sua vida ia ser curta. Tão bela quanto as mais belas mulheres do mundo, mas certamente com muito mais charme e simpatia do que qualquer outra".

Quando eu chegava à redação da *Manchete*, era sempre uma imensa alegria. Eu tirava o Adolpho Bloch pra dançar tango — não sei por que eu cantarolava uma música do repertório do ritmo argentino — de rostinho colado, saíamos entre as mesas dos repórteres, redatores e editores, ninguém acreditava no que estava vendo. Ele adorava participar da escolha das melhores fotos coloridas na mesa de luz — sua revista era famosa pela qualidade das imagens e da impressão — e, quando não ficava satisfeito com um cromo, enfiava na boca e fingia que comia. Era uma cena inesquecível. Como bem disse o Arnaldo Bloch, o Adolpho deixou a

Rússia em busca do país das "promessas e das promissórias". Uma das grandes contribuições dele pro Rio foi o Teatro Bloch, palco de montagens marcantes. Ele produziu e levou pra sua sala um excelente *O pagador de promessas*, do Dias Gomes, com direção do Flávio Rangel. Eu fui cumprimentá-lo pela realização e disse:

— Pois é, Adolpho. Agora tudo se completa: lá embaixo no teatro tem o pagador de promessas e, aqui em cima, você, o pagador de promissórias.

Como sempre, o Adolpho caía na gargalhada. Era uma gargalhada muda, pra dentro. Certa vez o Bloch estava dando uma bronca em um fotógrafo pela qualidade de seu trabalho e o sujeito respondeu que estava sem material adequado, máquinas fotográficas melhores e rolos de filmes de qualidade. Ele não teve dúvida:

— Teu problema é material? Então eu te dou uma caneta de ouro e você me escreve um *Guerra e Paz*.

Depois que se mudaram, deixaram a gráfica da Frei Caneca e foram pro Aterro, todas as vezes que alguém pedia aumento ele respondia: "Mas as pessoas pagam fortunas pra ficar de frente pra essa vista e o senhor ainda quer aumento?". Após negociar por um tempão o pagamento de uma colaboração na *Manchete*, Fernando Sabino jogou a toalha:

— Tá bom, Adolpho, não precisa pagar nada. Eu faço de graça.

— De graça nem por um milhão!

Arnaldo Bloch conta que, uma vez em Roma, o Bloch levou o Paulo Mendes Campos pra assistir, na praça do Vaticano, à bênção do papa Pio XII. Quando o escritor lembrou ao Bloch que ele era judeu, o dono da *Manchete* respondeu que todo mundo precisa ver o papa. Na hora da bênção, o Paulinho vê o Adolpho levantando um calhamaço de papel. De volta à sede da revista — ainda na rua Frei Caneca, nos fundos da gráfica da família —, ele ouve o Adolpho falando com o Magalhães Pinto, dono do Banco Nacional:

— O papa abençoou essas promissórias, está aqui o Paulo Mendes Campos que é testemunha.

Passou o telefone pro cronista mineiro. Ele não teve remédio senão confirmar a bênção papal. O dinheiro saiu.

Otto, que foi editor da revista por dois anos e que proferia as frases mais inteligentemente cortantes da sua geração, dizia: "O Oscar [sobrinho do Adolpho] é o pior dos homens, mas o melhor dos Bloch". Era comum o Adolpho — naquela época já sem os irmãos — esculhambar a família na frente de convidados, mesmo ilustres, e empregados. Depois, quando dava na cabeça, pedia desculpas chorando. Certa vez, o embaixador da Inglaterra foi almoçar na sede da *Manchete*. Na hora das apresentações, alguém diz:

— Este é um dos sobrinhos do doutor Bloch, também diretor.

O Bloch nem deu tempo desse sobrinho responder à apresentação e disse pro embaixador:

— É um *ladrón*!

Pena a TV Manchete não ter tido fôlego para se viabilizar, pois fez ótimas coisas. O Fernando Barbosa Lima, o Roberto D'Ávila e o iniciante Waltinho Salles produziram um programa de qualidade irretocável, o *Conexão Internacional*, numa época em que o Primeiro Mundo era bastante longe do Brasil. Entrevistaram, entre outros, o Woody Allen, o Marcello Mastroianni, a Catherine Deneuve, o Mick Jagger (com Caetano Veloso), o Yves Montand (em São Paulo, frequentei muito o restaurante Trastevere com o Zeloni, onde apareciam muitos italianos engraçados; um deles se dizia espião e irmão do Montand, cujo verdadeiro nome seria Montano…), pra citar só uns poucos. Ainda sob o governo militar de João Figueiredo, entrevistaram políticos socialistas como Felipe González, Mário Soares, ou escritores comunistas como o García Márquez. Eles entrevistaram o Fidel Castro já no governo civil do Sarney, mas o líder cubano ainda era um tabu para as emissoras de televisão. O Bloch pediu pra ver o programa do Fidel um dia antes de ele ir ao ar, assistiu e não disse uma palavra. O programa foi veiculado às 21h45, ainda dentro da faixa do horário nobre. Apesar de anticomunista (sua família foi levada à miséria pelo bolchevismo) e apoiador dos militares, continuou defendendo abertamente Juscelino Kubitschek, mesmo depois de ele ter sido cassado para não disputar a Presidência da República em 1965. Permaneceu amigo de Oscar Niemeyer e se encantou com o projeto dos Cieps de Leonel Brizola e Darcy Ribeiro.

O Zevi Ghivelder, na época com um cargo importante nas organizações Bloch, me ligou pra contar o seguinte: "Jô! Não sei como é que vai ficar essa nossa TV! Vai ser difícil. A gente estava em volta da mesa junto com o Adolpho, tentando elaborar o espelho de uma programação, quando ele disse:

— Segunda à noite tem que ter um programa bem fraquinho.

— Por quê, seu Adolpho?

— Porque segunda é dia do programa do Jô Soares e ele é meu amigo.

Quando o Adolpho morreu, em 1995, escrevi uma homenagem a ele na revista *Veja*, criada e publicada pelo seu maior concorrente, Roberto Civita, da Editora Abril. Não poderia deixar de registrar o quanto gostava do velho Bloch.

Uma das coisas mais maravilhosas no meu trabalho na Globo eram as conversas no fim da tarde, na sala do diretor de jornalismo Armando Nogueira, com o Otto Lara Resende e o Rubem Braga (às vezes elas ocorriam também na sala dos diretores João Carlos Magaldi ou Luiz Eduardo Borgerth, que, por sinal, escreveu um depoimento lindo sobre o Otto na emissora: "Na Globo, Otto escreveu, aconselhou e confortou, mas, mais do que tudo, esteve lá. O Otto não fez a TV Globo; engalanou a TV Globo com sua presença e deixou pedaços em cada um de nós"). O Manduca Nogueira, um estilista da língua, preocupadíssimo em melhorar a qualidade do texto no jornalismo televisivo, levou o Braga pra escrever crônicas. O Braga achava aquilo um luxo, que ele não tinha muita função na emissora e que a qualquer momento poderia ser mandado embora. Um dia, percebendo a aproximação do Roberto Marinho, ele se escondeu atrás de uma pilastra. Depois que o dr. Roberto passou, o Armando Nogueira perguntou:

— Mas que é isso, Rubem, por que você se escondeu?

— Pro Roberto Marinho não me ver; ele pode me demitir.

Aí o Armando falou:

— Ô Braguinha, pra ele te demitir tem de passar por cima do meu cadáver.

O Braga fez uma pausa grave e respondeu:

— Mas ele passa.

Numa semana de feriado prolongado, o Manduca chegou pra ele e disse:

— Querido Braguinha, eu tenho uma casa muito gostosa em Itaipava, perto de Petrópolis, a gente podia combinar de ir passar um fim de semana lá.

O Braguinha perguntou:

— Só vamos nós dois?

O Armando respondeu:

— Sim, a gente fica conversando, o lugar é bem bonito, tem bons restaurantes, você vai gostar.

Sem demonstrar muito entusiasmo pelo programa, o cronista perguntou:

— Não seria bom também convidar alguém que fosse mais interessante do que nós dois?

Rubem Braga não era de badalações, mas certa vez aceitou a homenagem que o jornal da sua Cachoeiro de Itapemirim, dirigido por seu irmão, lhe prestou. Pra não aturar tudo sozinho, ele levou uma turma pra lá, no meio dela o Otto. Ficaram num hotel ao lado da estação ferroviária. Durante a madrugada, as manobras de locomotivas e vagões se engatando faziam barulhos medonhos, ninguém dormia. A dada altura, sem conseguir pegar no sono, o Otto se levanta, vai até o quarto do Braga e bate na porta. Mal-humorado como sempre, o Braga grita:

— O que é?

E o Otto responde:

— A que horas este hotel chega em Vitória?

Uma vez, o Diduzinho, o ex-príncipe de Copacabana, filho do Didu e da Teresa de Sousa Campos, que trabalhou na Globo, foi visitar o Otto em seu apartamento na rua Artur Araripe, na Gávea. Na porta do prédio, foi assaltado por um homem armado. Começou a gritar. O mineiro veio à janela e viu o amigo gritando da calçada em frente à portaria do seu edifício, pedindo socorro:

— Otto, por favor, abre essa porta!

O Otto respondeu na hora:

— Olha, Diduzinho, estou contigo e não abro.

Impressionado com o fato de o Otto ser amigo de vários editores de livros concorrentes — alguns até inimigos —, um nosso amigo comum perguntou como ele conseguia a façanha. Otto respondeu:

— Eu nunca os ameaço com um livro.

O Nelson Rodrigues gostava tanto do Otto que o nome completo de uma de suas peças mais famosas é *Otto Lara Resende ou Bonitinha, mas ordinária* (ficou conhecida só pela segunda metade). O mineiro não gostou muito quando viu o título da peça em destaque no teatro, mas isso não impediu que tivessem pra sempre uma admiração mútua. Eles deixaram para os arquivos da Rede Globo a gravação duma conversa maravilhosa que tiveram. Nelson era odiado pela esquerda em geral — durante um período, somente o pessoal de teatro e do cinema respeitava o seu gênio, apesar das ignomínias reacionaríssimas. O Otto me contou que, nessa época, caminhando com o dramaturgo pelas ruas do Rio, perguntou angustiado:

— Nelson, você não tem medo de te pegarem? Você bate na esquerda, enquanto um monte de atentado terrorista está acontecendo por aí. Você não tem medo?

— Não, não tenho, não tenho medo, não.

Continuaram caminhando em silêncio, o Otto preocupado

com o que poderia ocorrer com o amigo, como, aliás, era de seu feitio (quando o poeta e diplomata João Cabral de Melo Neto teve que depor nos órgãos da repressão militar, ele se ofereceu para acompanhá-lo e esperou até o fim). De repente, o Nelson pega no braço do Otto, os dois param, e o dramaturgo pergunta:

— Mas, se eu morrer, se acontecer um atentado e se eu morrer, Otto, você vai escrever sobre mim?

— Que pergunta, Nelson, claro que sim!

— A favor?

O Otto responde:

— Evidentemente que a favor!

— Então, você vai falar bem de mim?

— Que dúvida, Nelson, já disse que sim.

O Nelson Rodrigues pareceu satisfeito, soltou o braço do amigo, voltaram a caminhar. Deram uns poucos passos, ele para novamente, pega no braço do mineiro outra vez e diz:

— Otto, exagera...

Ninguém sabe que precisa de humor até começar a rir. Ninguém sabia que precisava de humor até conhecer Paulo Ricardo Campos Silvino e descobrir seu humor incessante, capaz de funcionar 24 horas por dia. Por sinal, deve ter nascido dando gargalhadas: o pai, o paulista Silvino Neto, era um humorista de primeira. Ele costumava cuspir pro alto e aparar o cuspe com o bolso do paletó. Coisa de maluco. Foi compositor, cantor (o Paulo também era um excelente cantor) e compôs com a dupla Alvarenga e Ranchinho e com o trio Os Mosqueteiros da Garoa — só o nome já é uma piada. Silvino Neto ficaria famoso no rádio com o personagem Pimpinela, uma italianinha do Brás que falava rapidamente e com voz fininha. Fez também muito teatro de revista, a primeira influência do Silvino, filho. Criança, se contagiou da atmosfera mágica dos bastidores do gênero teatral tipicamente carioca, e não teve mais cura.

Paulo Silvino começou a carreira com o *nom de plume* Brigitte Bijou. Quando servia no Exército, escrevia histórias eróticas, à mão, num caderno. A personagem principal das histórias de fantasias sexuais era a BB, Brigitte Bijou. Um dia, Paulo deixou o plantão e esqueceu o caderno no quartel, foi chamado pelo coronel. No momento que entrou no escritório do oficial, viu seu caderno em cima da mesa e pensou: "Pronto, estou ferrado". O coronel perguntou:

— Quem escreveu isto?

— Fui eu, coronel.

Silêncio mortal. O oficial vira as páginas, lê um trecho, folheia mais algumas páginas, lê mais um trecho. Ao terminar, pergunta:

— Quer publicar?

O Silvino tomou um susto. Ficou na moita, calado. O coronel, com medo de o Paulo achar que estava aplicando um golpe no subalterno, se adiantou logo pra dizer:

— A gente racha meio a meio. Eu pago a edição, você entra com as histórias. Eu tenho uma pequena editora na minha garagem que edita alguns livrinhos de faroeste.

E assim começou a vida de uma nova e profícua autora nacional, Brigitte Bijou. O Paulo Silvino escreveu os primeiros quatro títulos, entre eles *Lua de mel a quatro* e *Éramos três*, mas existem dezenas de livrinhos da "autora" publicados, nessas edições *pulp fiction* bem toscas. Eu adorava fazer os quadros com o Silvino. Aproveitando o advento da janela de libras — para tornar a televisão acessível pra pessoas com deficiência auditiva —, nós fazíamos um jornal divertidíssimo pros "quase surdos", o Silvino na maior seriedade. E tinha também o encosto Midnight, muito bem-feito, que não largava o meu personagem, o Djalma. Com seus olhos claros, Silvino imitava o Chico Buarque cantando — tarefa dificílima. E o seu gago interpretando "Águas de março", do Tom Jobim, é memorável.

Fazia parte dele o humor devasso, de duplo sentido, insinuando sexo, e a sacanagem em qualquer situação. Esbanjava um talento natural nessa pegada cheia de malícia. O Silvino era o rei de fazer essas coisas, era a pessoa mais à vontade que eu conheci pra andar nessa linha do humor bandalho. Lembrava muito as insinuações do teatro de revista (*Tem bububu no bobobó* ou *Tem banana na banda*), mas com mais malícia. Quando o entrevistei no *Jô Soares Onze e Meia*, Silvino cantou uma música composta por ele sobre a mulher adúltera dum cacique, "A lenda da piroga de cristal". O refrão hilário teve o *backing vocal* do Sexteto do Jô: "Acabem com a piroga dele... taquem fogo na piroga dele... pulverizem a piroga dele... destruam a piroga dele...".

Era uma delícia fazermos juntos a Rádio Cruzeiro no *Viva o Gordo*. O quadro indicava pra onde estava indo o seu dinheiro, e ficávamos lado a lado, como locutores, dizendo os textos: "Atenção, atenção, quando esta rádio disser que a coisa não está boa, subiu a broa"; "Atenção, atenção, quando dois mal-educados tomarem sopa, subiu o preço da roupa" etc. (No início, o Carlinhos Moreno, dos comerciais da Bombril, fazia um cuco que saia daqueles relógios de parede e dava as horas). Um dia, de pura brincadeira, depois de gravar o quadro que iria ao ar no programa, continuamos no estúdio falando besteiras: "Atenção, atenção, quando o ursinho se aproximar correndo do carvalho, vai subir o caralho"; "Atenção, atenção, quando a vedete começar a jogar confete, vai rolar um boquete", e por aí caminhava o nosso recital lírico. Ficamos brincando e dissemos: "Quando acabar a gente apaga isso". Terminada a brincadeira, subimos ao *switcher* e vimos o cara apagando a fita. Dois dias depois já, estava espalhada pela cidade. Os caras foram rápidos, conseguiram tirar uma cópia antes. Não havia internet, não tinha YouTube, nada disso. Nos disseram que tinha até um camelô vendendo a fita K-7 no Saara, no centro do Rio.

Em meados dos anos 2000, o Silvino escreveu uma peça chamada *As aventuras do Papaceta*. Queria que eu dirigisse e fizesse o papel do Papaceta: "Eu fico em casa, só recebendo os 10% da bilheteria como autor", dizia. A história se passava em Portugal no século XVI, e as aventuras do Papaceta, apesar de proibida pela Santa Inquisição, era uma das favoritas dos piratas portugueses. Aqui vai uma amostra, bem branda, do texto da peça do Silvino:

(Voz em off): No ano da graça de 1516, nascia em Lisboa, numa casa de tavolagem à beira do Tejo, d. Manuel Fernando Zairão de Bulhões e Culhoneses, o Papaceta!

*Pra uns era feioso, pra outros bonitão*
*Só sabiam que ele tinha,*
*Um enorme caralhão*
*E que comia todo mundo*
*Coroinha, sacristão.*
*Numa dessas fodelhanças*
*Que estava ele a fazer*
*A mulher passou a trança*
*Amarrou-lhe o bem-querer*
*Aí como gemeu de dor*
*O nosso pobre Papaceta*
*A trança da rapariga*
*Deu um nó na chapeleta.*

Quando era jovem, para ir à praia o Silvino passava em frente a um boteco com mesas na calçada. Ali fazia plantão um oficial reformado, o comandante Nelson, que passava o final da manhã tomando cerveja. Era um cara bravíssimo, violento. Tinha participado da campanha do Brasil na Segunda Guerra Mundial, segundo ele mesmo. O Silvino ia passando e o coronel comandava:

— Ô porcaria, ô comunista, senta aqui pra tomar uma cerveja.

O Silvino, morrendo de medo, sentava.

— Toma uma cerveja aí, ô porcaria.

— Está muito cedo pra mim, comandante, ainda não tomei o café da manhã...

—Tome, é só uma cervejinha...

— Não, muito obrigado, comandante...

— Tome! É uma ordem!

O comandante soltava frases assim:

— Tomei Monte Cassino e tomo esta cerveja também. Duvida? Duvida?

Emborcava a latinha de uma vez só.

O coitado do Silvino ficava lá, tomando aquela cerveja indigesta.

— Salta na minha frente pra ver se eu não te mato. Salta. Matei o meu melhor sargento e mato você, porcaria!

Na Itália, eles lutavam na neve, e o sargento era negro. O comandante gritava:

— Enfia essa cabeça na neve, se o alemão te vê faz pedacinho de você. Enfia essa cabeça na neve!

A dada altura, ele contava a tragédia que aconteceu com o tal sargento. Uma ocorrência grave. O comandante disse pro sargento:

— Pega a minha pistola, você sabe o que precisa fazer.

— Sei, sim, comandante. — E páá!... deu um tiro na cabeça!

No meio dos gritos da batalha, o sargento não entendeu bem o plano do comandante, que só queria que o outro o rendesse e fugisse, para se salvar dos inimigos que destroçariam um soldado negro. Mas pegou a pistola e deu um tiro na própria têmpora.

— Matei o meu melhor sargento, e mato você! Pula na minha frente pra ver se eu não te mato... Mas não vamos nos emocionar, tome uma cervejinha aí.

— Não, obrigado, comandante.

— Tome! É uma ordem! — gritava enfezado o comandante Nelson pro Silvino nas manhãs bonitas de Copacabana.

Paulo Silvino passou um tempo encucado com discos voadores. Dizia baixinho: "Estamos sendo vistos pela turma Alpha Centauri, tão de olho na gente". Uma noite, marcou com umas meninas no Fiorentina. Estavam ele e o Chucho, um grande amigo, esperando as garotas que levariam pra uma farra, só no papo sobre disco voador. O Silvino dizia:

— Há gente de Alpha Centauri entre nós, existem habitantes de Alpha Centauri na Terra.

As meninas não chegavam. E ele insistindo:

— Existem, sim, tem discos voadores que tão aí.

Numa mesa ao lado tinha um cara muito interessado na conversa. Ele meteu o bedelho:

— É verdade, sim, eu também acredito que tem extraterrestres entre nós.

As meninas não chegavam. O Silvino olha as horas, se levanta e vai ao banheiro. O cara foi atrás dele. Fecha a porta atrás e, com ar de quem está pra confessar um grande segredo, falou:

— Claro que existe disco voador. Gostei da sua conversa e vou revelar: eu sou capitão de uma frota extragaláctica de discos voadores. Meu nome é capitão Groc e eu vou mostrar pra você que eu não tô mentindo.

Aí o cara tirou a peruca — ele estava com uma peruca loira —, e o cabelo era verde; tirou as lentes de contato, e os olhos dele eram vermelhos. O Silvino ficou apavorado. Então o cara disse:

— Eu sou mesmo o capitão Groc, da frota estelar número 579. Agora, tem uma coisa: tô nessa suruba.

No começo da década de 1980, senti a inquietação da mudança. Estava na hora. Procurei o Boni e disse:

— Bonifácio, faz seis anos que eu faço o *Planeta dos Homens*. Daqui a pouco, vou me formar em medicina. Acho que chegou o momento de fazer um programa meu.

# VIII

Em 1978, eu estava gordo novamente. Aproveitei esse fato pra lançar o meu terceiro show, *Viva o gordo e abaixo o regime*, um dos meus maiores sucessos nos palcos. Só entre Rio (mais de quinhentas apresentações) e São Paulo (a partir de 1980, no Teatro Procópio Ferreira), ficou em cartaz por cinco anos. A palavra "regime" estava sendo usada de maneira ambígua, valia tanto pras dietas (epa, epa, eu colocaria aqui uma das pulguinhas do Ivan Lessa no *Pasquim*: é "dietas", não "diretas" — a campanha só começaria anos depois) quanto pro regime militar. Este último significado era acentuado pelo ótimo cartaz criado pelo Ziraldo. Nele, parece que eu havia pichado as palavras do título do espetáculo em algum muro. Na época a pichação era uma atividade majoritariamente de palavras de ordem políticas. Esse espetáculo me dava uma alegria danada desde o início, pois a música de abertura foi composta pelo meu filho, o Rafael. O diretor musical, o maestro Edson Frederico, foi lá em casa um dia pra conversamos sobre o lado musical do show e viu o Rafinha tocando um tema ao piano. Se encantou. Decidiu usá-lo como abertura de *Viva o gordo e abaixo o regime*. Fez um arranjo brilhante pra música do Rafa.

O show chegava a levar duas horas — tinha até intervalo; no final do primeiro ato eu fazia o número de troca de figurinos de cinco personagens usando um terno só, que já mencionei que uso no trabalho com atores. Havia uma pequena diferença entre os espetáculos do Chico Anysio e os meus. O Chico era imbatível em contar casos: histórias longas, bem construídas, com personagens maravilhosos, quase sempre tipos populares. Eram shows muito centrados na capacidade dele de pontuar as histórias, dar a ênfase necessária como narrador, fazer as pausas na hora certa (o público ficava fisgado pelas histórias dele; só piscava nas vírgulas e nos pontos-finais), e centrados também na qualidade dos textos. Não é à toa que o Chico virava um grande best-seller quando passava pro formato de livro os casos que contava nos palcos. Os meus shows usavam mais recursos teatrais e interpretativos, me pediam muito como ator, exigiam expressividade do corpo e da face. Quanto ao Chico, pra mim, foi um dos cinco maiores atores característicos do mundo.

Para o cenário de *Viva o gordo e abaixo o regime*, o carnavalesco Arlindo Rodrigues criou um espaço com luzes piscando, o piso era quadriculado de preto e prata. Eu mesmo fiquei preocupado com a grandiosidade da cenografia. Cheguei pro Armando Costa e perguntei:

— Isso vai funcionar?

— Vai, sim, o Arlindo põe 5 mil pessoas na rua, com carros alegóricos e fantasias. Teatro é fichinha pra ele.

Millôr Fernandes trabalhou novamente comigo no texto, junto com o José Luiz Archanjo, já mencionado em outras ocasiões, e a figura maravilhosa do Armando Costa. Armando foi um dos fundadores do Centro Popular de Cultura, da UNE, no início da década de 1960, e importantíssimo no Teatro Opinião. Ele havia escrito um dos textos pra *Feira do adultério*, a peça que dirigi em 1975 (os outros autores eram o Bráulio Pedroso, o João Bethencourt, o Lauro César Muniz, o Paulo Pontes, o Ziraldo e eu). Armando Costa, o Funfum, como era chamado, ainda trabalharia comigo no texto de *Brasil: da censura à abertura* (1980), peça baseada no livro de humor político do Sebastião Nery e no do show *Um gordoidão no país da inflação* (1983). Ele tinha ecolalia, ficava repetindo as frases recém-ouvidas. Se alguém dissesse "Hoje tá calor", o Funfum ficava repetindo "Ô se tá, ô se tá, tá calor, tá muito quente, tá muito quente, tá calor". Dizia sempre: "Meu pai morreu com cinquenta anos, eu também quando fizer cinquenta anos vou morrer que nem meu pai, porque meu pai morreu com cinquenta anos, eu também vou morrer com cinquenta anos". Morreu com cinquenta anos.

Funfum vivia arranhado por seu adorado gato e era amigo do Ferreira Gullar. Tinha um senso de humor extraordinário. Com o Vianinha, escreveu a primeira versão de *A Grande Família*, da Globo, dirigida pelo Paulo Afonso Grisolli (o Max Nunes foi um dos autores da ideia de fazer a sitcom). Hilton Marques também escreveu alguns episódios, mas nunca entrou nos créditos. Manduca Costa escreveu um sem-número de roteiros pra cinema. Certa vez, ele foi visitar um set de filmagens e o figurante que transaria com a personagem da Maria Gladys, com o nome de Armando, não apareceu, e lá foi o roteirista homônimo fazer a ponta no filme. Cinema nacional não pode se dar ao luxo de perder algumas horas de filmagem. Sua cena era apenas rolar na cama e comer a personagem. O Armando resistiu, mas o diretor falou:

— Manduca, entra lá, faz a cena. Você não aparece, você tá de costas. Você entra, vai lá, é só você transar com ela.

Ele parecia um macaco de tão peludo. Tirou a roupa, entrou na cama com a Maria Gladys e fez a cena, e a Maria Gladys dizia: "Armando, ai, Armando". Fomos juntos à estreia do filme, numa sala poeiríssima, em Botafogo. Manduca pediu pra só entrarmos depois de o filme começar. Luzes apagadas, começam a projetar os trailers, sentamos no fundo. Corre o filme. Abre uma porta, entra o Armando, se joga na cama com a Maria Gladys e começa a fazer a cena, ele de costas era um urso de tanto pelo. A Maria Gladys gemia "ai, Armando, vem, Armando". Aí, alguém na plateia grita: "Porra, Armando, parece veado, come logo ela!". O Manduca e eu fomos nos encolhendo. De repente, um cara que estava na fila em frente à nossa falou alto:

— Se fosse eu, comia ela e ainda comia o Armando.

Saímos de fininho e não esperamos o final do filme.

Eu fazia uma brincadeira imitando o Nelson Ned e o Armando tinha vontade de colocar no *Viva o gordo e abaixo o regime* de qualquer maneira. Não deu. Anos depois, acabei fazendo um quadro de um anãozinho no *Na mira do gordo* em homenagem ao Armando Costa.

As pessoas tendem a pensar que o espetáculo se repete, que é o mesmo todos os dias de sua apresentação. Não é verdade nem pro palco nem pra plateia. Os espetáculos são como a vida, com seus momentos de monotonia, de emoção e de surpresa. Eu abria o segundo ato de *Viva o gordo e abaixo o regime* vestido com um imenso coração. Numa das noites, o meu (também) amigo Erasmo Carlos e a sua amada Narinha foram ver o espetáculo. Na época de Record nós trabalhamos em muitos programas juntos e costumávamos frequentar a Cave, na rua da Consolação, perto do Gigetto, a boate badalada da década de 1960. Como já disse, quase fizemos um longa-metragem com a Jovem Guarda, do qual fui um dos roteiristas. Jamais poderia imaginar que, no dia em que o casal estava na minha plateia, a Narinha tinha recebido o diagnóstico terrível de uma doença no coração. Ela tinha insuficiência ventricular e precisaria ser operada. Narinha e o Erasmo estavam alegres, durante o show davam gargalhadas e esqueceram o problema até este gordo exibido aqui entrar fantasiado de um imenso coração. Por um momento, voltaram a se lembrar da situação da Narinha, ficaram cabisbaixos, mas à medida que o show foi se desenvolvendo voltaram a rir bastante e, quando foram me ver no camarim, estavam aliviados, leves e felizes. Nas suas memórias (*Minha fama de mau*), o Tremendão conta:

> Depois do show, fomos ao camarim, decorado como uma tenda árabe. Já refeita, rindo, Narinha contou tudo ao Jô, que, por ser um gentleman, lamentou a situação, mal sabendo ele que a força do seu humor foi estimulante. Tanto que a noite seguiu maravilhosa.

Não existe maior cachê para um humorista do que fazer alguém esquecer suas dores — nem que seja por alguns segundos.

Quando disse ao Boni que chegara a hora de ter o meu programa, ele topou imediatamente, e até escolheu o nome do programa: *Viva o Gordo*. Era a primeira parte do nome do show, que havia pegado. Um nome curto, alegre, pra cima, ideal pra fechar a segunda-feira sofrida do brasileiro (a partir de 1983 passou a ser exibido às terças, às 21h30. Tivemos as verdadeiras terças-feiras gordas...). E "gordo" havia virado a minha marca. Como o Boni já tinha a ideia de tirar um novo programa do *Planeta*, um spin-off, o Agildo Ribeiro faria essa nova atração, aos domingos. Dividimos elenco e equipe. Só não abri mão da dupla Max Nunes e Hilton Marques. Eles sempre foram fundamentais pro meu trabalho.

Eu não contaria mais com a criatividade do Augusto César Vannucci para dirigir humorísticos, mas tive o Cecil Thiré, o Walter Lacet e meu amigo Francisco Milani, que fizeram um trabalho maravilhoso, com um grupo de atores admiráveis. *Viva o Gordo* estreou em 9 de março de 1981 e ficou no ar semanalmente até 15 de dezembro de 1987. O programa de estreia foi dedicado aos gordos da história: Buda, Balzac, Sancho, João xxiii e Churchill. Lançou uma quantidade enorme de personagens e bordões. Como escreveu o Boni, "o *Viva o Gordo* era uma festa: ali o Max Nunes e sua equipe de autores puderam exercer toda sua criatividade. O

Jô arrasou na composição de personagens, tantos e tão bons que não dá para relacionar nem destacar apenas alguns". Os grandes personagens de humor são antenas, captam o sentimento de sua época. Uma das figuras mais emblemáticas da liberdade do programa e das mudanças no país no momento da abertura política, foi o Capitão Gay (com seu fiel companheiro Carlos Suely, papel do Eliezer Motta, inspirado no Robin, do Batman). Ele pegou imediatamente. Hoje parece conto da carochinha, mas a verdade é que os anos de obscuridade do regime militar foram também anos de muito (falso) moralismo e conservadorismo nos costumes, e colocar no ar um personagem gay, na faixa de esmagadora audiência da televisão brasileira, tinha a sua dose de ousadia.

Não havia as paradas de Orgulho Gay, a dificuldade pra homens e mulheres assumirem publicamente a homossexualidade ainda era muito grande. Um candidato a deputado em Pernambuco, defensor da causa gay, infelizmente não me lembro mais o nome dele, queria que eu fosse até Recife pra participar de seus comícios como Capitão Gay. "Traga também seu correligionário, o Carlos Suely." Tudo isso dito com uma voz supergrave, mostrando que era um gay muito macho. Havia um quadro no *Viva o Gordo* que brincava justamente com a dificuldade dos pais em admitir que os filhos tinham orientações sexuais diferentes do papai-mamãe. Um amigo nosso se recusava a enxergar a orientação sexual do filho, então criamos o personagem do bordão "Tem pai que é cego".

O Capitão Gay nasceu num estalo, de madrugada. Saí correndo pra máquina e escrevi o personagem, inclusive sua musiquinha tema:

> *Ele é o defensor das minorias*
> *Gay*
> *É sempre contra as tiranias*
> *Gay*

*É um avião, um passarinho sem rabicho?*
*Gay*
*Ou se parece mais com outro bicho?*
*É o Capitão Gay, Gay, Gay.*

Quando comecei a roteirizar o quadro, o Borjalo (Mauro Borja Lopes), ótimo desenhista, diretor da Central Globo de Produções, viu o script e disse pra eu não ir adiante. Havia um coronel Gay (Gay Cardoso Galvão) em Brasília, e teríamos problemas. Eu respondi:

— Aí complica. Quando eu criei o personagem, não imaginava que existisse um coronel chamado Gay.

Decidi falar com o Boni.

— Bonifácio, assim fica difícil. Eu bolei um personagem que eu tenho certeza que vai ser um tiro certeiro. Só porque tem um militar em Brasília chamado Gay, o Borjalo disse que eu não posso fazer o personagem. Assim fica difícil fazer humor. O quadro não tem nenhuma conotação política.

O Boni respondeu na hora:

— Meu gordinho, essa eu vou peitar.

Ligou pro Borjalo e disse:

— Borjalinho, você me desculpe, você proibiu, mas eu vou enfrentar essa parada. Eu quero o Capitão Gay no ar.

Um dia, estou no aeroporto de Brasília e escuto alguém me chamar. Eu me viro e a pessoa pergunta:

— Sabe quem eu sou?

— Me desculpe, mas eu acho que não conheço o senhor.

— Eu sou o coronel Gay! Gostaria de te dizer que adoro o seu personagem. E veja só: tenho um sobrinho na Marinha, e ele é capitão. Os marinheiros todos o chamam de capitão Gay e ficam rindo à socapa. Ele fica fulo! E este aqui — apontou pro seu ajudante de ordens — é o meu Carlos Suely.

Nós três morremos de rir. É por isso que o comediante não

pode exercer a autocensura: as pessoas estavam preocupadas com o coronel, e o coronel se divertindo com as aventuras do capitão.

Tinha um personagem que eu adorava fazer: o Reizinho, um tirano anão. Suas falas eram sensacionais: "Deste solo onde eu piso, desse povo que eu amo, qué que eu sou? Qué que eu sou? Qué que eu sou?". A resposta era dita por toda a corte, em uníssono: "Sois Rei! Sois Rei! Sois Rei!". O bordão veio de uma história contada pelo Max Nunes. O escritor Aurélio Buarque de Holanda, então o mais novo imortal da Academia Brasileira de Letras, vestiria o fardão pela primeira vez. A pessoa encarregada de ir buscá-lo para a cerimônia de posse se atrasa. Cansado de esperar, ele não tem dúvida: pega um táxi, de fardão e penacho. Ao vê-lo pelo espelho, o motorista, muito impressionado, vira-se para trás e pergunta:

— Sois rei?

Era um personagem ótimo, mas acabou com os meus joelhos. Com todo o meu peso, atuando ajoelhado, saltando, deitando de lado, era um quadro muito difícil e dolorido pra manter por muito tempo. Outro que eu adorava era o da Dalva Mascarenhas, a mulheríssima de bigodes. Não chegou a ser tão popular, na verdade era um tipo complexo, não era tão fácil de pegar. Dalva vestia um terno rosa, fumava com piteira e dizia com voz grossa:

— Eu tenho este buço, mas faço questão de mantê-lo porque eu sou mulher, sou mulheríssima. De vez em quando umas moças se atiram em cima de mim, mas sem sucesso. Eu sou muito fêmea!

Quando você entra fundo em um personagem, consegue caracterizá-lo integralmente (texto, atores que contracenam, cenário, iluminação, figurino etc.), consegue atingir pessoas inimagináveis. O ator ítalo-americano Ben Gazzara estava em São Paulo, na casa do empresário José Papa Jr., a televisão ligada, e ele viu o quadro da sogra perua na banheira, de piteira, falando ao telefone com a filha ("Larga do Braga, o Braga é pobre, minha filha. Não fala pra ele que eu disse isso, não quero meu nome em trança, em bocas de Matilde"). Sem entender o texto, o Gazzara disse pro Zé Papa:

— Essa atriz é sensacional, tem o dom da comicidade.

O Zé respondeu:

— Realmente tem o dom da comicidade, só que não é atriz. É ator. Chama-se Jô Soares.

Foi um elogio que me deixou muito lisonjeado, vindo de um ator reconhecido, saído dos palcos da Broadway e de filmes como *Anatomia de um crime*. Depois do nosso encontro em São Paulo em 1991, quando ele veio filmar aqui com o Walter Hugo Khouri, por sinal um grande conhecedor do cinema japonês, estive com o Gazzara algumas vezes em Nova York; ele era amigo do Ricardo Amaral.

A sociedade civil brasileira se fortalecia e pressionava pela anistia dos presos políticos. O governo do general Figueiredo não teve como segurar a pressão, e a Lei da Anistia foi promulgada em 1979. Graças a ela, voltaram a viver em solo brasileiro, entre outros, o Leonel Brizola, o sociólogo Betinho (irmão do Henfil) e o Fernando Gabeira. Cada um com uma cabeça política diferente, mas o retorno deles do exílio teve uma força simbólica importantíssima. É horrível ser impedido de viver em seu próprio país. Eu vi no noticiário que alguns exilados ainda não tinham voltado e pensei: "Isso rende um quadro". E assim criamos o Sebá, o último exilado em Paris, um nordestino desconfiado. O personagem não acreditava na abertura política. Falava "portunhês", português com francês, e usava expressões como "*Je vis de bec*" (eu vivo de bico) e "*Chose de loque*" (coisa de louco). Esse tipo de mistura de português com francês era uma brincadeira que o Rudy Margheritto fazia, então aproveitei a ideia pra dar o tom da fala do Sebá. Usando um casacão vermelho que eu ainda tenho, ele ligava de Paris pra sua mulher Madalena — pra ele, Madeleine — e perguntava pelos filhos, todos com nome de comunistas: "E Lénine, como tá Lénine?". Qualquer notícia sobre a política brasileira dada pela mulher era recebida com um sobressalto, e ele acusava: "Você num qué que eu volte, Madeleine! Cê num qué que eu volte!". Era um imenso sucesso.

O Gardelón do *muy amigo* foi inspirado num argentino simpaticíssimo, o empresário de show business Luis Zapir, parceiro do Marcos Lázaro — que trabalhava com o Roberto Carlos. Ele tinha uma voz muito rouca e dizia ter sido amigo do Perón e de qualquer argentino famoso que aparecesse na conversa (*Sí, conozco, es muy amigo, muy amigo*). Quando falei do Zapir pro Max, ele disse:

— Vamos fazer esse personagem, só que vamos inverter a situação. O *muy amigo* tem sempre um brasileiro tentando colocá-lo numa fria.

E foram outros tantos bordões reproduzidos Brasil afora: "Ah, eu quero aplaudir!"; "Criança sofre"; "O menino o quê, Nair?"; "Perguntar não ofende", "Tem pai que é cego"; "Falha nossa"; "Quain?", dito pelo recepcionista Araponga, e outros mais.

Havia momentos de altíssima qualidade. Um dos meus personagens, o Alvarenga — ele parecia o político gaúcho Paulo Brossard: chapéu, bigodinho, gravata-borboleta, terno, guarda--chuva pendurado no braço —, ficava na entrada do cinema contando o final do filme pras pessoas que chegavam à bilheteria. Os frequentadores do cinema ficavam revoltados com o spoiler e o agrediam. Quando lhe perguntavam por que ele cometia aquele ato de masoquismo, respondia: "Porque eu me odeio. Eu sou um idiota, acreditei quando me contaram que a inflação iria baixar. Eu cri. Eu me odeio". Quando começou o horário eleitoral gratuito, com os candidatos tendo poucos segundos pra passar sua mensagem, havia um quadro no qual eu fazia todos os candidatos — eles não tinham tempo de terminar seus discursos, eram interrompidos pelo slide horroroso com mensagem do TSE sobre o programa eleitoral gratuito. O quadro funcionava muito. No começo da Assembleia Constituinte, em 1987, o maravilhoso ator Flávio Migliaccio (irmão da idem Dirce) fazia um Ulysses Guimarães perfeito, só que transportado pra Grécia antiga. Um dia eu cheguei pro Max Nunes e disse: "Eu faço um Moreira Franco muito bom. Eu tenho me olhado no espelho e vejo o Moreira Franco". Ele duvidou e eu me transformei no então governador do Rio: cabeça branca, sobrancelhas pretas e óculos. O Max tomou um susto:

— Mas é o Moreira!

Ficou tão parecido que criamos um quadro onde o governador dizia "Meu nome é trabalho, meu nome é trabalho". E é mesmo. Continua dando trabalho pro Brasil até hoje.

Outras inovações ocorreram nas aberturas do *Viva o Gordo*. No início, eram desenhos do Redi, depois tinha uma abertura com música, atores e convidados, até que o Hans Donner, indicado para a Globo pelo fotógrafo americano acariocado David Drew Zingg, começou a fazer umas montagens na qual eu, como o Zelig do Woody Allen, aparecia interagindo com personagens do noticiário daquela época: espatifando uma janela de vidro entre o casal Ronald e Nancy Reagan, tirando a mancha da cabeça do Gorbatchóv, levando bofetada da princesa Diana, cozinhando pra Margaret Thatcher, tomando pito do papa João Paulo II, batendo bola com o Maradona, afanando a carteira do Orestes Quércia...

Além de dirigir o *Viva o Gordo*, o Francisco Milani e eu dividíamos alguns quadros juntos. Um dos que eu gostava muito de fazer com ele era a Vovó Naná, a velhinha com a boca borrada de batom. A personagem queria trabalhar na televisão pra desespero do diretor, feito pelo Milani. Ele era do Partido Comunista e tinha sido caminhoneiro na época da ditadura. Estava sendo procurado, então passou a dirigir caminhão na estrada. O Cyro del Nero o ajudou a fugir, colocando-o no porta-malas do carro. Milani começou no CPC, depois trabalhou no Teatro de Arena, teve participação no *Terra em transe*, do Glauber Rocha, fez muitas telenovelas e era líder sindical dos atores. Certa vez, quando era presidente do sindicato dos atores, estava trabalhando numa novela, e houve um pedido pra que gravassem uma cena extra. Quando ele chegou, avisaram o Milani da gravação adicional. Como líder sindical, ele tinha que defender o pagamento das horas extras, mas precisava do trabalho, então foi gravar a nova cena sem receber um tostão a mais. Na cena ele aparecia cavando um buraco no solo; cavava, cavava, com três capangas apontando a espingarda pra ele. Quando o buraco ficou pronto, um dos capangas perguntou:

— Você sabe o que fez, cabra da peste?

— Sei. Cavei a minha própria cova.

Lá se foi um líder sindical.

O Milani fazia com o Carlos Vereza a peça *Barrela* no Taib (Teatro de Arte Israelita Brasileiro), no bairro do Bom Retiro, centro de São Paulo. A peça se passava numa cadeia, o Vereza era o tenente, o Chico um mendigo que estava preso e seria torturado. Era um texto de época. De repente, parou um caminhão na porta do teatro e o motorista ficou acelerando, acelerando, acelerando pro caminhão não morrer. As condições de isolamento acústico nos teatros não eram lá essas coisas. O ruído do motor do caminhão vazava pra dentro da sala. Com o barulhão insuportável, o Vereza para de representar e diz pra plateia:

— Olha, não vamos fazer de conta que esse ruído não está atrapalhando a gente. Então eu vou pedir desculpa pra vocês, mas tenho que ir lá fora falar com esse motorista.

Saiu do palco vestido de tenente, só que era uma farda fantasia, meio tenente imperial, cheia de galões, uma coisa estranhíssima. E o Milani, de mendigo, daqueles mendigos mais maltrapilhos, foi atrás. Na calçada em frente ao teatro, o Vereza começa a dizer pro motorista:

— Olha, meu amigo, o senhor tá atrapalhando nosso trabalho, aqui é um teatro, um templo da arte. O senhor tá aí acelerando, fazendo um barulhão, e a gente não consegue continuar apresentando a peça.

A coisa começou a esquentar na rua, a ficar mais interessante do que a peça, e a plateia foi pra porta assistir à discussão do Carlos Vereza com o chofer do caminhão:

— O senhor é um trabalhador, nós somos de teatro, mas também somos trabalhadores. Seu trabalho está interferindo no nosso trabalho.

E o motorista:

— Não dá, eu não posso tirar o pé do acelerador, se esse caminhão morrer ele não pega de novo.

Começa uma aglomeração, populares vão parando pra ver o que estava acontecendo, aí chega um guarda e bate continência pro Vereza:

— Pois não, autoridade, algum problema?

— Não, pode deixar que nós já estamos resolvendo tudo aqui.

Aí vem o Milani, vestido de mendigo, tentar explicar a situação pro policial:

— Sabe o que é, seu guarda…

— Tu não te mete!

— Deixa eu explicar, seu guarda…

— Não te mete que eu te ponho na cadeia!

— Mas eu sou ator…

— Cala a boca, eu já disse. Não te mete que eu te ponho na cadeia!

O imbróglio estava tão interessante ali fora que todo mundo desistiu da peça.

Em 2002, quando dirigi *Frankensteins*, de Eduardo Manet, tentei colocar o Milani no elenco, mas infelizmente o seu pulmão, veterano de tantos maços de cigarros, não o deixou participar. Uma pena. Fica minha homenagem a um dos maiores atores que eu vi em cena.

Quem também aproveitou muito bem o momento de distensão política foi o Chico Anysio, ao criar um dos personagens mais marcantes da época: a Salomé de Passo Fundo. A velhinha ligava pro João Batista, nome do então presidente da República, no programa *Chico City*. Inteligentemente, ele aproveitou o episódio bíblico da cabeça de são João Batista pedida por Salomé pra criar um esquete de nítida inspiração política. Esse quadro teria sido impossível com os presidentes militares anteriores, Geisel, Médici e Costa e Silva.

Aliás, fizeram muita fofoca dizendo que o Chico Anysio reagiu mal quando soube da minha contratação pela Globo pra participar de um programa semanal de humor. Na verdade, Chico sempre foi muito generoso comigo. Criou um quadro com dois coronéis nordestinos (Coronel Pantoja, eu, e Coronel Bezerra, ele) que apareciam alternadamente no *Chico Anysio Show* e no *Viva o Gordo*. Vizinhos, ficavam se sacaneando:

— Imagine você, coronel, que aconteceu uma coisa na minha fazenda que eu não entendo até hoje: fiquei sem água, dizem que a água foi cortada por um homem gordo, de barba...

E o Coronel Bezerra descrevia um personagem idêntico ao Coronel Pantoja.

Chico me deu um quadro de mão beijada, prontinho. Ele fazia show numa cidade pequena, ligou na portaria do hotel para pedir alguma coisa pra comer e ouviu o funcionário falando ao telefone com a cozinha e perguntando:

— Ô Valdir, a gente temos sanduíche de mortadela?

Aí o Chico me disse:

— Faz que tá pronto. Eu pensei bem, você vai fazer melhor do que eu.

E aí eu peguei o "Ô Valdir, a gente temos...". Só quem sabe o trabalho que dá criar um personagem e seu bordão, escrever o sketch etc. compreenderá o que significava oferecer gratuitamente um quadro pronto pra outro humorista, ainda mais um concorrente. Pois o Chico Anysio fez isso. Além do mais, apareceu várias vezes no *Viva o Gordo*, contracenando comigo. Chico me convidou pra dirigir seu show no Copacabana Palace, e eu fiz uma sugestão que ele adotou. Baseado nos one-man show do Zé Vasconcelos, o Chico usava uma orquestra inteira nos seus espetáculos. Não tenho nada contra orquestras, procuro sempre valorizar os músicos, fiz show com o sexteto, mas com ela o Chico ficava sem mobilidade, era difícil viajar com os músicos, encontrar teatro com fosso, explorar novos ruídos etc. A partir daí, passou a usar trilhas gravadas especialmente para os shows, o que dá mais agilidade na produção e permite novos caminhos na composição dos quadros e cenas.

Mais de uma década depois, quando voltei pra Globo pra fazer o *Programa do Jô*, começou a correr uma fofoca: o Chico Anysio havia dito que não iria de jeito nenhum ao meu talk show. A produção me contava essa história, e eu só respondia: "Ele vem". Quando o Chico finalmente apareceu pra ser entrevistado, o peguei de surpresa:

— Chico, que história é essa de você brigar comigo porque eu não atendi a um telefonema seu? Quando foi que eu não te atendi?

— Jô, eu liguei pra você pra pedir o telefone do Antonio Gasalla, e você me atendeu mal.

O Gasalla é um grande ator e comediante argentino. O Chico havia me pedido o telefone dele e eu havia respondido:

— O número do telefone do Gasalla que eu tenho é este aqui. Se não for mais o número dele, ligue pra qualquer teatro em Buenos Aires, que vão te dar. Você é o Chico Anysio.

O Chico não entendeu. Ficou amuado comigo, achando ter sido maltratado. Aí, no programa, eu disse:

— Bom, Chico, pra acabar de vez com essa história, eu estou com ele na linha. Peguei o telefone e disse: *Gasalla, un momentito que Chico quiere hablar contigo.*

Pronto, o caso estava resolvido. Ao final do programa o Chico me agradeceu e me disse ao pé do ouvido:

— Você é uma pessoa muito elegante.

\* \* \*

O paraense Lúcio Mauro (tio do político Jáder Barbalho) é um dos comediantes mais importantes da geração que fez a passagem do rádio para a televisão. Foi um imenso sucesso no *Balança Mas Não Cai* com o casal Fernandinho e Ofélia (Sônia Mamede). Lúcio contava uma história sensacional. Oscar Moreira Pinto, fundador da rádio mais antiga do Brasil, a Rádio Clube do Recife, faleceu. Foi uma comoção, ele era queridíssimo. No velório, falou o governador, falou o prefeito, falaram autoridades presentes. Na hora de fechar o caixão, Ademar, um contínuo que estava bebendo desde o dia anterior pela tristeza de perder o chefe, disse:

— Um momento, um momento... (*soluço*)... eu quero me despedir do doutor Oscar.

Constrangimento geral, as pessoas se entreolham, mas não houve jeito. Ele se encostou no caixão e começou a falar:

— Doutor Oscar... (*soluço*)... em nome de todos os funcionários da Rádio Clube... (*soluço*)... eu queria dizer...

Ele se abraçou ao corpo do defunto. Ao fazer isso, a sua dentadura de cima, caiu. Ele não se deu por vencido e continuou:

— Todos os funcionários amavam o senhor... (*soluço*)... o senhor era o melhor chefe que...

Caiu a dentadura de baixo. Aí as pessoas acharam que era hora de seguir com a cerimônia e começaram a puxar o Ademar. Ele protestou, mas estava sem condições de oferecer resistência. Fecharam a tampa do caixão com as dentaduras e tudo, o cortejo começou a sair, quando o Ademar gritou:

— Doutor Oooscar! Doutor Oooscar!

As pessoas pararam, se voltaram para o Ademar, que pôs as mãos no coração e disse:

— De hoje em diante, serão só lágrimas. Leva com o senhor o meu último sorriso!

# IX

Nascido numa pequena vila entre Bolonha e Florença, Dionisio Poli foi durante muito tempo diretor comercial da Rede Globo, em São Paulo. No feriado de Semana Santa de 1981, estávamos passando o dia na casa dele. Eu saí da piscina e o dr. David Serson, cirurgião plástico, chegou pra mim e disse:

— Jô, que verruga preta é essa nas suas costas?

— Não sei, nunca reparei nela.

— Então vamos fazer o seguinte: passa amanhã lá no consultório que nós vamos tirá-la.

— Mas é feriado...

— Pra tirar esta verruga eu vou ao consultório até no domingo se precisar.

No outro dia, ele extraiu a verruga. Iria mandar pro laboratório de patologia, mas disse pra eu ficar despreocupado, ele achava que não ia dar nada. E ainda fez uma brincadeira:

— Se for melanoma, eu vou ter que tirar um pedaço do seu braço, outro das suas costas...

Eu mesmo levei a verruga pro laboratório Delboni Auriemo, onde me aguardava o patologista Osvaldo Giannotti Filho. No fim de semana, eu estava no camarim, no intervalo do *Viva o gordo e abaixo o regime*, toca o telefone e era o Serson.

— Jô, infelizmente, é melanoma. Está no nível 3. Você precisa passar lá no Einstein pra fazermos um rastreamento.

— Rastreamento? O que é isso?

— Ampliar o corte pra garantir as bordas.

Não sei até hoje como consegui terminar o espetáculo. Uma notícia dessas era terrível. Na época eu estava casado com a Sylvia Bandeira, e depois do show ainda tínhamos um jantar com amigos. Quando cheguei em casa, de madrugada, liguei pro Max Nunes, disse "Padrinho, deu positivo" e desandei a chorar.

Lá fui eu num sábado de manhã pro Hospital Albert Einstein fazer o tal do rastreamento. O que era um corte de dois centímetros virou um lanho de 25. Como era nas costas, eu não estava nem aí. O patologista do hospital, o dr. João Guidugli Neto, levou aquele tecido pra examinar as bordas. Eu, de bruços, junto com o David, esperando o resultado. Finalmente, depois do que nos pareceu uma eternidade, o Guidugli terminou o exame do resto de tecido e concluiu que não havia mais nada. As bordas do corte estavam limpas. Chorei e beijei suas mãos. Mesmo constrangido, ele sugeriu:

— Procure o Drauzio Varella.

— Quem é o Drauzio?

— Simplesmente o maior especialista em melanoma do mundo.

Até aquele momento se diagnosticava no Brasil um índice relativamente baixo de melanomas, então a maioria dos casos eram encaminhados para o dr. Antonio Drauzio Varella. Vinha gente do Brasil inteiro pra vê-lo. Analisava quase cem casos por ano. Eu respondi que iria procurar o médico recomendado, mas sabia que não faria isso. Estava louco pra tirar a história da minha cabecinha e não me preocupar mais com ela. Tempos depois, quando o Serson me deu alta, recomendou:

— Você procurou o Drauzio?

Eu respondi:

— Mas este Drauzio que todo mundo me manda procurar é assim tão bom?

— Procure o Drauzio Varella, Jô.

Novamente, não fui procurar o médico tão recomendado. Como acabo ficando amigo dos meus médicos, um dia passei no laboratório pra agradecer ao Giannotti a atenção que havia dado ao meu caso, e ele fez a pergunta inevitável:

— Mas você procurou o Drauzio?

— Não, não procurei o Drauzio.

Antes que ele pudesse responder alguma coisa, entrou a secretária na sala e disse:

— Doutor Giannotti, sua mãe, na Dinamarca.

— Diga que depois eu ligo, porque estou numa conversa séria com um paciente.

Aí eu pensei: "Puta que o pariu, esse médico está deixando de falar com a mãe na Dinamarca por causa da minha pinta, acho melhor eu ir procurar esse Drauzio". Fui pro teatro e depois do espetáculo liguei pro médico, torcendo pra não ser tarde demais. Mas, felizmente, na época ele era coruja como eu sou e estava acordadíssimo. Drauzio começou uma bateria de perguntas:

— Te examinaram inteiramente?

— Não.

— Te apalparam?

— Não.

— Mas não te apalparam debaixo do braço?

— Nãããão.

— Santo Deus! — ele exclamou do outro lado da linha.

Aí eu disse correndo:

— Quando é que a gente pode se ver? Amanhã é domingo, é um dia tranquilo pra mim, você pode passar na minha casa?

Drauzio Varella foi até a minha casa com as duas filhinhas, uma estava usando um tapa-olho. Ele estava separado da primeira mulher e depois se casaria com uma amiga minha, a atriz Regina Braga.

Drauzio me examinou, me apalpou e disse que não havia gânglio nenhum, estava tudo bem, mas queria me examinar uma vez por mês durante dois anos. Por precaução, fiz isso nos cinco anos seguintes — e a amizade com ele já dura quase quarenta anos.

Todo mundo me pergunta como consigo fazer tantas coisas, mas essa é a pergunta que eu sempre faço ao Drauzio: ele atende no consultório, atende em hospital, vai toda semana ao presídio feminino de São Paulo, faz aparições no *Fantástico*, tem o site mais consultado sobre medicina do país, viaja pra congressos, corre *só* umas duas maratonas por ano, escreve coluna de jornais, tem tempo pros amigos e ainda escreve livros importantíssimos. Ufa!

Bem, aí eu voltei ao Giannotti pra agradecer de novo e pra dizer que eu era um idiota de não ter procurado o Drauzio quando ele insistiu comigo.

— Eu só me convenci de que a coisa era realmente séria quando você deixou de atender a sua mãe na Dinamarca pra insistir comigo que eu devia ir consultar o Drauzio.

Ao ouvir isso, o Giannotti começou a dar gargalhadas.

— Jô, a minha mãe estava na casa dela, aqui em São Paulo. É que nós temos aqui quatro linhas de telefone: A é Áustria, B é Brasil, C é Cuba e D é Dinamarca. É o código que a minha secretária usa pra eu não confundir as linhas na hora de atender uma ligação!

Entre outras coisas, Drauzio Varella teve um papel importantíssimo no trabalho da prevenção da aids no Brasil. Por eu ter passado um período de solteiro em que fui um gordo muito namorador, pra não dizer galinha, resolvi fazer o teste. Para me preservar, o Drauzio não pôs o meu nome no material coletado. Uns dias depois ele me liga e diz:

— O Roberto Cardoso Alves não está com aids.

Eu ia responder "O que é que eu tenho com isso?", quando me caiu a ficha: o Drauzio tinha colocado o nome do deputado paulista — líder do chamado Centrão na Assembleia Constituinte e famoso pela frase "é dando que se recebe", referindo-se às negociações entre o Executivo e o Congresso — no vidrinho com o meu sangue tirado para fazer o teste.

Por falar no Robertão, me lembrei de uma história. Alguns anos depois, eu já estava fazendo o *Jô Soares Onze e Meia* no SBT, pegamos o mesmo voo de volta de Nova York pra São Paulo. No aeroporto de Cumbica, enquanto eu aguardava as malas, ele se aproximou e puxou conversa. A dada altura, me diz:

— Jô, eu tenho um convite pra fazer pra você em nome do meu partido (nesse tempo, estava no PMDB). Se você aceitar eu acho que seria sensacional. Nós queríamos que você fosse o nosso candidato a presidente da República. Eu acho que não tem erro, ninguém tem a sua popularidade, você vai ganhar certamente.

Antes do início da campanha que elegeu o primeiro presidente da República por voto direto depois do regime militar, os partidos estavam procurando nomes conhecidos, que fossem mais facilmente identificados pelo eleitor (foi nesse contexto, por exemplo, que o Silvio Santos aceitou ser candidato). Eu respondi:

— Agradeço muito, mas não tenho competência nem pra ser vereador. Eu não conheço os problemas do país com profundidade.

Ele, então, respondeu com a veemência com que era conhecido:

— Você não precisa saber nada! Nada. O presidente precisa apenas saber assinar o nome dele. Já vem tudo pronto, você só assina.

— Mesmo assim, Roberto, eu não tenho vocação nenhuma pra político. O meu negócio é do outro lado, do lado do jornalismo, da observação, do comentário.

— Tá bom, tá bom, já entendi. Mas você aceita pelo menos ser vice? Entra como vice na chapa, aí você não precisa nem parar de fazer o programa!

\* \* \*

Sandra Bréa foi do elenco do *Faça Humor Não Faça a Guerra*, trabalhou comigo na peça *Oh Carol!* (um texto difícil sobre a relação entre mãe e filha, dirigida por mim em 1975, escrita pelo José Antônio de Souza, com Tereza Rachel e um dos meus parceiros favoritos, Pedro Paulo Rangel, o Pepê, completando o pequeno número de atores) e fazia espetáculos em ótima dupla com Miele. Com o Antônio Fagundes e o Olney Cazarré, ela viria a integrar também o enxuto elenco da minha montagem do texto do Millôr *A história é uma istória*, definida pelo autor como "um pequeno apanhado de ideias razoavelmente idiotas, ou relativamente tolas, que se foram formando em mim, em volta de mim, acima de mim, e por aí afora". Sandra era linda, ligeiramente estrábica. Quando contraiu aids, foi muito aberta e fez uma militância importante de esclarecimento sobre a doença. Sua última aparição na mídia foi na entrevista que fiz com ela no *Jô Soares Onze e Meia*, em 1997. Nela, Sandra contou coisas quase inacreditáveis sobre o preconceito contra a doença: ela era convidada a se retirar de restaurantes, não podia fazer unhas em manicure mesmo levando o material dela.

Quase simultaneamente a *Oh Carol!*, comecei a dirigir outra peça, *O estranho casal*, de Neil Simon, a pedido do Gracindo Junior (completavam o elenco Carlos Eduardo Dolabella, Célia Coutinho, Theresa Austregésilo, e também Jorge Cândido, Augusto Olímpio e Jorge Botelho). Convidei pra atuar na peça uma modelo que estava começando a carreira de atriz (foi chamada pelo Nilton Travesso pro *Fantástico* e fez sucesso com o pai do Gracindo Junior, o Paulo, no programa *8 ou 800?*), Sylvia de Souza Bandeira Ferreira. Nascida em Genebra, filha de diplomata, ela cresceu fora do Brasil. Na época do convite, estava casada com o aristocrata Robert Falkenburg — filho do ótimo jogador de tênis americano do mesmo nome, vencedor de Wimbledon em 1948, fundador da famosa cadeia de lanchonetes Bob's no

Rio — e não se interessou. Tempos depois, assim como gravamos a fala em vídeo do Nelson Rodrigues pra colocar entre os episódios da *Feira do adultério*, pegamos também a da atriz Sylvia Bandeira (outras pessoas que participaram: Ivo Pitanguy, Clóvis Bornay, Nélida Piñon, Marisa Raja Gabaglia, Cidinha Campos, Scarlet Moon de Chevalier). Fomos até a casa da Sylvia e ela gravou o seguinte comentário:

> Adultério, do latim *adulterium*, só era considerado como tal quando cometido pela mulher, isso na primeira fase da lei romana; mas talvez seja o desejo da maioria praticado por poucos — os corajosos.

Quando voltei pra casa eu disse pra Theresa: "Acabei de conhecer a mulher mais linda do mundo. Não tem nenhuma mulher mais linda do que ela. Ela tem uma coisa cor-de-rosa em torno dela". Alguns anos depois, encontrei a Sylvia, separada do marido e vivendo profissionalmente como atriz, na festa de quarenta anos do colunista Carlos Leonam, que fazia a "Coluna do Swann" no *Globo*. Ela me disse:

— Se você me convidar hoje pra fazer teatro eu topo!

Conversamos bastante. Convidei-a pra ver o meu show e depois fomos jantar no Hippopotamus. Começamos a nos encontrar, eu fui me apaixonando e fiz mil peripécias cavalheirescas pra conquistá-la. Começamos a namorar e casamos. Joguei limpo com a Theresa, com quem estive casado por vinte anos, e, na separação, como os vencimentos de um artista são cheios de altos e baixos, propus a ela um percentual sobre tudo que eu faturasse. Sylvia e eu namoramos, moramos juntos, nos divertimos muito. Ela trabalharia na peça *Brasil: da censura à abertura*, baseada nas histórias engraçadíssimas do folclore político brasileiro recolhidas pelo jornalista Sebastião Nery, e escrita por mim, pelo Armando Costa e pelo José Luiz Archanjo. O livro *Folclore político*, do Nery, tinha feito um imenso sucesso no período da chamada distensão política. Nesse momento, já podíamos falar abertamente da censura, que, nos tempos mais duros, chegou até a impedir a veiculação de filmes publicitários. A pedido do José Carlos Dias, advogado de presos políticos e futuro ministro da Justiça do Fernando Henrique Cardoso, em 1972 eu havia ido até Brasília para prestar depoimento a favor da DPZ. A agência paulista modernizara e sofisticara a publicidade no Brasil e estava com um comercial pra rede de supermercados Peg-Pag censurado. Defendi a liberdade da criação humorística mesmo na propaganda (aliás, o Zé Carlos Dias me aconselhou a comer o mil-folhas da Brasserie Lipp, em Paris, e recuperei ali boa parte dos meus quilos perdidos). Outro caso que me deu muito trabalho com a censura foi o episódio escrito pelo João Bethencourt pro *Feira do adultério*. Pra se ter uma ideia, o título da sua minipeça era "Curra na Secretaria de Educação".

*Brasil: da censura à abertura* estreou no dia 27 de março de 1980. Eu voltava ao Teatro da Lagoa, onde tinha feito tanto sucesso. O elenco era de tirar o chapéu: Marília Pêra, Marco Nanini, Geraldo Alves e a Sylvia. A Marília fez algo fantástico: começou a peça já grávida da sua filha Nina (do casamento com o Nelsinho Motta), foi substituída pela Camilla Amado pra dar à luz e logo depois já estava de biquíni, de volta à peça. Continuei a pagar o salário dela no período de licença-maternidade, coisa raríssima naquela época. O cartaz feito pelo Ziraldo era um claro sinal da mudança dos tempos: um militar abrindo o dólmã da farda e mostrando os seios nus. Não deu problema... a não ser com o Conar, Conselho Nacional de Autorregulamentação Publicitária, que tentou proibir o anúncio na página de pequenos anúncios teatrais do *Globo*. Alguém do Conar não tinha ouvido falar no fim da censura. O anúncio saiu.

O casamento com a Sylvia acabou não durando muito. Seguimos nossas vidas, mantendo respeito e admiração mútuos. Muito tempo depois, achei muito bonitinho quando ela declarou que eu fui o homem que ocupava o menor espaço na cama dela. Logo eu, deste tamanhão aqui…

No começo dos anos 1980, me aproximei do pintor mineiro-carioca Angelo Rodrigo de Aquino. Quem nos apresentou foi José Roberto Aguilar, quando dividíamos um estúdio na rua Frei Caneca, em São Paulo. No Rio, Angelo e eu morávamos próximos um do outro. Eu estava solteiro e ele logo se separou da Vera Bocaiúva Cunha. Quando eu ainda estava casado com a Theresa e Angelo com a Vera, nos encontrávamos muito no Clube Campestre e fomos afinando os passos do que logo se revelou uma grande amizade — eu nem imaginava que ele seria o responsável pela maior mudança na minha vida.

Angelo começou a pintar aos dezesseis anos e aos 21 dividiu um estúdio em Santa Teresa com o artista gráfico Rogério Duarte. Nos anos 1960, foi companheiro de artistas como Rubens Gerchman e Antonio Dias e participou da importante mostra Opinião 1965 no Museu de Arte Moderna do Rio. Nos anos 1970, morou em Milão, onde esteve conectado com a vanguarda da arte conceitual e foi um dos pioneiros da videoarte. De volta ao Rio, a partir de 1984 passou incluir o cão Rex (não, não era inspirado em nenhum pet, era fruto da imaginação artística dele) em todos os seus quadros, virou uma espécie de marca do Angelo. Nós trabalhávamos muito e também nos divertíamos muito, saíamos todas as noites, chegamos a fazer uma viagem juntos à França, onde frequentamos locais badalados, incluindo aí o Régine's e o fechadíssimo Le Castel (nesse período, havia uma conexão entre a noite parisiense e a noite carioca). Angelo morreu muito cedo, de câncer, foi uma coisa sofrida, mas que ele levou com bom humor e tirou de letra. Nós não conversávamos muito sobre pintura, mas só pela convivência com ele voltei a pintar e cheguei a fazer uma exposição em 1986 na Galeria

Ipanema. Embora adore pintar e desenhar, minha carreira foi intermitente. Além disso, os acidentes de moto prejudicaram muito a minha mobilidade com os braços. Mesmo assim, em 2004, fiz talvez a mais importante das minhas exposições individuais, *Quadros de Luz*, no MuBe (Museu da Escultura Brasileira), em São Paulo, com 45 trabalhos. A montagem da exposição, linda, foi concebida pela Flavinha — toda escura, ressaltando as cores das telas — e recebi uma crítica que muito me sensibilizou da Radha Abramo (mulher do Cláudio), na revista *Carta Capital*. Mostrando uma bem-vinda falta de preconceitos, recebia de braços abertos a digicromia (recurso que usei nas minhas pinturas) no mundo das artes plásticas e dizia que uma pintura da exposição, "Subway", era "densa e emocionante" e uma das "mais sensíveis obras que tive direito de compartilhar nos últimos tempos". Qual artista não gosta de ler palavras como essas sobre seu trabalho, ainda mais vindas de uma mulher digna, com uma história impecável, como Radha Abramo? Como é natural nesses casos, fiquei com muita vontade de conhecê-la e trocar mais ideias sobre a minha pintura, mas infelizmente as condições de saúde dela não permitiam mais. Em 2006, levei esta exposição para o Rio, na Casa Brasil França, graças a um convite do embaixador Marcos Azambuja.

Uma noite o Angelo me convidou pra jantar na casa dele. Disse que não era nada de especial. Cheguei, e estava lá a lindíssima Luciana Clark, que eu conhecia desde pequeninha, filha do Walter com a Ilka Soares. Junto com ela, estava uma amiga, a Flavinha, estudante de comunicação visual na PUC.

Na época, eu estava terminando o namoro com uma garota nascida em Campinas que suava talento por todos os poros do seu grande, em todos os sentidos, corpo. Maria Claudia Raia (como seu nome aparecia nos primeiros créditos) contracenava comigo no *Viva o Gordo*, no quadro "Vamos malhar?", criado quando o fenômeno das academias começou a explodir no Brasil. Ela fazia a Carola e eu a Ciça, e ficávamos conversando sobre as questões do momento enquanto malhávamos. Claudia Raia havia estudado dança nos Estados Unidos, atuado no Teatro Colón, em Buenos Aires, e participado da primeira montagem pra valer de um musical da Broadway no Brasil, *A Chorus Line*, produzido justamente pelo Walter Clark, pai da Luciana, a convidada do Angelo. Ela era muito jovem, ficou um pouco triste com o nosso desencontro, mas foi uma separação que deu certo. Claudia pôde desenvolver sua extraordinária carreira como atriz, bailarina e cantora — não há muita tradição de artistas desse estilo, fundamental pros musicais no Brasil — e amadurecer como uma mulher maravilhosa. Só posso agradecer por ela ter permanecido uma amiga carinhosa pra sempre. Quando a entrevistei em 2012, ela disse que no futuro iria escrever sua autobiografia não autorizada e me citaria; o engraçado é que agora estou eu aqui falando dela na minha autobiografia desautorizada.

Mas voltando ao jantar. Flávia, de vinte anos, mas parecendo catorze, com olhos curiosos pra absorver o mundo, mexeu profundamente comigo. Apesar da grande diferença de idade (eu tinha 46 anos), senti uma identificação perfeita entre nós. Ficamos conversando até de madrugada, eu disse que tinha um vídeo da Billie Holiday e aí fomos todos pra minha casa assistir à maravilhosa *jazz singer*, e ficamos tomando champanhe. A partir daí, passei a ligar pra ela, a procurá-la, a inventar programas aonde ela pudesse ir comigo. Levei meses pra conquistá-la. Eu estava fascinado por tudo, por sua beleza, seu humor, sua integridade.

No início a família dela resistiu, Gabriel, o pai, era da minha idade. Mas ele foi compreendendo rapidamente a nossa ligação muito forte. A mãe da Flavinha, Beatriz, demorou um pouco mais pra aceitar. Nem eu sabia direito a extensão da nossa relação, mas a Flávia era supercompanheira, viajava comigo, eu passei a dividir com ela minhas dúvidas e preocupações. Em 1987, nos casamos numa cerimônia simples, com o Max Nunes sendo meu padrinho outra vez. O curioso foi o juiz não dizer nada além do estritamente protocolar: "Estão casados o senhor José Eugenio Soares e a senhora Flávia Maria Gusmão Junqueira Pedras, que também passa a ser Soares". Depois eu perguntei pra ele a razão de ele não ter dito nada além disso e ele respondeu que tinha ficado muito emocionado de fazer a cerimônia na minha casa, e as palavras não saíram. A aproximação da Flávia foi providencial pra mim, pois logo eu tomaria a decisão mais corajosa da minha carreira, ir pro SBT fazer meu programa de entrevistas. Sem o apoio decisivo dela, com sua cabeça aberta, teria sido muito mais difícil.

Ficamos casados por quinze anos, nos afastamos um pouco depois da separação, mas hoje ela é a minha companheira em tudo, continua sendo o meu esteio. Certa vez, a mulher do premiadíssimo Michel Legrand, Macha Méril, ao nos ver juntos, estranhou e perguntou:

— Mas vocês não são separados?

— Somos. Mas é uma separação que não deu certo.

Um dia, uma pessoa que eu havia entrevistado no talk show duas vezes foi extremamente ingrata comigo. Flavinha entregou pessoalmente a ela uma carta, muito inteligente e muito bem escrita, na qual dizia: "pelo Jô eu vou até o meio do inferno". Flavinha é a mulher da minha vida. Por ela, eu vou até o inferno e meio.

Uma época fiquei fascinado pelo Japão. Li toda a maravilhosa saga do Musashi, escrita pelo Eiji Yoshikawa. Li o *Livro dos cinco anéis*, do próprio Musashi, o clássico tratado de artes marciais japonesas do século XVII. Li também os livros do Yukio Mishima, que se tornou um fanático tradicionalista. Ele tentou tomar um quartel do exército e cometeu o *seppuku*, o suicídio honroso por esventramento praticado pelos samurais (há toda uma filosofia e

Usando as correntes, o medalhão e o crucifixo que, no Recife, pedi para d. Hélder Câmara benzer; como ministro extraordinário da comunhão, distribuí a hóstia ao lado do arcebispo, na década de 1970 o brasileiro mais conhecido do mundo depois de Pelé.

▲ Com meu grande amigo, o pintor Angelo de Aquino, companhia diária dos anos de solteirice, o Rafael e uma amiga dele, comemorando o aniversário do meu filho no Hippopotamus.

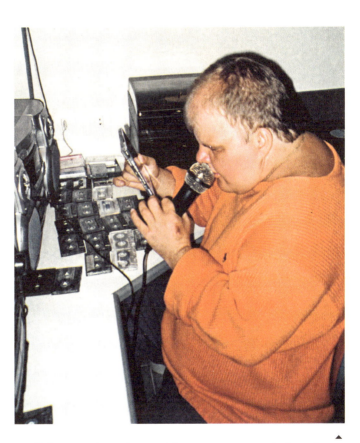

Rafa era apaixonado por rádio e montou sua própria emissora em casa; ele fazia transmissões todos os dias, até nos feriados, e não atrasava um segundo para entrar no ar.

Com o grande Chico Anysio numa das gravações da mensagem de fim de ano da Globo; participávamos um do programa do outro e cheguei a dirigir um de seus one-man shows.

Com Roberto Marinho, meu primeiro entrevistado na volta à Globo, em 2000; usei um trecho dessa entrevista para encerrar o *Programa do Jô*, em 2016: "Alguns amigos testemunharão que nós trabalhamos juntos", ele disse.

Com Silvio Santos, celebrando a ida para o SBT; no início, Silvio não acreditava muito na fórmula de um talk show tarde da noite na televisão brasileira, mas depois me apoiou e dizia que havia dois programas "intocáveis" no canal: o dele e o meu.

Na sua campanha para a prefeitura de São Paulo, em 1985, o ex-presidente Jânio Quadros usou o slogan "Experiente e suruba!"; aproveitei a deixa e fiz a minha coluna de estreia na *Folha de S.Paulo* mostrando os vários significados de alguns palavrões que a imprensa da época dificilmente publicaria.

Recebi do deputado Bernardo Cabral, relator da Constituinte, uma das cópias da primeira edição da Constituição de 1988; a dedicatória, na folha de rosto, é de 27 de setembro de 1988, e ela seria promulgada em 5 de outubro daquele ano.

▲
Nesta e nas próximas páginas, os cartazes que o meu grande amigo Ziraldo fez para os meus one-man shows; a partir do *Viva o gordo e abaixo o regime*, ele passou a me desenhar com um olhar de lado, maroto, que tem tudo a ver comigo.

Marília Pêra, Sylvia Bandeira e Marco Nanini na peça *Brasil: da censura à abertura*; quando conheci a Sylvia, descobri que ela tinha algo cor-de-rosa em torno dela.

▲
Com a Flávia, a jovem que se tornaria a mulher da minha vida, no tempo em que eu cometia a loucura de andar de motocicleta (e, ainda por cima, sem capacete); depois de dois acidentes, um deles grave, não recomendo o veículo a ninguém.

Em 2010, em Lisboa, na Casa Fernando Pessoa, dando uma entrevista coletiva sobre o espetáculo *Remix em Pessoa*, dirigido por Bete Coelho, no qual falo os poemas à maneira do português de Portugal.

▲ Com a Flávia no Teatro Villaret, em Lisboa, depois da estreia de *Remix em Pessoa*; num dos meus one-man shows em Portugal, recebi o aplauso mais longo da minha vida — seis minutos.

À direita, uma das fotos da Flávia que eu adoro; acima, em novembro de 2016, com ela depois de tomar posse na Academia Paulista de Letras, local de grandes conversas e de grandes amigos.

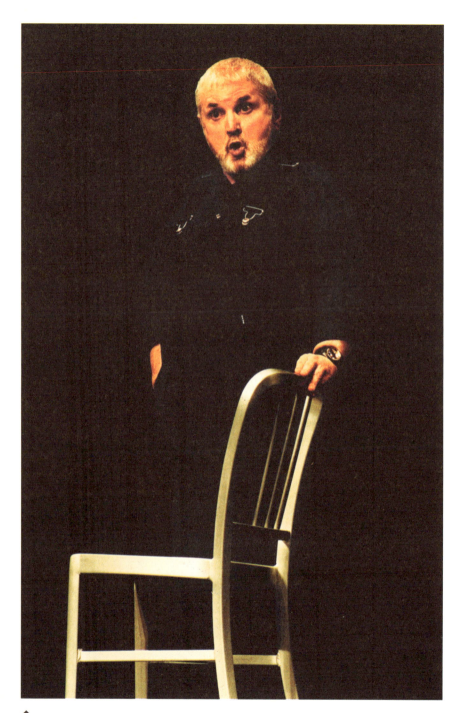

▲ Em 1993, no one-man show *Um gordo em concerto*, que bateu todos os recordes de público do Metropolitan (4500 lugares), do Ricardo Amaral; eu dividia o espetáculo com uma cadeira com rodinhas, único elemento da cenografia.

estética, ligada aos tecidos delicados, com as dobras perfeitas, ligada ao autossacrifício do samurai). Com o Angelo de Aquino, eu ia ao cinema ver o ciclo dos samurais, ia ver todos os filmes do xogunato. Num deles, o cara do mal mata uma garça em pleno voo com sua espada. Aí eu pensei: "Se o cara do mal é assim, imagine o que fará o samurai do bem". Este, numa cena, está comendo com os hashis, umas moscas começam a voar em volta, e ele, *záz*, vai esmagando as moscas com os pauzinhos usados como talheres pelos japoneses. Fiquei tão louco pelo Japão que comprei várias espadas de samurai em Nova York e uma vez liguei pro cônsul do Japão em São Paulo dizendo que eu e o Angelo éramos japoneses e pedindo uma bandeira oficial do país. E que só aceitava a oficial:

— Eu sou japonês e quero uma bandeira oficial do Japão.

O cônsul respondia:

— Zô Soales, né? Muito engraçado…

Não sei por que ele não se convenceu.

A primeira vez que fui com a Flavinha pra Paris, ficamos no Hôtel de l'Abbaye, adorado pelos cineastas. Era pequeno, mas muito simpático. Eu conhecia bem o pessoal do hotel, os levava pra jantar, chegaram inclusive a fazer um bolo pra comemorar um aniversário que passei por lá. Um dos restaurantes mais procurados da cidade era o Taillevent, para o qual era preciso fazer reserva com meses de antecedência. Eu cheguei pra madame La Fortune, do hotel, e pedi o número do telefone do restaurante, porque queria fazer uma reserva pra jantar lá naquela noite. Ela me olhou com olhos de "coitadinho, ele não sabe o que está fazendo" e me deu o número. Liguei pro Taillevent e pedi reserva de uma mesa pra dois. Para aquela noite. O cara do outro lado me respondeu: *Oui, monsieur*, a que horas? Eu disse às oito. Desliguei o telefone como se tivesse conseguido a coisa mais normal do mundo, e dessa vez madame La Fortune me olhou com os olhos arregalados de espanto. Ela deve ter achado que eu tinha alguma conexão especial com o restaurante ou qualquer coisa assim, mas apenas segui minha intuição: é mais fácil achar mesa pra dois do que pra um número maior de pessoas, então resolvi arriscar. Deu certo. Quando a Flavinha e eu estávamos saindo, eu vestindo um terno risca de giz, encontramos o Waltinho Salles na recepção do hotel. Ele falou:

— *M. Soarés, vous allez fermer le Taillevent!*

O Waltinho tem uma história sensacional no Hôtel de l'Abbaye. Uma noite, havia um alemão falando tão alto no quarto ao lado, que estava difícil pra ele dormir. À medida que o tempo passava, o volume da voz, em vez de diminuir, ia aumentando, até que o alemão passou a urrar, fazendo tremer o vidro das janelas. O Waltinho não aguentou e ligou pro vigia da noite. O sujeito ouviu a reclamação e respondeu:

— *Un peu de compréhension, s'il vous plaît. M. Kinski répète!*

Era o Klaus Kinski ensaiando. Imaginem vocês o quanto é civilizado o hotel que pede compreensão para um ator se preparando pro seu ofício! O Marcelo Mastroianni morava lá, simpático mas reservado, estava com uma dor de corno imensa por causa da Catherine Deneuve. Um dos motivos de ele ficar no hotel é que o L'Abbaye era perto da place Saint-Sulpice, onde ela morava. O ator italiano tinha feito *Maccheroni*, do Ettore Scola, um filme sensível sobre a amizade entre um italiano e um americano, nascida na Segunda Guerra, que voltavam a se encontrar. O papel do americano é do Jack Lemmon. Ele não se recorda mais da amizade fraterna com o italiano. Eu encontro o Mastroianni no hotel, faço elogios ao filme e comento:

— *Lei se sorpassa ad ogni lavoro.*

E ele, brincando responde:

— É verdade, nem sei aonde vou parar.

À noite, ligamos a televisão, Mastroianni está dando uma entrevista. A dada altura lhe perguntam se existe algo na vida de ator que ele não gostava de fazer. Ele responde:

— Tem. Isto aqui. Detesto dar entrevistas.

No L'Abbaye me encontrei com o escritor português José Saramago pela primeira vez. Ele me cumprimentou e me disse que eu era bem conhecido no seu país. Anos depois, eu o entrevistaria no *Jô Soares Onze e Meia*, com o Chico Buarque e o Sebastião Salgado. Os três estavam lançando o livro *Terra*, com fotos do Salgado. O nosso editor comum, Luiz Schwarcz, me disse que quando o Saramago foi pra Estocolmo receber o prêmio Nobel de literatura, em 1998, ele estava lendo e gostando do meu primeiro livro, *O Xangô de Baker Street*. Eu não poderia ter ficado mais feliz.

Mencionei a conexão que havia entre a noite francesa com a carioca, e me lembro de quando, na década de 1960, o Alain Delon, considerado o homem mais bonito do mundo, veio ao Brasil pela primeira vez. Foi na época que eu tinha o programa na TV Record. O diretor geral da Metro-Goldwyn-Mayer no Brasil, o Mike, era amigo dos meus pais. Ele me ligou e disse:

— Oi, Joe. — Ele foi a última pessoa a me chamar assim. — Sou muito amigo do seu pai e da sua mãe, queria que você desse um jeito de promover o filme *Terei o direito de matar?*, que está sendo lançado aqui pela Metro.

Eu respondi:

— Claro, eu vou entrevistar o Alain Delon no meu programa.

Quando eles chegaram ao estúdio, eu pedi pro Mike dois ingressos, pra mim e pra Theresa, para vermos o filme, que tinha a Léa Massari contracenando com o Delon. Ele me disse que não tinha como, que estava tudo lotado, eram todos convidados. Não adiantou eu insistir. Começou aquela entrevista rotineira de promoção de lançamento de filme, até que de repente eu digo:

— Eu admiro muito o seu trabalho no teatro. Você fez uma versão extraordinária, sob a direção do Luchino Visconti, da

*Dommage qu'elle soit une putain* — no original, *'Tis Pity She's a Whore*, peça do John Ford, autor contemporâneo do Shakespeare.

Delon fez dois filmes maravilhosos com o Visconti, *Rocco e seus irmãos* e *O Leopardo*. *'Tis Pity She's a Whore* é uma peça que o José Celso Martinez Corrêa quis montar, mas a tradução, feita pelo poeta Manuel Bandeira, tinha o título de *Pena ela ser o que é*, o que era a antítese da peça. O Bandeira se recusava a mudar o título, então o Zé desistiu. O Alain Delon ficou surpreso de eu conhecer a sua carreira como ator de teatro, porque em todas as entrevistas ele só tinha falado do filme e das fofocas do seu casamento com a Nathalie Delon. Antes da projeção do filme no Cine Metro, na avenida São João, no centro de São Paulo, o ator costumava aparecer no palco pra responder a algumas perguntas. Quando acabamos de conversar no meu programa, o Delon se virou pro Mike e disse que queria que eu fizesse a entrevista com ele no cinema. Aí eu pensei: "É a hora de eu revidar a mesquinhez dele com relação aos convites". Imediatamente eu disse:

— Mike, eu agradeço, mas infelizmente não vai dar.

O diretor da Metro respondeu, com seu sotaque de americano:

— Mas, Joe, você não pode fazer isso comigo, você é filho do meu amigo Orlando... Quando o Alain Delon fala alguma coisa, tem de ser do jeito que ele falou, então eu te peço, em nome da amizade que tenho com seus pais, para você ir.

— Ok, se é assim, eu vou. Mas tem um preço.

Ele disse:

— Claro. Evidente. Não é de graça. É um trabalho profissional.

— Perfeito.

Cobrei um cachê na estratosfera. Nós tínhamos acabado de alugar um apartamento na alameda Santos, estávamos mobiliando nosso novo endereço em São Paulo. Acertamos o cachê altíssimo e fui lá apresentar o filme junto com Alain Delon, no palco do Cine Metro. Comecei brincando que havia uma pessoa mais ou menos conhecida no palco, o Alain Delon, e uma muito famosa, eu. Todo mundo riu, deu química, conversamos e, na hora de começar a sessão, fui pra casa. No dia seguinte, o Mike me liga e pede:

— Joe, você precisa me ajudar. Esse maldito desse Alain Delon disse que só vai pro Rio se você for junto pra fazer as apresentações.

Aí eu falei:

— Olha, Mike, me perdoe, mas não posso ir porque tenho três shows marcados em três cidades do interior de São Paulo.

— Mas você não pode cancelar?

— Posso. Mas vou ter que pagar uma multa.

— Joe, *my friend*, me resolve isso. Se o Alain Delon pede, é uma ordem, eu tenho que fazer, senão você sabe o que acontece? Sabe aquele leão da Metro? O leão me come. É muito simples. Se eu não atender o pedido do Alain Delon, o leão me come.

Eu disse:

— Tá bom. Você me paga o cachê mais a multa dos cancelamentos e mais um extra, porque o meu nome não vai ficar bem com o empresário que agenciou esses shows.

— Joe, tem um ditado americano que diz: "*There is nothing that money can't buy*".

— Eu já conhecia, mas agora estou adorando...

O total de dinheiro era um escândalo pra época. Dava pra mobiliar o apartamento inteiro e ainda sobrar muita grana. Era o finalzinho do que se chamava de *star system*, a Metro já devia ter pago um dinheiro enorme pro Delon vir pro Brasil. Eu ainda acrescentei: "Eu vou com a Theresa, ela fala um ótimo francês". E lá fomos nós pro Rio de Janeiro. Pra piorar as coisas, o Delon e a Nathalie viviam às turras. Chegamos ao Rio, o Mike me liga, desolado:

— *What a hell*, Joe. Que inferno essa viagem. A segurança examinou três cinemas no Rio e nenhum deles é seguro pro Delon aparecer no palco. As apresentações estão canceladas, então peço por favor que você ponha a mão na consciência e não cobre os cachês.

Eu fiz uma pausa e respondi:

— Acabei de pôr a mão na consciência, e a minha consciência mandou dizer que eu tenho que cobrar. Cancelei shows pra poder vir aqui pro Rio. Mas se você acha que eu estou sendo injusto, eu posso consultar o Alain Delon. Se ele falar pra eu não cobrar eu não cobro.

— *No, no...* Não faça isso, pelo amor de Deus! A Metro paga, a Metro paga...

Quando nos encontramos depois, ele me fuzilou com um olhar de ódio. Aí, mesmo contrariado, me pediu pra ser intérprete na entrevista coletiva e pra acompanhar o casal em seus dias e noites no Rio. E aí aconteceu o seguinte: os dois brigavam o tempo todo e ele dizia coisas horrorosas pra ela.

— Você só está aqui porque é uma interesseira, porque você é uma escrota, uma puta...

E ela:

— E você, que só veio pro Rio por causa dela? Mas bem feito, ela já foi embora... E puta é ela, que ainda deu pra um milionário baixinho brasileiro.

Ela era a Romy Schneider. O Alain Delon era apaixonado por ela. O milionário baixinho era o Jorginho Guinle. E na entrevista coletiva, a Nathalie também estava, alguém perguntou:

— E vocês, continuam vivendo essa eterna lua de mel?

E eu traduzindo:

— Sim, ele está dizendo que o casamento dos dois é uma felicidade sem fim...

Já que falei em adultério, teve um importante homem de televisão que promoveu uma festa esbanjadora pra comemorar o aniversário da sua mulher. Festa de arromba, como diria o Tremendão. Depois que todos cantaram os parabéns, ele deu pra ela um magnífico anel de brilhantes e pediu silêncio, porque tinha uma surpresa. E soltou, em todas as potentes caixas de som da festa, a gravação dos gemidos da mulher transando com o amante. Foi um choque e uma humilhação inimagináveis. Fiquei impressionadíssimo com o requinte de crueldade a que pode chegar uma pessoa traída. Não digo o nome nem sob tortura, e não por causa dele, mas por causa dela, que já sofreu humilhação demais.

# X

No dia 25 de março de 1981, o presidente da República João Batista Figueiredo concedeu quatro canais de televisão ao cidadão brasileiro Senor Abravanel. A família judaica sefaradita Abravanel remonta a Portugal e à Espanha de antes ainda dos Descobrimentos, como mostrou o Alberto Dines no livro *O baú de Abravanel*. Foram concedidas a Abravanel a TV Tupi de São Paulo, a TV Marajoara de Belém, a TV Piratini de Porto Alegre e a TV Continental do Rio, que ele já operava. Na época, Abravanel também era sócio da TV Record de São Paulo. Como, por lei, não poderia continuar em duas emissoras, vendeu sua parte na Record ao bispo Edir Macedo, um líder religioso emergente. Os outros canais cujas concessões estavam sendo disputadas foram para Adolpho Bloch.

Rumores davam conta de que as concessões foram arquitetadas pelo general Golbery do Couto e Silva, o Bruxo, a eminência verde-oliva dos governos militares. A fim de estabelecer um contrapeso à força conquistada pela Globo nos anos 1970, Golbery fez um plano para criar redes alternativas como a TVS (nome original do SBT) e a Manchete. Segundo o jornalista Mario Sergio Conti em seu livro *Notícias do Planalto*, Senor Abravanel, mais conhecido como Silvio Santos, teve apoio entusiasta de Dulce Figueiredo, mulher do presidente e prima de um jurado do programa do animador, José Renato. Quando, no final de 2016, houve a exposição em sua homenagem no Museu da Imagem e do Som de São Paulo, Silvio disse que se não fosse o Figueiredo ele estaria vendendo caneta até hoje, em alusão ao seu passado de camelô nas ruas do centro do Rio de Janeiro.

Silvio ficou muito próximo do presidente e da primeira-dama. Um dia, no início da década de 1980, quando eu estava fazendo o *Viva o gordo e abaixo o regime* em São Paulo, ele me liga:

— Jô, preciso muito de um favor seu. Queria que você fizesse um show na Feira da Providência, em Brasília. A patrona da barraca do Distrito Federal é a dona Dulce, não posso desapontá-la.

Eu nem sonhava em trabalhar um dia no SBT, mas gostava muito do Silvio. Respondi:

— Silvio, o complicado é que eu estou com espetáculo em cartaz com casa lotada…

— Eu pago a lotação da casa e o show. Preciso que você faça isso por mim.

Tudo acertado com o Silvio, me indicam um oficial pra ser o meu elo com Brasília. Gostei dele logo de cara, era uma figura encantadora, sempre impecavelmente de farda branca sem nenhum amarrotadinho. E na hora notei uma coisa engraçada: ele nunca falava "Tá bom?", só falava "Tá ótimo?". Ele era da Aeronáutica e me explicou, brincando, que a expressão "céu de brigadeiro" nasceu porque os brigadeiros só se arriscavam a pilotar um avião quando o céu estivesse muito limpo e eles não encontrariam problemas ao voar. No show, eu fazia um número de dança em que usava um enorme boá vermelho, mas quando cheguei a Brasília, cadê o boá? Não viera junto com os figurinos do show. O oficial não teve dúvida: "Vamos mandar buscar o boá em São Paulo". E mandou. Quase na hora do show, eu recebo uma caixa de papelão com o carimbo: "Ministério da Aeronáutica — Material secreto". Dentro estava o boá.

Durante o show, sentaram-se à mesma mesa o presidente, dona Dulce e o general Walter Pires, ministro do Exército e um dos principais apoiadores de Figueiredo. Circulava uma piada em que, quando o Figueiredo precisava fazer alguma ameaça, ele dizia:

— Eu chamo o Pires!

No show, eu fazia um número em que bebia uísque com algumas pessoas da plateia. Era hora de brincar com o público, o que sempre rendia boas coisas. Fui até a mesa do poder e disse pro general Walter:

— Vou me sentar aqui e você vai beber este uísque comigo. Quem é você, rapaz?

— Eu sou o general Walter Pires.

— Oh, me desculpe, perdão, seu general. Se o senhor quiser que eu beba a garrafa inteira sozinho, eu bebo...

A plateia de Brasília, sabendo quem era o general, deu muitas risadas da minha informalidade com ele. Depois do meu show, entrou uma escola de samba, *skindô! skindô!*, a primeira-dama se empolgou e o presidente dizia:

— Calma, Dulce! Calma!

Eu fiquei com a impressão de que o Figueiredo não gostou muito de eu ter feito um show pra primeira-dama. Também não era da sua natureza aceitar que fizessem humor com ele. Uma vez, veio a uma inauguração em São Paulo na qual eu fizera um show e nos cruzamos rapidamente. Figueiredo havia se submetido à cirurgia do coração em Cleveland, nos Estados Unidos, e brinquei com ele:

— Presidente, vê se não fuma mais.

E ele respondeu:

— Então mete o pau no fumo, em vez de meter o fumo em mim.

Isso foi em 1983. Anos depois, ele não era mais presidente, uma tarde na avenida Brasil, em São Paulo, eu estava com o meu empresário Roberto Colossi indo pra gravação de um comercial, quando um Galaxie Landau preto passou por nós. O Colossi brincou: "Será que tem alguma autoridade lá dentro?". Fechou o sinal, nós emparelhamos os carros, e era o empresário Georges Gazale dirigindo, o Figueiredo no banco do passageiro e o brigadeiro Délio Jardim de Matos, ex-ministro da Aeronáutica, sentado no banco de trás. O Gazale acenou pra mim, eu acenei de volta e cumprimentei o Figueiredo:

— Oi, presidente, tudo bem?

O brigadeiro sorriu e comentou com o ex-presidente que era eu. Ele me encarou, fez um muxoxo e se virou pro outro lado, como um menino emburrado.

Um dos meus personagens mais populares na Globo foi o Zé da Galera, o torcedor da esplêndida seleção brasileira de futebol de 1982, precocemente eliminada no jogo das quartas de final contra a seleção italiana. Talvez tenha sido a última supergeração de jogadores brasileiros: Leandro, Oscar, Júnior, Toninho Cerezo, Falcão, Sócrates e Zico (anos depois, eu faria entrevistas muito boas com o Galinho de Quintino no meu talk show, figura maravilhosa, apesar de flamenguista. Felizmente, na época, o genial Rivellino estava no Fluminense). E ainda tínhamos dois dos melhores centroavantes da história do futebol brasileiro, o Reinaldo e o Careca, que não puderam ir à Espanha. Embora o personagem Zé da Galera tenha ficado na memória das pessoas por causa da Copa, ele na verdade nasceu bem antes, ainda nas eliminatórias, em 1980. O bordão do Zé da Galera era "Bota ponta, Telê" — curiosamente, Telê Santana fora ponta-direita do meu Fluminense de grandes momentos. Então o Zé da Galera dizia: "Tu também foi ponta, bota ponta, Telê". Mas o esquema tático do técnico permitia apenas um chamado ponta de ofício, o Éder, dono de um petardo, pelo lado esquerdo. Não havia ponta-direita, fazia-se um rodízio de meio-campistas como falsos pontas, com o Paulo Isidoro e o canhoto Dirceuzinho.

De certa forma, o Zé da Galera, que ligava pro Telê de um orelhão, foi minoria, porque o Brasil inteiro se encantou com a seleção. Quer dizer, menos o João Saldanha. Paulo Vinícius Coelho, essa máquina de conhecimento sobre futebol, relembra em seu livro *Escola Brasileira de Futebol* a coluna do João Saldanha, no dia seguinte à derrota para a Itália, criticando "os inventores do futebol que se recusam a ocupar espaços indispensáveis e não percebem que se joga num retângulo, rigorosamente geométrico, e querem jogar enviesado como se as balizas estivessem nos córneres". Ficou pra história como se eu fosse inimigo do Telê Santana. Não é verdade. Ele era um homem digno e manjava tudo de futebol. Suas idiossincrasias — assim como as minhas — são da vida. Felizmente, fazendo justiça ao excepcional boleiro que foi, Telê conquistou dois títulos mundiais com o time do São Paulo.

Na Copa de 1970, a *Folha de S.Paulo* fez um caderno especial com um longo bate-papo sobre o futebol brasileiro, reunindo o nosso historiador maior, Sérgio Buarque de Holanda, pai do Chico, o crítico de teatro e são-paulino visceral Décio de Almeida Prado, o publicitário Roberto Duailibi e eu. Pra mim, foi um encontro memorável, Sérgio e Décio eram intelectuais importantes da cultura brasileira, o Duailibi um dos homens de renovação da publicidade. Havia uma ampla diversidade de opiniões. Quando nos perguntaram se iríamos ganhar a Copa no México, todos nós achamos que era provável e fizemos uma longa digressão sobre o nosso palpite. Todos, não. O Sérgio Buarque afirmou categórica e simplesmente: "Vamos". Tão categórico quanto Pelé, Tostão e companhia. E olhe que, dos quatro, ele dizia ser o que menos se interessava por futebol...

Dando um salto no tempo, em 1994, graças ao talento e à ousadia do publicitário Eduardo Fischer, responsável pela conta da cervejaria Brahma, durante a Copa do Mundo fomos fazer o *Jô Soares Onze e Meia* num estúdio de Hollywood, nos Estados

Unidos. Foi uma verdadeira operação de guerra. Levamos técnicos, montamos estúdios. Durante a primeira fase, nos dias de jogos da seleção brasileira, no improvisado estádio da Universidade de Stanford, em San Francisco, era uma correria danada, pois o *Onze e Meia*, no horário da Califórnia, virou *Sete e Meia*. O jogo acabava às seis da tarde, corríamos pra um avião fretado com os convidados do programa — Bellini, Jairzinho e outros campeões do mundo —, descíamos em Los Angeles, pegávamos uma van e chegávamos ao estúdio em cima da hora. Por sorte, eu, que havia visto o Brasil perder em 1950, presenciei a conquista do tetra-campeonato, apesar de todo o sofrimento da partida final contra a Itália, decidida nos pênaltis.

Houve uma história linda com o capitão da seleção de 1958, Hideraldo Luís Bellini. Nos camarins do estúdio em Los Angeles, um dos convidados do programa se vira pra ele e comenta:

— Quem diria, hein, Bellini? Nós aqui num estúdio de Hollywood.

Bellini era um homem lindo, e na final de 1958 entrou puxando o time como um general romano em solo nórdico. Campeão do mundo, com o gesto de erguer a taça Jules Rimet para os céus, passou para o Olimpo da história do futebol. Aí ele confessou, com uma humildade desconcertante:

— Logo depois da Copa de 58 e fui convidado pra fazer um filme aqui em Hollywood.

Perguntamos:

— E não fez por quê?

— Minha mulher não deixou…

Na Copa de 2018, na Rússia, o diretor Eduardo Zebini, do canal Fox Sports, me convidou pra participar do programa *Debate Final: Especialistas*, juntamente com técnicos bem conhecidos do futebol brasileiro. Não foi fácil pra mim. Durante a Copa, tropecei em uma gaveta grande aberta no meu quarto e levei treze pontos na perna. No Hospital Sírio-Libanês, meu querido médico Carlos Jardim, filho do grande gravurista Evandro Carlos Jardim, me informou que meus exames (taxa de glicemia etc.) estavam todos descompensados. Então eu deixava a cama, ia pro andar de baixo do meu apartamento, onde tenho um estúdio pra ensaiar as peças de teatro, participava ao vivo do *Especialistas* e voltava pra cama. Eu estava me sentindo como o velho de cem anos que vive num berço num dos filmes do mais maravilhoso nonsense jamais visto, meio teatro do absurdo, o sueco *Songs from the Second Floor* [Canções do segundo andar], do Roy Andersson, prêmio do júri do Festival de Cannes em 2000.

Nos debates sobre a Copa, vira e mexe aparecia a questão sobre se os treinadores brasileiros estavam suficientemente atualizados. A reação corporativista (não de todos, é claro) era muito forte. Pros técnicos brasileiros, nada havia a aprender com o futebol jogado na Europa. E iam além: o futebol não tinha nada de novo, era uma repetição de esquemas táticos antigos e já conhecidos por eles (curiosamente, boa parte dos técnicos que participavam do programa não estava treinando nenhum time). Alguns tentaram me desqualificar como interlocutor, pois eu nunca havia estado num vestiário ou num campo, e era um mero palpiteiro (isso eu sou mesmo). Esperei o último programa e disse pra eles uma palavra preciosa: cautela! Enquanto os brasileiros pensam assim, o mundo inteiro está evoluindo no futebol. As seleções europeias conquistaram as últimas quatro Copas do Mundo: Itália, 2006; Espanha, 2010; Alemanha, 2014; e França, 2018. Nunca houve um ciclo tão longo de predomínio do futebol europeu nas Copas. Como não há nada a aprender com isso? Eu aprendo todo dia. Saio na rua e sempre trago uma lição nova pra casa. Descubro alguma coisa nova com as pessoas na rua, com o chofer de táxi, com o rapaz do cafezinho na padaria. Continuo lendo, pesquisando e procurando me atualizar em tudo. Não existe mais nenhuma atividade humana em que se possa progredir sem um aprendizado permanente. Eu disse aos técnicos:

— Claro, pra vocês a minha opinião não conta. Eu sou apenas aquele que compra o ingresso…

Em 1983, estreei *Um gordoidão no país da inflação*, no Teatro Casa Grande, no Rio, escrito juntamente com o Armando Costa. A casa havia sido um dos locais de debates e espetáculos de contestação à ditadura militar, e foi ali, simbolicamente, que o ministro da Justiça do primeiro governo civil, Fernando Lyra (entrevistado na primeira semana do *Jô Soares Onze e Meia* no ar), assinou o decreto extinguindo a Censura. Eu estava comemorando 25 anos de uma carreira ligada sobretudo ao humor num país com índice de inflação acumulado de 200%! Era uma das heranças amargas do "milagre" econômico da década anterior. A inflação alta deixa as pessoas tão descontroladas, que começaram a apregoar teorias de que o brasileiro adorava inflação. Na verdade, não era inflação, era superinflação, um dos maiores castigos pras populações mais pobres. Os mais ricos tinham acesso à chamada "ciranda financeira", ganhavam dinheiro enquanto dormiam e o dinheiro crescia no overnight. O país estava tecnicamente quebrado, tendo que recorrer ao Fundo Monetário Internacional (FMI).

Como os meus espetáculos ficavam de quatro a cinco anos em cartaz — depois de Rio e São Paulo, viajavam pelo Brasil —, *Um gordoidão no país da inflação* acompanhou a transição do regime militar para a presidência civil. Em 1984, a campanha pelas eleições diretas envolveu os artistas. Participei do comício do Rio. Eu me lembro que, quando cheguei, os seguranças não estavam reconhecendo o Ney Matogrosso — de cara limpa e em trajes civis como exigia a ocasião. Quando perguntaram quem ele era, o Ney prontamente respondeu, me apontando:

— Eu sou o segurança dele.

Houve um momento marcante, quando, com noventa anos, o Sobral Pinto lembrou o texto da Constituição: "Todo poder emana do povo". Pouco tempo depois, o Chacrinha subiu no palanque, pegou o microfone e gritou: "Teresinha!". Um milhão de vozes respondeu: "Uuu-uuu!". Isso é que é comunicação de massa. No final, a nação se frustrou, o presidente civil acabou sendo eleito indiretamente e Tancredo Neves morreu antes da posse. Assumiu o vice, José Sarney.

Em 1986, ele lança o Plano Cruzado, congelando os preços pra acabar com a inflação. O ministro da Fazenda era Dilson Funaro, um homem decente, que vencera um câncer. Eu tinha admiração por sua figura, ele queria genuinamente mudar o país. Numa entrevista ao Ricardo Setti, na época na revista *Playboy*, contei que ele tinha ido ao meu show com a mulher, o filho e a nora, sem avisar ninguém, deixou o carro no estacionamento, pagou os quatro ingressos, sentaram nas últimas fileiras. A produção ficou sabendo da presença do Funaro, me avisou e eu contei pra plateia. Funaro foi ovacionado. Fiz uma brincadeira: "Assim não dá. Vocês estão aplaudindo ele mais do que eu".

O crítico Sábato Magaldi fez um dos mais importantes mapeamentos da produção teatral brasileira do período, não só assistindo a uma quantidade impressionante de peças, mas também escrevendo sobre elas, deixando um acervo riquíssimo pra posteridade. Ao escrever a crítica de *Um gordoidão...*, fez também um balanço dos meus 25 anos de carreira até ali. Suas palavras me recompensaram por todos os momentos de ansiedade, de exaustão, de dor, por todas as gotas de suor que eu tinha derramado ao longo daquele tempo:

São 25 anos de uma arte requintada, sem similar no palco brasileiro. Autor e comediante, Jô Soares situa-se entre os nossos primeiros criadores.

O Silveira Sampaio adorava entrevistar políticos e empresários. Ficou conhecendo muitos deles, mas sempre guardou a distância necessária, pra manter a sua independência. Um dos entrevistados foi trabalhar com o Paulo Maluf, que se afastara do governo de São Paulo para se lançar candidato a deputado federal. Um dia, esse homem me ligou:

— Preciso ter uma conversa com você, mas tem que ser particular.

Convidei-o pra ir à minha casa, na Bento de Andrade.

O político começou:

— A candidatura do Paulo Maluf está difícil, as pessoas falam mal dele, espalham inverdades sobre ele. O Paulo está no auge da popularidade negativa, e precisamos reverter esse índice.

Aí eu dei uma sacaneada:

— Vai ser difícil, né?

— Pois é, Jô, nós precisamos mudar isso. Nós precisamos fazer alguma coisa que se torne boa pro Paulo. Não precisa nem falar bem diretamente. O Chico Anysio, por exemplo, faz gozações com ele (o imperador romano Caio Malufus), mas nós já identificamos nas pesquisas que isso reverbera positivamente pro Paulo.

— Sim, e daí? Tenho certeza que o Chico não quer ajudar o Maluf.

— Não, mas no fundo está ajudando. Eu preciso que você faça algo que ajude a campanha do Paulo.

— Eu não posso. Eu sempre malho o Maluf. É uma figura pública que se presta ao humor crítico. Não posso abrir mão disso.

— Olha, Jô, eu estou falando em nome do Paulo. É uma proposta profissional, não tem sentido nenhum não ser uma proposta profissional.

— Não estou entendendo aonde você quer chegar.

— Estou falando em nome dele pra você fazer um quadro que possa ajudar a sua eleição.

— Não tem como, tudo que eu faço sacaneia o Maluf. Não posso mudar de uma hora pra outra.

— Você não está entendendo...

Resolvi botar as coisas em pratos limpos:

— Estou, sim. Mas não há dinheiro...

Ele não me deixou terminar a frase e disse:

— Há! Dinheiro há! Dinheiro há!

Depois, quando ele viu que não chegaríamos a um acordo, reformulou a proposta:

— E quanto custa pra você não citar mais o nome dele?

Sem sucesso na empreitada, foi se retirando de casa. Em nome do nosso conhecimento antigo, acompanhei-o até o carro. Na hora que ele abriu a porta, eu perguntei:

— E como vai o governador substituto?

Ele segurou a porta, se voltou pra mim e disparou:

— Esse rouba! Esse rouba! Em quatro meses roubou mais do que o Maluf em toda carreira dele!

Quem governava no lugar do Maluf era o José Maria Marin. O primeiro está em prisão domiciliar; o segundo, preso nos EUA.

Em 1987, por sugestão do Carlos Alberto de Nóbrega, o Silvio Santos quis levar meu programa de humor para a sua rede. Ele estava disposto a fazer uma oferta financeiramente irrecusável, mas, naquele momento, eu não estava atrás de ganhar um salário maior, tinha outros planos nesta cabecinha: há muito pretendia fazer um talk show tarde da noite na televisão brasileira. O Silvio mandou me sondar, eu disse que só conversaria se pudesse fazer o programa do fim de noite. Ele queria uma coisa, eu queria outra, pra mim a conversa ficou meio no ar. Mas o Silvio não perdeu tempo e deu a notícia de forma antecipada, com estardalhaço, no jornal *Noticentro*. Ele disse: "Quero anunciar uma reviravolta na televisão brasileira". E anunciou que Jô Soares era o mais novo contratado do seu canal. Foi uma bomba nos corredores e salas da Globo. Cheguei na sala do meu amigo Magaldi, onde estava também o Borgerth, e ele me perguntou:

— Você assinou?

— Claro que *não*! O Silvio me convidou pra uma conversa, mas nem nos encontramos ainda. Eu disse a ele que não poderia sair sem antes falar com a Globo.

O Boni estava furioso, se sentido profundamente traído por um irmão. Eu disse a ele:

— Bonifácio, eu não topo tudo por dinheiro. Não é por salário. Você sabe muito bem que há anos alimento o sonho de fazer um programa com base no *Tonight*. Ele está no ar há mais de trinta anos na televisão americana. Não é possível tantos americanos estarem errados por tantos anos. A fórmula é um sucesso tão grande que todas as redes passaram a ter os seus talk shows.

O Boni me disse:

— Não tem espaço na grade da Globo pra esse tipo de programa.

No fundo, o Bonifácio pensava que eu estava blefando, que eu não teria coragem de sair da Globo. Nenhum artista da primeira linha de shows da emissora havia dado um passo como esse. Além disso, eu trocaria o horário nobre por um horário até então sem relevância, tanto na audiência quanto no faturamento, nos seis canais de relevância da televisão brasileira. Só havia canais abertos: TV Cultura em São Paulo (ou TVE em outras praças), SBT, Globo, Record, Manchete e Bandeirantes. Boni pediu que eu esperasse uma semana. Esperei duas. A Globo não fez nenhuma proposta. Fui até São Paulo e assinei o contrato com o Silvio Santos. Quando voltei, no aeroporto, encontrei o Roberto D'Ávila. Ele disse: "Jô, você está com uma cara muito feliz. Aconteceu alguma coisa?". Eu contei a novidade e ele passou a nota pro Zózimo Barroso do Amaral, colunista do *Jornal do Brasil*. Estava confirmada a mudança profissional mais importante da minha vida.

As pessoas me diziam: "Mas como? Você vai perder toda a sua

audiência?". E eu respondia: "Audiência eu já tenho, mas quero trilhar novos caminhos". O risco de ir para uma rede que estava começando era imenso, o Silvio Santos tinha fama de instável, mudava a programação quando lhe dava na veneta, o horário tinha uma audiência baixa e quase nada de publicidade. Mas aí a juventude, a coragem e a capacidade de visão da Flavinha me ajudaram muito, além do apoio das pessoas mais importantes pra mim do ponto de vista profissional: o Max Nunes, o Moreno (Hilton Marques) e o Willem van Weerelt. Eles se atiraram ao mar comigo sem salva-vidas. Nós não podíamos nem dizer que não tínhamos nada a perder. Tínhamos. E muito. O Paulo Celestino, que também se mudou pro SBT conosco e que infelizmente morreria logo depois, perguntou ao Max:

— Você vai largar tudo pra ir com o Jô pro SBT?

— Vou.

E o Paulo:

— Eu também vou. Sou marinheiro, eu quero é navegar.

Fico emocionado ao me lembrar dessas histórias. O grande redator e escritor Hilton Marques — sobre quem eu precisaria escrever um livro exclusivo, relatando sua generosidade sem reservas e defesas — e o meu irmão do coração Willem van Weerelt, a quem a Globo ofereceu a direção de um núcleo de novelas tamanha a sua competência profissional, toparam ir comigo na hora. Lembro bem do Afraninho Nabuco, neto do Joaquim Nabuco e diretor da Globo em Brasília, dizendo assim:

— Você é maluco, uma andorinha só não faz verão.

E eu respondi:

— Mas se uma não for, nenhuma outra vai.

Tempos depois, o Chico Anysio me ligou e me disse uma coisa marcante:

— Jô, que maravilha! Você achou outro caminho pra sua carreira. Se você tivesse continuado aqui na Globo, estaria como eu:

andando pelos corredores pra conseguir levar alguém pra participar do *Zorra Total*.

Então eu tive a certeza de que, apesar dos ciúmes, o Chico gostava mesmo de mim. Essa é a hora dos solidários.

Entre abril e setembro de 1973, eu havia feito entrevistas no *Globo Gente* — cheguei a conversar com a maravilhosa Dina Sfat, com o meu ídolo Tostão, com a Bethânia, o Caetano, o Gil, a Gal, entre outros. Mas não pegou, porque o programa, produzido pelo Manoel Carlos, era semanal, não ganhava ritmo. Além disso, não tinha plateia, e a plateia faz parte da fórmula dos talk shows; eles não são exclusivamente programas de entrevistas. Havia também o fato de estarmos sob censura, e não é possível ter boas conversas na televisão falando apenas de generalidades. E nem dava pra eu terminar com o "Beijo do gordo", porque eu estava magro.

Meu modelo de talk show era a fórmula simples que, iniciada no rádio na década de 1950, está no ar até hoje não apenas na TV americana, mas também na brasileira. Seu inventor foi o pianista e humorista Steve Allen. Ele estava se sentido mal pago por ter que escrever um esquete de sete ou oito laudas todos os dias pra fazer o seu humorístico ao vivo na rádio da NBC, quando se deu conta de que, estando próximo a Hollywood, poderia ter muitos artistas de cinema ao vivo. Assim, manteve os quadros de humor, seu piano, mas também passou a colocar no ar alguns discos de sucesso e a fazer entrevistas. Allen começou a receber pedidos de ouvintes querendo ir ao estúdio acompanhar o programa, aceitou-os e descobriu que a presença de uma plateia fazia toda a diferença.

Um dia, a Doris Day avisou em cima da hora que não poderia ir ao *Steve Allen Show*, e o humorista não teve dúvida: passou a conversar com as pessoas da plateia. O sucesso foi enorme. Nesse momento, Allen descobriu duas coisas: que o segredo da conversa estava na maneira de perguntar e que tipos comuns poderiam ser entrevistados sem problema nenhum. Também passou a ler no ar notícias de jornais que considerava engraçadas. Quando foi para a TV, a fórmula estava pronta e, basicamente, não mudou muito de lá pra cá. Nem o microfone antigo (e sem função) em cima da mesa, espécie de homenagem aos seus dias de rádio, foi retirado do cenário dos talk shows lançados mais recentemente. Quando comecei o *Jô Soares Onze e Meia*, a maioria das pessoas só conhecia o David Letterman e achavam que eu o copiava, não faziam ideia da longa tradição iniciada pelo Allen, no rádio, e pelo *The Tonight Show*, na TV. Quando ele saiu, porque quis, o Jack Paar assumiu o programa por cinco anos; depois, Johnny Carson liderou o *late show* por trinta anos, de 1962 a 1992. Os três — e também a nova geração de Davids Letterman e Jays Leno — tinham uma coisa importantíssima pra esse tipo de programa, que era a imensa capacidade de improvisação, de terem sacadas rápidas e respostas na ponta da língua.

O Johnny Carson foi quem deu o formato definitivo pro monólogo da abertura, sempre sobre política. Era a parte mais difícil de escrever. Ao meio-dia, ele se reunia em casa com a equipe de redatores e ficavam batendo o texto até achar o ponto. Gravavam o *Tonight* antecipadamente, todos os dias, às sete da noite. O programa não tinha edição, mantendo o clima quente das atrações ao vivo. Numa noite, o excelente comediante Jonathan Winters fez uma piada com o Johnny Carson e a plateia não gostou nem um pouco. Ninguém riu e houve até um começo de vaia. Quando a gravação terminou, Winters foi pedir ao Johnny Carson que editasse, cortando a piada. Carson respondeu que não podia. Disse que nunca editava e, por mais que lamentasse — Winters era seu amigo —, não ia começar a fazer isso naquele dia. No início do *Onze e Meia* nós também dávamos bastante tempo pro monólogo de abertura, mas a força dele está nos comentários dos assuntos quentes, só possíveis em programas diários (não era o nosso caso, pois não tínhamos um estúdio diariamente à disposição), e assim a ênfase no monólogo inicial diminuiu.

Eu precisava de um diretor com cabeça de jornalista, mas disposto a fazer algo novo inspirando-se nas heranças do Silveira Sampaio e do Johnny Carson. Aí me lembrei de uma das grandes jornalistas da Globo, a Diléa Frate. Ela havia sido demitida por ter participado de uma greve e estava trabalhando numa ONG de ecologia. Diléa topou se juntar ao grupo. Seu talento e sua experiência no jornalismo de televisão e em lançar programas foram fundamentais pra dar consistência ao *Onze e Meia*. Em vez de seguirmos o modelo convencional e convidarmos uma grande celebridade ou um político importante para a entrevista de estreia, optamos por alguém que pudesse fixar o tom bem-humorado do programa. Havia uma atriz de filmes pornô candidata a vereadora em São Paulo chamada Maria Aparecida Paes da Silva, cujo nome artístico era Makerley Reis. Ela ficara famosa por mostrar os seios durante uma entrevista do Leonel Brizola. Ao final da nossa conversa que inaugurava o *Jô Soares Onze e Meia*, Makerley fez um strip-tease. O marido dela estava na plateia. Um dos câmeras tinha feito um close dele e a Diléa falou na hora: "Vamos colocar o letreiro: 'O marido'". Bingo. Ao vermos emocionadíssimos pela primeira vez o resultado final do trabalho, a Diléa gritou:

— Esse programa já emplacou!

Bendita profecia. No dia 16 de agosto de 1988, a atriz da Boca do Lixo foi a primeira de 6684 entrevistas do *Jô Soares Onze e Meia*, que ficou em cartaz por onze anos no SBT.

Além de acertar no tom das entrevistas, outra coisa me preocupava: o tratamento que eu daria aos convidados. Eu não me sentia bem com a ideia de chamar uma autoridade de "senhor" ou de "doutor" e chamar um engraxate de "você" — o programa se propunha a falar com todo tipo de gente, seguindo um pouco a fórmula de conversar sobre coisas comuns com pessoas extraordinárias e sobre coisas extraordinárias com pessoas comuns. Seria desigual, elitista, desumano aquela diferença de tratamento. Então resolvi chamar todo mundo de "você", mencionando a posição: "Senador, você...; Presidente, você...". Entrevistei o dr. Otávio Gouveia de Bulhões, figura histórica e importante da nossa economia, já com idade avançada. No outro dia, o Otto Lara me liga dizendo:

— Jô, você não pode fazer isso, você tem que tratar um homem como o doutor Bulhões de "senhor". Ele tem uma vida que merece respeito.

— Otto, eu não acho que seria justo com os outros convidados, penso que devo dar o mesmo tratamento a todos.

Mas aquilo ficou me incomodando. Pouco depois, entrevistei o Luís Carlos Prestes, o Cavaleiro da Esperança. Ele tinha noventa anos, mas estava inteiro, animado, lúcido. Fui chamando ele de "você" desde o início. No começo ele estranhou um pouco, mas, vendo que eu o tratava com o maior respeito, a conversa fluiu maravilhosamente, é uma das entrevistas históricas. Acabado o programa, o Otto me liga novamente:

— Dou a mão à palmatória. Pode chamar todo mundo de "você". Nunca vi o Prestes tão à vontade em toda a minha vida.

O Boni não perdeu tempo pra retaliar. Cancelou dois especiais de fim de ano (1987) do *Viva o Gordo* e cortou a minha charge, como era chamado o meu comentário no *Jornal da Globo* (tinha sido uma ideia antiga da Diléa, aprovada pelo Armando Nogueira), quase sempre um comentário de natureza política. Fez mais: não autorizou mais nenhum anúncio na Globo com imagens minhas e tirou do ar as chamadas do meu novo show. Na época, eu escrevia uma coluna pro *Jornal do Brasil*, a convite do brilhante jornalista Marcos Sá Corrêa. No sábado, dia 30 de abril de 1988, sob o título "Agora, falando sério", publiquei o seguinte texto autoexplicativo no jornal carioca:

Em 1947, os grandes produtores de Hollywood se reuniram no Hotel Waldorf Astoria, em Nova York, e resolveram que artistas com tendências políticas em desacordo com seu ideário não trabalhariam mais em filmes. Surgia a "LISTA NEGRA" e a consequente "caça às bruxas". Em pouco tempo, não somente liberais ou radicais eram perseguidos. Qualquer artista que desagradasse aos chefes de estúdio era listado e não conseguia mais trabalho.

Com um impecável senso de oportunidade, a TV Globo escolheu exatamente o momento da Constituinte no Brasil para inaugurar sua "LISTA NEGRA". Quem sair da emissora, sem ter sido mandado embora, corre o risco de não poder mais trabalhar em comerciais, sob a ameaça de que estes não serão lá veiculados. Como a rede detém quase que o monopólio do mercado, os anunciantes não ousam nem pensar em artistas que possam desagradá-la.

Neste ponto, alguém pode achar que estou falando por interesse pessoal. Garanto que não. Não falo pelo fato dos meus comerciais não poderem ser exibidos, nem pelo fato mais recente das chamadas pagas do meu novo espetáculo no Scala 2, *O gordo ao vivo!* terem sido proibidas. Sou um artista muito bem remunerado e meus espetáculos têm outros meios de divulgação. Graças a Deus, meus shows de humor já lotavam teatros antes que eu fosse para a Globo. Que as chamadas do *O gordo ao vivo!* não passariam na emissora, eu já sabia desde outubro, pelo próprio Boni, que me disse, em sua sala, quando fui me despedir: "Já mandei tirar todos os teus comerciais do ar. Chamadas do teu novo show no Scala 2, também esquece, e estou vendo como te proibir de usar a palavra 'gordo'". Claro que esta última ameaça ficou meio difícil de cumprir. A megalomania ainda não é lei fora da Globo.

Logo, não é por isso que escrevo, pela primeira vez, sobre este assunto. Saí da Globo, onde conservo grandes amigos, com a maior lisura e nunca me aproveitei deste espaço ou de nenhum espaço em causa própria. Escrevo, isto sim, porque atores que trabalham no meu programa, como Eliezer Motta e como Nina de Pádua, foram vetados em comerciais. As agências foram informadas, não oficialmente, é claro, como aliás acontece em todas as "LISTAS NEGRAS", que as suas participações não seriam aceitas.

É triste que neste momento, em que se escreve diariamente a Democracia no Congresso, uma empresa que é concessão do Estado cerceie impunemente o trabalho do artista brasileiro, de um modo geral já tão mal remunerado.

Finalmente, eu gostaria de dizer que Silvio Santos foi tremendamente injusto quando chamou Boni, numa entrevista, de "office boy de luxo". Nenhum office boy consegue guardar tanto rancor no coração.

Foi um deus nos acuda. O Roberto Marinho pediu explicações internas e me convidou pra jantar, pra demonstrar que não haveria nenhuma perseguição contra mim na Globo. Como amigo fraterno, o Bonifácio me pediu desculpas. Finalmente, caía a ficha: eu havia feito uma opção profissional, não havia nada de pessoal contra ele ou contra a emissora. Um ano depois, o Boni me chamou e disse:

— Gordinho, tá na hora de você voltar. Agora temos espaço na grade pra colocar o seu programa de entrevistas.

— Mas, Bonifácio, eu acabei de me mudar pro sbt, eu não posso largar o Silvio na mão.

— Isso é problema dele.

— É, mas eu assimilei o problema dele, não tem como eu sair agora.

O Silvio Santos tinha uma bronca danada do Boni. Ele teve um problema grave nas cordas vocais, ficou ameaçado de não conseguir mais fazer seu programa aos domingos e o único cara que ele achava que poderia substituí-lo era o Gugu Liberato, que estava na Globo. Ele foi até o Boni disposto a pagar a multa de rescisão do contrato do Gugu, uma fortuna, mas o Boni não topou. O Silvio recorreu ao Roberto Marinho e ele, generosamente, aceitou a proposta do seu mais sério concorrente até então.

Eu estava preparando os meus programas no SBT, quando recebi um telefonema do Boni:

— Gordinho, tudo bem? Nas coisas que você nos devolveu estão faltando duas sungas. Tinha duas que você usava quando fazia o Capitão Gay, mas estão faltando.

— Ô Bonifácio, eu não estou entendendo. Você me ligou pra dizer que estão faltando duas sungas no figurino do programa?

— Sim, você tem que devolver as sungas. Não sou eu. Foi o doutor Roberto que fez um inventário no depósito dos figurinos e deu falta das sungas.

— Boni, eu adoro trotes, mas não estou vendo muita graça neste.

— Me perdoe, meu gordinho, você há de imaginar que não sou eu. Mas você precisa devolver as sungas.

— Claro, isso é a cara do doutor Roberto, ele está sem o que fazer, então vai lá conferir os figurinos e confere até as sungas. Vou checar nas minhas coisas que vieram da Globo e, se as sungas não estiverem no meio delas, eu pago.

Desliguei e, ainda sem acreditar no que tinha ouvido, procurei entre as minhas coisas que vieram da Globo e encontrei uma das sungas. Da outra, nem sinal. Pedi pra verem o preço da sunga mais cara de São Paulo, preenchi um cheque com o valor dobrado e mandei pro Boni junto com a sunga encontrada. Escrevi um bilhete educado, dizendo que esperava que o prejuízo não tivesse sido muito grande pra Rede Globo. A partir daí, passei a colocar em contrato que todas as roupas que eu usasse nos programas seriam pagas pelas emissoras.

Depois que o *Onze e Meia* estreou no SBT, continuavam os rumores de que o Boni estava furioso comigo. Provando que não era verdade, ele me mandou flores na minha estreia no Scala, dizendo que eu continuava morando no seu coração. Eu sabia que sim, mas humorista nunca deixa passar uma oportunidade. Então eu dizia no show:

— Gente, não há nada disso. Nós somos irmãos e o Boni é um gentleman. Na estreia, me mandou até flores… carnívoras.

A plateia ia ao delírio.

Mas ele reúne genialidade e generosidade, eis a verdade. Sou testemunha das duas coisas. O queridíssimo Walter Clark teve um final de vida muito triste e estava ressentido, dizendo que o Boni era o responsável pela sua demissão da Globo. Morreu sem saber que, no fim da sua vida, o Bonifácio pagou secretamente todas as despesas dele.

Quando entrei pra gravar o primeiro *Onze e Meia*, me deu uma nostalgia danada. Ele ficava no prédio da antiga tv Tupi, no bairro do Sumaré, em São Paulo, lugar que frequentei muito no início da minha carreira e onde trabalhavam grandes amigos. Lembrei de uma história contada pelo Plínio Marcos, que tinha trabalhado lá como contrarregra e ator. Um dos programas mais longevos gravados ali foi *Almoço com as Estrelas*, levado ao ar todos os sábados, com apresentação do casal Aírton e Lolita Rodrigues. Como a audiência não andava muito boa, resolveram lançar um concurso pra eleger o melhor cuscuz paulista — prato mais tradicional da culinária da cidade. Fizeram um monte de chamadas durante o programa, anunciando o concurso pra semana seguinte. Resultado: na madrugada do sábado, começaram a chegar ao estúdio da emissora dezenas e dezenas de pessoas trazendo pratos com o cuscuz que cada uma delas tinha certeza que era o melhor de São Paulo. Às seis da manhã a fila dava voltas pelo bairro.

Entre os convidados do *Almoço com as Estrelas* daquele sábado, estavam a atriz Maria della Costa e o cantor Carlos Galhardo. As pessoas entravam com seu cuscuz, e ele era provado pelos convidados. Mesmo depois de o programa ter começado, a fila de candidatos lá fora continuava aumentando. Quando chegou o quinto cuscuz, a Maria della Costa disse que não aguentava mais. Estavam todos maravilhosos, era difícil dizer qual era o melhor, mas pra ela bastava. Ali pelo oitavo cuscuz, o Carlos Galhardo disse: "Olha, eu já estou com quase oitenta anos, tenho que cantar hoje à noite num show no interior, não dá mais pra mim também". E encerrou sua participação como jurado do concurso. No 12º cuscuz, os outros convidados também pararam de comer. Houve um corre-corre na produção do programa, que passou ao Aírton um papel. Ele disfarçou um pouco, leu o bilhete, tomou fôlego e anunciou:

— Senhoras e senhores, fizemos uma pequena modificação no nosso concurso de cuscuz. Agora não vamos mais julgar o melhor pelo sabor, mas sim pela aparência! Vai levar o prêmio o cuscuz mais bonito de São Paulo!

Quando a informação correu pela fila do cuscuz, se ouviu um murmurar de reclamações:

— Mas se eu soubesse que era pela aparência, eu teria caprichado lá em casa!

— Mas vão julgar um prato pela aparência? Quem se preocupa com aparência?

— Assim não dá, se eu soubesse eu teria colocado mais camarões no arranjo do meu prato…

O diz que diz se transformou em uma onda de protestos. Os participantes não aceitavam a mudança de última hora na regra do concurso.

O Aírton e a Lolita insistiam:

— O concurso é um grande sucesso, obrigado a todos, mas não dá para os nossos jurados experimentarem todos. Pedimos milhões de desculpas.

Aí a revolta explodiu:

— Televisão de merda! Isso é sacanagem!

— Enfia o cuscuz no cu!

Então um dos participantes mais revoltados não se conteve e jogou seu prato de cuscuz na fachada da TV Tupi. A partir daí a situação se descontrolou de vez e todos na fila passaram a atirar com raiva o cuscuz preparado com todo carinho nas paredes da emissora. Naquele sábado, o prédio inteiro da Tupi ganhou uma nova cor, a cor de tijolo avermelhado do prato.

Foi a primeira vez que choveu cuscuz na Pauliceia.

# XI

Em 1988, o Brasil ansiava por mudanças, e o olho do furacão dessas mudanças estava na Assembleia Constituinte, uma arena de debates de interesses de todos os tamanhos e tipos — precisávamos restabelecer plenamente a democracia, pagar a enorme dívida social, modernizar o país. De certa maneira, São Paulo era o centro da abertura política. No começo da década, o PT foi fundado ao lado da minha casa, na área imensa de arquitetura eclética do Colégio Nossa Senhora de Sion, cuja construção se iniciou em 1901. Ali estudaram as meninas da elite paulistana do século XX, na avenida Higienópolis dos casarões dos barões do café. Tucanos proeminentes que fundaram o PSDB, como Fernando Henrique Cardoso — também meu vizinho — e Mário Covas, vinham de São Paulo. O político mais importante no processo de abertura, desde a anticandidatura em 1973, era um paulista de Rio Claro, Ulysses Guimarães, presidente da Câmara — e por isso o segundo na linha de sucessão da Presidência da República —, presidente da Constituinte e presidente do maior partido do país, o PMDB.

Na imprensa, as mudanças na *Folha de S.Paulo* fixavam novos padrões jornalísticos no país, a *Veja* lançava a chamada *Vejinha* (*Veja São Paulo*), pra refletir a pujança crescente da capital paulista no setor de serviços. O Nilton Travesso e a Globo paulistana haviam criado o formato de televisão da manhã com o *TV Mulher*, que lançou outra amiga, Marília Gabriela, uma das melhores, senão a melhor, entrevistadoras do país. Ainda na TV aberta, no SBT Boris Casoy introduzia o conceito de âncora — um comentarista e não apenas um leitor de notícias — na apresentação dos telejornais. Surgiram ainda experiências inovadoras na televisão, feitas por grupos de jovens como o futuro cineasta Fernando Meirelles, Marcelo Tas (e seu repórter Ernesto Varela) e Serginho Groisman. Na TV Cultura, dois Robertos, o Muylaert (com quem escrevi o livro *A Copa que ninguém viu e a que não queremos lembrar*, junto com o Armando Nogueira) e o de Oliveira, criaram programas históricos como o infantil *Rá-Tim-Bum* e o *Roda Viva* (onde fui entrevistado quatro vezes). Na Bandeirantes, o Faustão detonava com o *Perdidos na noite*. No rádio, Osmar Santos, o "pai da matéria", o "locutor das diretas", revolucionava as transmissões de futebol. Infelizmente, sua carreira seria interrompida de maneira prematura, por causa de um acidente de carro. São Paulo também fervilhava em outros setores: Rogério Fasano, com o Fasaninho da rua Amauri, inaugurava uma nova época para a gastronomia em São Paulo; na publicidade, Washington Olivetto lançava sua própria agência (com a presença do Nizan Guanaes); no 150 do hotel Maksoud Plaza, se podia ouvir Frank Sinatra, Alberta Hunter, Carmen McRae, Bobby Short, Benny Carter, George Shearing, Michel Legrand e muitos outros. A inauguração do Sesc Pompeia, projetado por Lina Bo Bardi, trazia uma nova vitalidade ao conceito de centros culturais. O teatro renasceu na capital paulista com uma força impressionante, com Naum Alves de Souza, Antunes Filho, Maria Adelaide Amaral, o grupo Ornitorrinco, Gabriel Villela, a Companhia de Ópera Seca, com Gerald Thomas ao lado do espantoso talento da Daniela, filha do Ziraldo, que carreguei nos ombros em brincadeiras de piscina quando ainda era menina. Nascia uma editora inovadora, sacudindo o mercado de livros no Brasil, a Companhia das Letras.

São Paulo era novamente *o* lugar. O ambiente da cidade parecia feito sob encomenda pro lançamento de um talk show diário (no início seria apenas de terça a sexta-feira, pois eu fazia o programa *Veja o Gordo* às segundas). Um talk show precisa ter uma oferta abundante de possíveis entrevistados, e fervilhavam nomes de pessoas fazendo coisas curiosas e interessantes. Vivíamos o nosso renascimento artístico, cultural e comportamental. Me orgulho de ter dado a minha contribuição e de ter feito algo acolhido com raro carinho pelo público brasileiro — passou-se a dizer que as pessoas iam pra cama com o Gordo. Guardo até hoje um símbolo dessa época: uma das primeiras cópias do texto final da Constituição, antes de ser impressa no "livrinho", como a chamava o presidente general Dutra, que me foi levada autografada pelo relator da Constituinte, o senador Bernardo Cabral.

Flávio Rangel ia dirigir *O gordo ao vivo!* (1988), mas ele já estava muito doente, então me ajudou o quanto pôde. Bolei um número no qual, do palco, eu telefonaria pra amigos das pessoas da plateia e passaria um trote. Depois de ler o texto do espetáculo, o Flávio me disse:

— Eu adorei tudo, só tem uma coisa que não vai funcionar: é esse número aqui do trote. Você vai se arriscar muito e pode não render nada. As pessoas podem não achar engraçado você passar trote num desconhecido.

— Flávio, querido, vai funcionar, sim. Por isso é o quadro que fecha o show.

Nós começamos a fazer as leituras, mas um dia a mulher dele, a atriz Ariclê Perez, ligou dizendo que ele não aguentava mais, que não estava se levantando da cama. Perdemos prematuramente um ótimo diretor de teatro, e o Flávio Rangel não pôde desfrutar do momento de plena liberdade pelo qual lutou tanto.

Uma pessoa da plateia me passou o telefone de uma amiga dela chamada Vera. Inventei que ela tinha um cãozinho, mas morava num prédio em que eles eram proibidos. Liguei, fazendo uma voz grave:

— Aqui é o doutor Aristides...

— Ah, pois não.

— Eu sou seu vizinho aqui de baixo. Eu sou médico, preciso acordar às cinco horas da manhã e não estou conseguindo dormir com esses latidos.

— Meu amigo, eu não tenho cachorro. Aliás, eu não sei se o senhor sabe, é proibido ter cachorro no prédio.

— Eu sei, minha senhora, mas além de ser irregular...

— Mas eu estou dizendo que eu não tenho cachorro!

— Não só a senhora tem um, mas eu sei que a senhora está montando um canil no apartamento.

— Eu não tenho cachorro, eu não tenho canil coisa nenhuma! Quem foi que inventou essa história?

— Foi o porteiro...

— Quem, o Pedro?

— Exatamente, o Pedro. Eu liguei pra portaria e perguntei de onde vinham os latidos. Ele me disse que era uma criação de cachorros da gostosa da cobertura do prédio.

— Ele falou isso, gostosa?

— Por quê? A senhora não é gostosa?

A plateia se esbodegava de tanto rir. Fui levando a coitada da Vera à loucura. Ela passou a me xingar aos berros, até que uma hora eu disse: "Você me desculpe, é o Jô Soares. Estou passando um trote aqui do meu espetáculo. Quem me deu seu telefone foi sua amiga Fulana, ela está aqui na plateia morrendo de rir".

— Ela vai me pagar! Que vergonha que eu estou passando...

O número dava tão certo que eu precisava me controlar pra não estourar o tempo do espetáculo. Todo mundo pedia pra eu ligar pra alguém. A plateia virava criança. Numa noite telefonei pra uma médica, dizendo que era do Instituto Médico Legal. Dessa vez fiz um tipo bem popular, falando um português não muito correto:

— Aqui é do IML, a senhora é a doutora Fulana de Tal?

— Eu mesma.

— Pois é, tem um anão morto aqui que estava com o seu telefone na carteira.

— Que anão morto?

— A senhora não é a doutora Fulana de Tal? Este não é o seu número? Então é a senhora mesmo.

— Mas eu não conheço nenhum anão!

— A senhora não tem um paciente anão?

— Não, já disse que não tenho!

— A senhora tem que arrumar um jeito de tirar esse corpo daqui…

A médica, exasperada, gritou:

— Sabe o que o senhor faz com ele?

— O quê?

— Enfia ele no cu!

E bateu o telefone. As pessoas gargalhavam. Aí liguei de novo, ela atendeu toda brava. Eu disse:

— Doutora, aqui é o Jô Soares, tem mil pessoas aqui no teatro agora, ouvindo a nossa conversa. Foi o seu amigo médico, o doutor Luciano, que me deu seu telefone…

— Eu mato ele! Eu mato! — E caía na gargalhada.

Em São Paulo, liguei uma vez pra uma senhora, moradora do bairro do Butantã.

— Eu estou ligando aqui do Instituto Butantã pra alertar a vizinhança que fugiram três cobras esta tarde, duas cascavéis e uma jararaca. É um serviço de prevenção que estamos prestando.

— Meu senhor, o que eu vou fazer?

— Olha, as cascavéis a senhora pode matar, que aqui já tem muitas, mas a jararaca só tem essa. Não pode matar. É contra a lei ambiental.

— Mas é um perigo, vocês precisam pegar essas cobras já!

— O pior, minha senhora — e eu só estou dizendo pra senhora, não espalhe pra ninguém pra não gerar pânico —, é que no momento estamos sem equipe pra ir atrás das cobras.

— Mas eu moro com a minha mãe, ela já é de muita idade…

— Onde ela está?

— Agora ela está tomando banho…

— Manda ela desligar o chuveiro imediatamente e sair do banheiro. Jararaca adora lugar úmido. Ela sempre vai atrás de queda d'água.

Ela ficou tão nervosa que terminei o número rapidamente. Depois ela disse:

— Jô, você quer me matar do coração? Eu tenho pânico de cobra!

— Eu sei. Sua amiga que passou o seu número me contou…

Anos depois, esse número virou atração nas rádios e, com as melhorias nos sistemas telefônicos, chegou inclusive às ligações internacionais.

O *Jô Soares Onze e Meia* estava no ar havia cerca de um ano, quando Silvio Santos resolveu se candidatar a presidente da República. As pretensões do robusto mineiro e ex-vice-presidente Aureliano Chaves (um dos bordões de sucesso no *Viva o Gordo* era assim: "Vice não fala, tirante o Aureliano, que fala, vice não fala") à sucessão de José Sarney, nas primeiras eleições presidenciais desde o golpe de 1964 aberta a todas as cidadãs e todos os cidadãos brasileiros em condições de votar, chafurdavam nas proximidades do zero nas pesquisas eleitorais. Então alguns medalhões de seu partido, o PFL (que se transmutaria no DEM), sondaram o dono do SBT na tentativa de substituir Aureliano. Mas este não abriu mão de sua postulação e foi um candidato fantasma até o final (teve consagradores 0,83% dos votos). Certa vez, vi o meu amigo Marcelo Tas, como o genial repórter Ernesto Varela, abordando o então candidato Aureliano no Congresso Nacional e perguntando de supetão:

— O senhor gosta de som *heavy metal*?

O Aureliano respondeu na hora:

— Todos nós gostamos de um bom som.

Silvio Santos, no entanto, havia sido picado pela mosca azul. A candidatura do dono do SBT pegou todo mundo de surpresa, pois ele vinha negando sistematicamente ter pretensões políticas ("Não votem no Silvio Santos nem em quem ele apontar, porque o Silvio Santos vai estar tapeando vocês", ele disse no seu programa de televisão). Em cima da hora, arrumou um partido pequeno, se filiou e lançou ruidosamente sua candidatura, virando de ponta-cabeça as pesquisas eleitorais. Pra nós e pro *TJ Brasil*, que tinha ido ao ar pela primeira vez em 29 de agosto de 1988, ancorado pelo Boris Casoy, a presença em palanques do dono do canal era um risco enorme. As duas atrações se baseavam na independência editorial e política — prometida a nós quando fomos pro SBT. O canal estava conquistando boa audiência (era o segundo lugar e fazíamos uma brincadeira na abertura do *Onze e Meia*. A voz em off chamava o programa dizendo: "Vem aí mais um vice-campeão de audiência"). O programa tinha prestígio e público qualificado, coisas que os anunciantes procuravam e que nós estávamos entregando.

A campanha do Silvio tinha uma particularidade interessante: como ele entrou tardiamente na disputa, seu nome não apareceria na cédula no dia da eleição. Ao lado do número 26 estava o nome Corrêa, de Armando Corrêa, o candidato que havia sido registrado pelo Partido Municipalista Brasileiro. Silvio Santos usava então toda a sua habilidade de comunicador pra, didaticamente, ensinar o eleitor a procurar o número 26 na cédula (o jingle da campanha cantava "Ééé o vinte e seis/ com Silvio Santos chegou a nossa vez"). Pra alívio da nossa produção e do jornalismo do SBT daquela época, o Tribunal Superior Eleitoral impugnou (ele não havia se desligado da direção da rede de TV, uma concessão pública, no prazo previsto pela legislação), a uma semana da eleição, por unanimidade, a candidatura do Silvio. E fez um bem tremendo pra vida, pra carreira de apresentador e pro empresário Silvio Santos. Ele pôde continuar fazendo o que realmente lhe dá imensa alegria.

Nossos temores foram infundados. Silvio e o sobrinho dele Guilherme Stoliar, vice-presidente responsável pelo dia a dia do canal, jamais me obrigaram a entrevistar no *Jô Soares Onze e Meia* alguém que eu não quisesse, ao passo que eu certamente levei ao programa um monte de pessoas que talvez eles preferissem não ver no SBT. O senador Marcondes Gadelha havia aceitado ser o vice na chapa de Silvio Santos e ele, agradecido, me ligou pedindo que eu o levasse ao *Onze e Meia*. Respondi:

— Silvio, vai ficar ruim para mim, para você e para o senador.

— Por quê?

— Porque vai ficar evidente que se está acertando uma dívida política, já que não há qualquer motivo pra entrevistar o Gadelha.

— É, você tem razão. Tá bom. Eu entrevisto no meu programa mesmo, e ele fica satisfeito — encerrou o Silvio.

(Transcrevo o diálogo como ele aparece no livro *Notícias do Planalto*, do Mario Sergio Conti, uma obra esclarecedora dos bastidores do período complexo que vai da eleição presidencial de 1989 até o impeachment do presidente Collor em 1992. O livro é um documento imperdível sobre esse período da história do Brasil.)

Sem o Silvio Santos, a primeira eleição para presidente em quase trinta anos teve 21 candidatos. Como o mandato de José Sarney era de cinco anos, foi um pleito descasado do de senadores, governadores e deputados. Havia nomes importantes e históricos no processo de redemocratização, como Leonel Brizola (PDT), Ulysses Guimarães (PMDB), Mário Covas (PSDB), Roberto Freire (PCB) e Fernando Gabeira (PV); disputando os votos mais à direita estavam Paulo Maluf (PDS), Guilherme Afif Domingos (PL), Aureliano Chaves (PFL) e Ronaldo Caiado (PSD). Entre os muitos candidatos dos partidos nanicos, um sempre fazia sucesso quando ia ao meu programa, o cardiologista Enéas Ferreira Carneiro ("Meu nome é Enéas!"), do Prona (Partido de Reedificação da Ordem Nacional). Nos propusemos a entrevistar todos os candidatos.

Entrevistei Fernando Collor de Mello duas vezes — e em nenhuma delas a coisa andou bem. Ele declarara ser meu amigo, o que não era verdade. Antes das entrevistas, eu só o tinha encontrado uma vez, na praia de Maceió, quando Collor era prefeito e eu fui passar uns dias lá com a Sylvia Bandeira. Mario Sergio Conti, na época do impeachment diretor de redação da *Veja*, escreveu que as entrevistas não foram favoráveis ao Collor. Em dado momento, tive de chamar a atenção do Collor pra que ele conversasse comigo e não com a câmera, afinal o programa era meu, e não um horário eleitoral gratuito. Além disso, como no *Onze e Meia* o enquadramento era feito mais em cima da dupla — e não em close-ups do entrevistador e do entrevistado separadamente —, se os dois ficassem olhando pra câmera ia ficar parecendo conversa de cego. Eu perguntei a ele como um caçador de marajás, o mote de sua campanha, tinha votado no Maluf no colégio eleitoral que elegeu Tancredo Neves. Perguntei também se havia sido seminarista e ele respondeu:

— Fomos.

— Fomos como? Eu nunca fui. Você já está usando o plural majestático?

Não consegui entrevistar o Lula. Em cima da hora, no dia marcado pra ele ir ao programa, recebo um recado de seu assessor de imprensa, Ricardo Kotscho, dizendo que ele havia feito um comício, estava muito cansado e não iria. Fomos pegos de surpresa e aí resolvi entrevistar o Felipe, o primeiro garçom do programa e primo do Alex, o garçom que ficaria comigo até o final do talk show na Globo, em 2016. Eu disse:

— Bom já que o representante dos trabalhadores não veio, vou entrevistar um trabalhador que trabalha. Felipe, senta aqui.

Ele deu uma ótima entrevista. O chileno Felipe era engraçado, um comediante. Morreu de maneira trágica: saiu pra comprar uma pizza e foi assaltado. "Por favor, eu tenho filhos", ele implorava, mas tomou quatro facadas. Fiquei sabendo depois que os assassinos dele foram mortos na cadeia — talvez por Felipe ser tão querido. O Alex tinha vindo do Chile e morava na casa dele.

Logo depois de assumir a Presidência, em março de 1990, Collor e sua ministra da Economia, Zélia Cardoso de Mello, foram à televisão anunciar que iriam congelar todos os depósitos dos brasileiros em conta corrente e em poupança. Foi uma das medidas econômicas mais violentas da história. Fiquei indignado e fui pra porta de uma agência bancária protestar. Isso não me impediu de, em novembro, entrevistar a ministra com a maior cordialidade e deixar que ela explicasse o que estava fazendo com a nossa economia. No dia 23 de maio de 1990, os leitores da coluna do Zózimo, no *Jornal do Brasil*, puderam ler a seguinte nota sob o título "Harmonia":

> Desde o início do governo nunca foi tão harmonioso o relacionamento dos ministérios da Justiça e da Economia.
>
> Os ares primaveris de Nova York ajudaram a desanuviar o ambiente entre seus titulares Bernardo Cabral e Zélia Cardoso de Mello e tornar mais estreitas as relações entre os dois principais pilares do governo Collor.

O Zózimo Barroso do Amaral deu o furo: os dois ministros haviam se envolvido amorosamente. "Isso é nitroglicerina pura", declarou Collor ao ser informado. E era mesmo: em setembro, o jornal *O Estado de S. Paulo* revelou na primeira página que, na festa de aniversário de Zélia, os dois ministros dançaram o bolero "Besame mucho" por quinze minutos. Eu não poderia deixar de explorar humoristicamente o affair, e sempre fazia brincadeiras sobre ele no programa. Diante da repercussão do caso, Bernardo Cabral renunciou ao Ministério da Justiça. Um fim de semana, eu e a Flavinha estávamos na casa de Itaipava quando fomos avisados de que o senador Bernardo Cabral estava ao telefone. Achei estranho ele ter o número da casa, a Flavinha fez uma careta, mas fui lá atendê-lo.

— Jô, preciso muito falar com você. Vou aí almoçar com você amanhã.

— Mas eu estou aqui na minha casa perto de Petrópolis.

— Melhor ainda, vamos ter mais tempo pra conversar. Vou com a Zuleide.

Zuleide era a mulher do Cabral, ele parecia gostar da letra Z. Tentei postergar, mas como ele insistiu marquei o almoço pro dia seguinte. A Flávia ficou furiosa, fazia gestos com a mão e gritava pra mim, enquanto eu estava ao telefone:

— Não! Nãão!! Nãããon!!!

Não teve jeito. No outro dia, depois do almoço, cafezinho na sala. Tinha sido um almoço embaraçoso, não havia intimidade nem afinidades entre nós. A Zuleide parecia uma deusa inca, inabalável, digna, olhar altivo (por trás do qual eu vislumbrava uma sombra do orgulho ferido). Uma postura irretocável, impassível, enquanto o marido dizia pra Flávia e pra mim:

— Zuleide… o que esta mulher sofreu injustamente. Foram páginas e páginas de calúnias contra mim, e ela suportou tudo. Eu não sou digno de ter uma mulher como essa na minha vida.

Enquanto ele falava, eu pensava: "Não acredito que esse homem vai fazer a mulher passar por mais uma humilhação, aqui na nossa casa". Quanto mais ele falava, mais constrangedor ia ficando o ambiente na casa de Itaipava. A Flávia arrumou um jeito de ficar por trás dele no sofá e gesticulava pra eu cortar a conversa. Cabral seguia na ladainha:

— Eu faço questão de registrar que a minha biografia é impecável. Trabalhei muito desde cedo para construir uma história de vida limpa e honesta, e agora tive meu nome manchado por inverdades. Nada eu faria para macular a minha biografia.

Aí ele deu o fecho de ouro na encenação:

— Zuleide é lady até no nome.

Até hoje não entendi o que ele queria de mim. A própria Zélia, que depois viria a se casar com o Chico Anysio, conta que Cabral a cortejou e que tiveram um romance no livro-depoimento do Fernando Sabino *Zélia, uma paixão*.

Certa vez, o Bernardo Cabral não gostou de alguma coisa dita no *Jô Soares Onze e Meia* e pediu direito de resposta. Eu disse: "Senador, o senhor não precisa de direito de resposta, o senhor é nosso convidado". Quando Cabral contou pro ministro das Comunicações Antônio Carlos Magalhães que iria ao programa por causa de um pedido de direito de resposta, o político baiano disse:

— Vai... e vai se foder.

De volta a Brasília, Bernardo cruza com o Toninho Malvadeza, apelido do Antônio Carlos na Bahia, que diz pra ele:

— Foi e se fodeu.

O Zózimo foi um colunista como não houve outro igual. Bem informado, bon vivant, era imbatível na qualidade e na clareza do texto, na elegância, na ironia e no humor. Em 1969, com o título "O 'coq'", ele publicou a seguinte nota sobre a festa que *O Pasquim* deu para a edição que alcançou a tiragem de 100 mil exemplares, a mesma em que saiu meu texto "A cama", que gerou o processo do Buzaid. É impossível resumir ou parafrasear o estilo do Zózimo, por isso reproduzo a nota na íntegra:

Já houve quem tentasse (sem sucesso) descrever o monumental coquetel dos 100 mil oferecido pelo *O Pasquim*. Impossível tentar descrever o indescritível. Apenas para os leitores terem uma ideia do surrealismo da noite basta dizer que o colunista Tarso de Castro quebrou duas garrafas de scotch (scotch no duro) cheinhas e nada lhe aconteceu.

E já que mostrei ser impossível falar no coquetel propriamente dito vou resumir o meu relato ao balanço das vítimas do mar de álcool que quase fazia submergir a singela população da rua do Resende.

Das vítimas, a maior de todas foi Carlos Leonam, que num acesso de euforia ao chegar em casa pós-festa, tocou fogo no próprio apartamento quando tentava cozinhar um espaguete.

Leopoldo Adour Câmara quebrou a cabeça quando uma porta mais afoita resolveu cortar-lhe a frente interrompendo sua sinuosa trajetória.

A um canto, onde permaneceu durante todo o tempo, Jô Soares, encostado na parede, impedia que a casa desabasse. Felizmente, ele foi o último a sair, o que permitiu que todos os convidados deixassem o solar do Resende sãos e salvos.

Um outro convidado, que me pediu pelo amor de Deus para não citar seu nome, até hoje não conseguiu reunir coragem suficiente para perguntar à sua mulher com quem estava, qual o itinerário que escolheu pra chegar de volta a sua casa; se a cidade, o túnel Catumbi-Laranjeiras ou o Rebouças.

Para rematar: comentava-se à boca pequena durante o coquetel que dias de intenso labor esperam a aguerrida turma de *O Pasquim*. Todo o lucro proporcionado pelo jornal através dos seus suados 20 primeiros números havia sido consumido no magnífico rega-bofe...

Zózimo ainda escreveria uma das melhores notas já dadas sobre o meu talk show:

Já está devidamente acomodada na antologia do programa de TV *Jô Soares Onze e Meia* a entrevista dada ao humorista pelo socialite Chiquinho Scarpa.

A uma pergunta sobre como ele se autodefiniria, Scarpa foi fundo:

— Sou uma pessoa simples, que não bebe, não fuma, quase não sai à noite e raramente troca o tênis e o jeans por uma gravata.

Sem chegar a ser cruel, Jô foi implacável:

— Então quem é aquele sacana que eu encontro toda noite no Gallery de smoking, Rolls-Royce na porta, cigarro na mão, champagne na mesa, uma loura do lado, se fazendo passar por você?

Em 1992, quando o país inteiro pintou a cara de verde e amarelo pra exigir a saída do Collor da Presidência, o *Jô Soares Onze e Meia* foi chamado de "sucursal noturna do impeachment". O despudor, a arrogância, a ostentação e as atividades ilícitas do período Collor foram acompanhados também na minha coluna de humor na *Veja*. Alguns desses textos foram aproveitados no livro *Humor nos tempos do Collor* (o título é uma brincadeira com *O amor nos tempos do cólera*, de Gabriel García Márquez), uma antologia de textos do Millôr, do Verissimo e meus sobre o período, publicada pela L&PM.

Collor ficara particularmente irritado com a paródia do poema "Canção do exílio", do Gonçalves Dias, que fiz na minha coluna, brincando com a sua morada em Brasília, a Casa da Dinda. O título era "Canção do exílio às avessas":

*Minha Dinda tem cascatas*
*Onde canta o curió*
*Não permita Deus que eu tenha*
*De voltar pra Maceió.*
*Minha Dinda tem coqueiros*
*Da Ilha de Marajó*
*As aves, aqui, gorjeiam*
*Não fazem cocoricó.*

*O meu céu tem mais estrelas*
*Minha várzea tem mais cores.*
*Este bosque reduzido*
*deve ter custado horrores.*
*E depois de tanta planta,*
*Orquídea, fruta e cipó,*
*Não permita Deus que eu tenha*
*De voltar pra Maceió.*

*Minha Dinda tem piscina,*
*Heliporto e tem jardim*
*feito pela Brasil's Garden:*
*Não foram pagos por mim.*
*Em cismar sozinho à noite*
*sem gravata e paletó*
*Olho aquelas cachoeiras*
*Onde canta o curió.*

*No meio daquelas plantas*
*Eu jamais me sinto só.*
*Não permita Deus que eu tenha*
*De voltar pra Maceió.*
*Pois no meu jardim tem lagos*
*Onde canta o curió*
*E as aves que lá gorjeiam*
*São tão pobres que dão dó.*

*Minha Dinda tem primores*
*De floresta tropical.*
*Tudo ali foi transplantado,*
*Nem parece natural.*
*Olho a jabuticabeira*

*dos tempos da minha avó.*
*Não permita Deus que eu tenha*
*De voltar pra Maceió.*

*Até os lagos das carpas*
*São de água mineral.*
*Da janela do meu quarto*
*Redescubro o Pantanal.*
*Também adoro as palmeiras*
*Onde canta o curió.*
*Não permita Deus que eu tenha*
*De voltar pra Maceió.*

*Finalmente, aqui na Dinda,*
*Sou tratado a pão de ló.*
*Só faltava envolver tudo*
*Numa nuvem de ouro em pó.*
*E depois de ser cuidado*
*Pelo PC, com xodó,*
*Não permita Deus que eu tenha*
*De acabar no xilindró.*

O Boris Casoy gostou tanto do poema-paródia que me pediu permissão pra lê-lo no *TJ Brasil*.

No dia 31de julho de 1992, eu estava passeando de moto pela estrada velha de Teresópolis. Lembrei-me do general Ernesto Geisel: ele tinha uma casa por ali e resolvi procurá-la. Pensei: vou até lá para convidá-lo para dar uma entrevista no *Onze e Meia*. A crise do governo Collor evoluía rapidamente, seria um grande momento para o programa, embora eu soubesse que não seria fácil convencer o velho militar a falar publicamente. Com o meu péssimo senso de orientação, levei quase quatro horas para achar a casa do ex-presidente, o Recanto dos Cinamomos. Toquei a campainha, apareceu um sujeito muito simpático. Pedi pra falar com o presidente Geisel, ele me disse que o general estava dormindo e que seria necessário marcar um horário para falar com ele. Deixei os meus telefones, achando que não daria em nada. Quando cheguei em casa, já havia um recado marcando o encontro para o dia seguinte, às dez horas da manhã (madrugada para mim).

No outro dia, fui com meu jipe e levei meu laptop, que deixei no veículo. Fui calorosamente recebido por Geisel e sua filha Amália Lucy, que estavam de ótimo humor. Ele perguntou porque não fui de moto, eu disse que não pegava bem ir duas vezes à casa de um ex-presidente na informalidade da motocicleta. A casa tinha janelas amplas e uma vista maravilhosa. Conversamos um pouco, e eu fiz o convite para a entrevista. Ele foi muito gentil, mas firme ao recusar. Me disse uma frase que nunca esqueci: "Eu tenho de sofrer calado". Fez outra revelação fortíssima: no segundo turno da eleição de 1989, estava firmemente inclinado a votar no Lula, chegou a comentar com amigos, mas disse que na última hora lhe faltou coragem, mas se arrependia amargamente de ter votado no Collor, um mentiroso. Em perspectiva histórica, também fez outra revelação importante: nas eleições presidenciais de 1960 votou no civil Jânio da Silva Quadros, em vez de votar no marechal (já na reserva) Henrique Teixeira Lott. Naqueles dias de 1992, quando conversamos na tranquilidade da serra, havia a polêmica sobre se o vice de Collor, Itamar Franco, deveria assumir caso saísse o impeachment do presidente (nossa história não é só rica de problemas com os presidentes, o é também com os vices…). Ele me disse que era "totalmente a favor da posse do vice-presidente. É só respeitar as instituições. O Itamar certamente vai ser melhor que tudo isso que está aí". Geisel acertou sua profecia na mosca: Itamar Franco nocauteou a inflação com o Plano Real e ele foi o primeiro presidente da República, desde Artur Bernardes, a eleger seu candidato à sucessão, Fernando Henrique Cardoso. E, ainda por cima, em seu mandato, a seleção brasileira de futebol ganhou uma Copa do Mundo (em 1994, nos Estados Unidos), depois de 24 anos de abstinência.

Saí da casa de Geisel e, assim que descobri um lugar seguro pra estacionar o jipe, parei, abri o laptop e anotei tudo que ele havia me dito. Santa providência. Quando Geisel morreu, quatro anos depois, publiquei a entrevista postumamente na revista *Veja*.

Durante a crise que levaria a seu impeachment, o presidente Collor atacou com pouca elegância o presidente do Congresso, Ulysses Guimarães. O dr. Ulysses estava evitando entrevistas à televisão, mas topou ir ao *Onze e Meia*. Depois de ter ficado abatido pela baixa votação obtida nas eleições presidenciais de 1989, estava novamente animado, falante, bem-humorado. Depois de ter sido o Doutor Diretas, agora era chamado de Mister Impeachment. Respondendo à minha pergunta sobre as declarações do presidente da República a respeito dos remédios que ele, Ulysses, tomava, não quis polemizar. Ironicamente, lembrou que os remédios e as drogas que ele tomava tinham receitas médicas e eram compradas em farmácia. E disse: "Sou velho, mas não velhaco". Pouco antes de começar o programa, perguntei se havia algum tema que gostaria de abordar. Com a bonomia de sempre, ele respondeu:

— O assunto que você quiser. Na sua orquestra eu toco o bumbo.

Talvez tenha sido a última grande entrevista do dr. Ulysses. Vinte e um dias depois, ele morreria num acidente de helicóptero, ao voltar de Angra dos Reis para São Paulo. Seu corpo nunca foi encontrado.

# XII

Em 1990, eu estava no camarim depois do show *O gordo ao vivo!*, no Teatro Cultura Artística, em São Paulo, quando vieram falar comigo o jornalista Mário Escobar de Andrade, diretor de redação da revista *Playboy*, e um rapaz alto, de óculos, tímido. Eu já o conhecia: ele fora grande entusiasta de um projeto de programa de entrevistas com escritores, a ser feito com apoio da Câmara Brasileira do Livro, chamado *Orelha do Gordo*. No final, a Câmara desistiu sem grandes explicações, e o Antônio Ermírio de Moraes, do grupo Votorantim, que havia prometido patrocinar o programa, não me deu mais notícias. O rapaz chamava-se Luiz Schwarcz e tinha lançado uma nova editora poucos anos antes, a Companhia das Letras. Dessa vez, Luiz veio conversar sobre um possível livro com as minhas memórias da televisão, mas eu disse a ele que era muito cedo pra isso. Acabei entregando a encomenda dele com 27 anos de atraso…

Eu adoro as histórias da atriz francesa Sarah Bernhardt: além de ter sido uma das primeiras celebridades internacionais do teatro, ela levava uma vida verdadeiramente livre, deitando-se e simulando a própria morte, indo à praia de Copacabana quando às mulheres não era permitido fazer isso, caçando jacarés na América do Sul. Em Paris, andava com um leão fedorento. O cheiro de urina do animal afastava as visitas de sua casa. Sarah esteve no Brasil por três vezes, em 1886, 1893 e 1905, e em cada uma delas sua chegada provocou um alvoroço no cais do porto, renovando nos moradores do Rio de Janeiro a sensação de estarem integrados às principais metrópoles do mundo. Na primeira vez, aos 41 anos, ela fez 24 apresentações divididas entre várias peças, entre elas *A dama das camélias*, um de seus estrondosos sucessos. Dom Pedro II assistiu a todos os espetáculos. Um dos meus personagens favoritos era Sherlock Holmes, criado por sir Arthur Conan Doyle. Um dia, tive um estalo, dessas ideias que nascem prontas: a história de um crime cometido em uma das passagens de Sarah pelo país, no Segundo Reinado, cuja solução requereria a presença do detetive Holmes no Brasil.

Imediatamente peguei o telefone, liguei pro José Rubem Fonseca e disse:

— Zé Rubem, eu tive uma ideia que dá um ótimo romance policial pra você escrever.

Aí contei o enredo. Ele, gentilíssimo como é, me ouviu com atenção.

— A ideia é ótima, o livro está pronto. Senta na máquina e começa a escrever.

— Mas eu não sei escrever romance…

— Ninguém nasce sabendo. Pelos textos curtos seus que eu conheço, você não vai ter problema em escrever o romance.

Rubem Fonseca já era o contista famoso de livros como *Os prisioneiros*, *A coleira do cão*, *Lúcia McCartney* e do romance *O caso Morel*, quando li meu primeiro livro dele, já na década de 1980, *A grande arte*. Fiquei alucinado. Não só por ser leitor de suspenses e policiais, mas também pela linguagem seca, violenta, moderna, urbana. Pra mim, ele era a grande novidade da literatura brasileira. Aquilo me deu uma euforia, eu encontrara entre os escritores locais um que me perturbava de maneira maravilhosa. Devorei todos os seus livros, um depois do outro. Num final de ano, o *Jornal do Brasil* fez uma enquete sobre presentes de Natal e eu declarei que desejava dar as obras completas do Rubem Fonseca pra pessoa amada.

No mesmo dia, ele me ligou agradecendo. Combinamos um jantar pra nos conhecermos. Fomos ao Antiquarius, na época o restaurante mais badalado do Rio. Eu tive coleção de revólveres e coleção de facas, fruto das minhas fantasias com romances policiais, filmes de caubói, gibis, ficção científica etc. (depois me livrei de tudo isso). Há um trecho na *Grande arte* em que se conversa sobre a variedade e a especificidade de cada tipo de faca (Bowie, Ka-Bar, Randal, Mark III, Loveless), então pensei: o Zé Rubem deve ser fissurado por facas, vou levar uma de presente pra ele. Peguei uma das especiais — uma faca de caça dos Pireneus —, enfiei dentro da calça pra ninguém me ver com ela na mão e achar que eu ia matar alguém, e fui pro jantar. Conversamos bastante, eu só esperando o melhor momento para entregar a surpresa a ele, a ponta da faca imensa já começando a me machucar a parte interna da coxa esquerda. Aí peguei uma deixa, e disse:

— Qual a sua faca preferida?

— Como assim?

— No *Grande arte* você fala de muitas facas, você deve ser um grande apreciador de facas.

— Eu? Não. A história das facas é fascinante, mas o meu interesse é puramente de escritor. Pesquisei bastante sobre elas, mas não tenho nenhuma relação especial com facas.

Ficou totalmente sem clima pra eu dar a faca pra ele. Eu nem conseguia me mexer direito no sofazinho tipo bistrô do Antiquarius. Quando finalmente cheguei em casa e contei a história pra Flávia, ela se esborrachou de tanto rir e me disse: "Você é completamente maluco!".

Incentivado a escrever pelo Rubem Fonseca, procurei o editor Luiz Schwarcz. Ele se animou com o projeto do livro. Devo aos dois a minha vida de escritor, iniciada aos 57 anos. Além das duas antologias de coisas publicadas na imprensa (*O astronauta sem regime* e *Humor nos tempos do Collor*), eu tinha participado do livro *A Copa que ninguém viu*, editado pela Companhia das Letras, sobre a Copa do Mundo de 1954, na Suíça, com o grande amigo Armando Nogueira e o Roberto Muylaert. Comecei então a escrever meu primeiro romance e, assim que eu terminava uma passagem, mandava as páginas por fax pro Luiz e pro Zé Rubem fazerem observações. Depois de enviar um trecho pro escritor, ele me liga.

— Tira isso do livro, não está bom, está sobrando.

— Mas é importante pra compreensão geral da história.

— Tira, não está bom, está sobrando.

— Mas, Zé Rubem...

— Tira, no meu livro isso não entra!

Ele não se deu conta de que dissera "no meu livro". Se o Rubem Fonseca já considerava o livro como dele, é porque estávamos no bom caminho. Ele me passou algumas dicas preciosas: "Não deixa de escrever nenhum dia sequer, nem que seja só pra colocar uma vírgula. Outra coisa, charuto faz mal ao computador, bebida faz mal a você. Não escreva bêbado. Na hora, você vai achar tudo genial e depois você vai achar tudo uma porcaria".

Além do Rubem e do Luiz, algumas pessoas foram fundamentais pro livro: os amigos Moreno, Hilton Marques — além de grande escritor ele é sempre o primeiro revisor dos meus textos; é impecável e implacável, seu único pecado é a timidez irritante, imaginem que se recusou a me dar entrevista pra falar de seus livros — e Roberto Pompeu de Toledo, que me chamou a atenção pra um erro de interpretação num poema de Baudelaire. E também o escritor Fernando Morais, sempre com observações importantíssimas. E quem lia os faxes junto com o Luiz era sua mulher, a antropóloga e historiadora Lilia Moritz Schwarcz, que deu dicas preciosas sobre a vida duríssima dos escravos e sobre o Segundo Reinado. Aliás, fiz uma molecagem com ela. Uma tarde em que precisava consultá-la sobre algo do século XIX, ela me disse que não poderia falar comigo naquele momento porque estava saindo pra ir dar aula na USP. Descobri o telefone da secretaria do departamento onde a Lilia lecionava, liguei e pedi pro secretário avisá-la que o sr. José Soares, o traficante de pigmeus que ela usava, precisava falar urgentemente com ela. O secretário foi até a sala de aula, abriu a porta e deu o recado em voz alta. Levou um tempo até ela perceber que se tratava de um trote, e os alunos… bem, esses realmente não entenderam nada.

Descobri a importância do trabalho da edição em um livro. O leitor não fica sabendo — o editor é a mão invisível, ao contrário do diretor de teatro ou cinema, que marcam a ferro e fogo suas adaptações; por uma espécie de pudor de ofício, o editor é um dos raros profissionais na área da cultura a não assinar seu trabalho —, mas um livro sempre melhora quando passa por preparadores e editores competentes. Porém, mesmo com todo esse processo, os erros têm sete vidas e pipocam aqui e ali depois do livro impresso. Uma das primeiras entrevistas que dei no lançamento de *O Xangô de Baker Street* foi pro Pedro Bial, ainda repórter da Globo. Ele chegou e me apontou um erro óbvio de regência verbal logo na primeira página…

Até então, eu não reconhecia em mim capacidade de escrever algo de fôlego maior, um romance. Estava muito acostumado ao ritmo dos textos pra televisão e teatro, quase sempre com cenas mais curtas, onde a presença da oralidade é muito forte. Ou às colunas de jornal, onde eu basicamente fazia variações sobre uma mesma ideia ou um mesmo tempo. Por tudo isso, o sucesso e a boa repercussão do livro me pegaram de surpresa e me proporcionaram uma nova emoção. Eu achava que já havia conquistado tudo na minha carreira profissional. No lançamento do livro no Rio, a Biblioteca Nacional precisava fechar e ainda havia tanta gente na fila, que pedi que todos ficassem em seus lugares, segurando o livro em pé e já com a página aberta, e passei autografando os exemplares estendidos. A fila saía da Biblioteca e dava a volta no Obelisco. Fiquei muito emocionado quando quatro rapazes me pediram o autógrafo num livro só. Quase chorei quando me explicaram:

— Não dava pra gente comprar um pra cada um, então nos cotizamos pra comprar este. É uma maneira de agradecer todas as informações que o senhor nos dá à noite no seu programa.

Claro que peguei mais três volumes, e cada um saiu com o seu.

O *Xangô* vendeu mais de 500 mil exemplares e recebeu edições nos Estados Unidos, na França, na Alemanha, na Itália, na Espanha, no Japão, em Portugal, na Grécia, na Holanda e na Argentina. Amigos em viagem pelo exterior, orgulhosos, costumam me mandar fotos do livro exposto nas principais livrarias do mundo — na época era difícil fazer isso, pois não havia câmera nos telefones celulares.

Quando o livro foi publicado na França (com o título de *Élémentaire, ma chère Sarah!*, da editora Calmann-Lévy), tive a honra de ser entrevistado em um dos programas de televisão de maior prestígio intelectual e popular na Europa, o do Bernard Pivot. No dia 24 de fevereiro de 1997, uma segunda-feira, a correspondente da *Folha de S.Paulo* em Paris escrevia: "Jô Soares literalmente roubou a cena no programa *Bouillon de Culture*, apresentado pela tv France 2 na noite de sexta-feira. [...] Jô não se inibiu. Sua desenvoltura era tanta que, já no início, o apresentador Bernard Pivot lhe disse: 'Você se adaptou ao programa, parece que sempre esteve aqui'. Soares, com o humor característico, respondeu: 'É mesmo? Você também!', gerando risos". Eu ainda voltaria outra vez ao programa, quando lancei na França meu segundo romance. Pena que a Mêcha e o Garoupa — parisienses de alma — não puderam ver o Zezinho dando entrevista em francês, em Paris, pra eles a capital do mundo.

Tempos depois, o Bernard Pivot estava no Brasil fazendo uma série de matérias e veio até em casa gravar uma entrevista comigo. Perguntei se queria beber alguma coisa, ele disse que tomaria um vinho. Fiz uma surpresa: abri uma das garrafas do Romanée-Conti La Tâche que havia ganhado do Tom Cavalcanti, um desses presentes inacreditáveis, coisa de príncipe. Ele disse:

— É por isso que não tem mais La Tâche na França; tenho que vir ao Brasil pra tomá-lo.

Eu respondi:

— Pois é, é muito comum tomar este vinho no Brasil.

Caímos na gargalhada.

No lançamento do livro em Portugal, fui participar de um programa de variedades na TV estatal portuguesa. Falava-se de tudo no programa, e no estúdio, junto com outros convidados, eu aguardava a minha vez de ser entrevistado. Um dos apresentadores começa a dar o resultado dos jogos da rodada: Benfica 2 x Belenenses 0, Porto 3 x Braga 1, Vitória de Setúbal 1 x Sporting 0... Quando ele terminou, mesmo não sendo a minha hora de falar, eu pedi licença e perguntei:

— Eu gostaria de saber uma coisa. Quando o Vitória de Setúbal empata, você diz "Empate de Setúbal" e quando ele perde você diz "Perdedor de Setúbal"?

O apresentador, muito sério, respondeu:

— Não, claro que não. Eu continuo a dizer Vitória de Setúbal. O Vitória de Setúbal empatou, o Vitória de Setúbal perdeu...

A ítalo-americana Maria B. Campbell é dona de um dos mais importantes escritórios de *scouts* — pessoas com um talento especial pra descobrirem livros de potencial sucesso — de Nova York. Ela trabalha com a Companhia das Letras desde 1991. O editor Luiz Schwarcz passou a Maria informações sobre *O Xangô de Baker Street*, sobre quem eu era, e ela se interessou. Algum tempo depois, eles me comunicaram que havia interesse do editor da Knopf, o selo de maior prestígio no mercado americano (fiquei impressionado quando, na primeira vez que fui à sede da editora na avenida Broadway, em Nova York, vi as primeiras edições americanas dos livros do Jorge Amado nas vitrines do lobby). Quando comentei com o Paulo Francis quem era o editor que havia comprado o livro e o valor do adiantamento, ele disse:

— *Waal* (pedindo licença pra usar a grafia das suas colunas), isso é do cacete!

O magrinho Robert Gottlieb — totalmente informal, de tênis e chinos, o cabelo sempre revolto — começou a carreira na editora Simon & Schuster, que produzia best-sellers barulhentos, mas tinha pouco prestígio no *grand monde* editorial da ponte aérea Londres-Nova York, e chegou a editor-chefe da casa. Nesse período, um de seus grandes êxitos foi o lançamento de um escritor chamado Joseph Heller, autor de *Catch-22* (inicialmente teria o título de *Catch-18*, mas foram surpreendidos pela publicação de *Mila 18*, um dos grandes sucessos de Leon Uris; no Brasil saiu como *Ardil-22*). Gottlieb impressionou não só pelo trabalho editorial que fez com Heller, mas também pela maneira inovadora como promoveu o livro (era considerado um craque do marketing editorial).

Em 1996, quando conheci o Bob — fazia questão de ser chamado assim —, ele já era uma lenda no mercado editorial, trabalhando na Knopf, editora dos sonhos de autores do mundo inteiro. Era conhecido pela rapidez de suas leituras e edição dos textos e pela ligação com o New York City Ballet (escreveu um livro sobre o coreógrafo George Balanchine, além de ter sido crítico de dança em várias publicações). Em 1960, a Random House, que havia comprado a famosa editora de Alfred A. Knopf, com seu distintivo cão borzói no logotipo — casa de Thomas Mann, Kafka, Jean-Paul Sartre, Albert Camus e muitos outros escritores laureados —, levou Bob Gottlieb pra lá. Ele fez carreira, chegou ao posto de presidente e, em 1987, trocou aquele templo editorial por outro: a revista *The New Yorker*. Foi mal recebido na semanal mais sofisticada do mundo: não só nunca tinha trabalhado em redação, como iria ocupar o lugar de uma sacrossanta divindade do jornalismo, o editor William Shawn. O jornalista que consolidou o enorme prestígio da publicação ao comandá-la por 35 anos fora demitido.

Num episódio que marcou a vida intelectual nova-iorquina, com direito a notícia na primeira página dos principais jornais, mais de uma centena de escritores e jornalistas enviaram uma carta a Bob Gottlieb pedindo que não assumisse o lugar de Bill Shawn. Ele não se intimidou e, por cinco anos, editou a *New Yorker*. Deu uma nova vitalidade à revista, mas não chegou a fazer as grandes mudanças que o dono da publicação, o magnata da mídia S.I. (Samuel Irving) Newhouse, desejava. Como, àquela altura, S.I. era também proprietário da editora Random House, Bob disse a ele que desejava voltar à Knopf apenas como editor, sem nenhuma responsabilidade administrativa ou corporativa, e sem receber salário. Achava que já havia sido bem recompensado nos anos anteriores e desejava fazer só uma coisa: editar livros.

Bob Gottlieb pagou 150 mil dólares pelos direitos de publicação de *O Xangô de Baker Street* nos Estados Unidos, que lá saiu com o título *A Samba for Sherlock*. O editor disse: "Não quero discussão, não vou entrar em leilão, então já vou oferecer uma quantia pra ficar com o livro". Na época, Bob escrevia uma biografia da atriz francesa Sarah Bernhardt, o que certamente o ajudou a se interessar pelo meu livro. Ele adorava Machado de Assis e, na última vez que nos falamos, estava lendo *Os sertões*, do Euclides da Cunha. Bob me disse:

— Este livro não dá pra largar.

Perguntei:

— Em que parte você está?

— Ainda estou no começo, na primeira parte, quando ele descreve a terra onde tudo acontece.

E fiquei pensando: "Puxa, o cara é um leitor paciente mesmo, a terra é uma parte difícil dos *Sertões* em português, imagine na tradução em inglês...".

Não havia móveis no seu escritório na Knopf, ele lia esparramado no chão. Enquanto editava *Samba for Sherlock*, estava trabalhando no livro de memórias da mulher talvez mais poderosa dos Estados Unidos naquele momento, a publisher do jornal *Washington Post* Katharine Graham (o livro seria adaptado para o cinema por Steven Spielberg, *The Post*, com a Meryl Streep no papel de Graham). Tive a oportunidade de ouvir Bob falando com ela ao telefone, dizendo intimamente e com grande autoridade: "Kay, você precisa cortar isso, não está funcionando, está muito chato".

Um livro maravilhoso é *A Confederacy of Dunces* (*Uma confraria de tolos*), do americano John Kennedy Toole. Ele se matou aos 31 anos, antes de ser reconhecido como um dos maiores escritores americanos. Hoje é um clássico, imperdível. Um tratado de humor e irreverência. É a história de um personagem grotesco, glutão, flatulento, punheteiro e ao mesmo tempo culto (é medievalista) que vive em Nova Orleans e não desgruda da barra da saia da mãe. O livro seria publicado mais tarde e ganharia o prêmio Pulitzer em 1981. Durante dois anos, ele se correspondeu com um editor que lia os originais, fazia comentários e sugestões de mudanças etc., mas que não publicou *Uma confraria de tolos*. Depois da morte de Toole por suicídio, devido a uma imensa depressão, sua mãe Thelma encontrou o romance numa caixa de sapato e passou a acusar o editor de ser o responsável pela morte do filho. Esse editor era o Bob Gottlieb. Ficou pro folclore editorial que ele recusou o romance de Toole, mas biografias recentes do escritor mostram que Bob sugeriu algumas mudanças que o autor não teve forças pra fazer. A porta do editor, porém, permaneceu aberta pra John Kennedy Toole.

A Knopf organizou uma noite de autógrafos na livraria, hoje fechada, da combalida rede Barnes & Noble, situada na esquina da Quinta Avenida com a rua 18. Fiz o lançamento à maneira americana, lendo durante cerca de vinte minutos um trecho do livro. Uma noite, estávamos eu e a Flavinha em Nova York, toca o telefone e atendo. Uma voz potente queria falar com mr. Soares. Me identifiquei, e do outro lado a pessoa disse:

— Muito prazer, mr. Soares, meu nome é Belafonte, eu sou…

Interrompi imediatamente:

— Não precisa dizer mais nada, você é o Harry Belafonte, e basta. Com suas lutas políticas, você é um monumento vivo da dignidade do artista.

De origem jamaicana, um homem lindo, ótimo cantor, ator, performancer, Belafonte foi um dos mais ativos artistas envolvidos no *civil rights*, a luta contra o racismo. Pra se ter uma ideia do quão difícil era a vida de um artista negro, basta lembrar um episódio de 1968, quando ele participou do programa de Petula Clark, cantora mundialmente famosa na época por interpretar a música-tema do filme *A condessa de Hong Kong*, "This Is My Song", composta pelo gênio Charlie Chaplin, também diretor do filme. Ela, branca e loura, apoiou a mão esquerda no braço de Harry enquanto os dois interpretavam a canção "On the Path of Glory". Foi o suficiente para o patrocinador ameaçar o cancelamento de seu apoio ao programa. Jamais uma mulher branca havia aparecido na televisão americana de forma tão íntima com um homem negro.

Harry Belafonte me convidou pra jantar. Marcou em horário de americano, sete da noite. Depois uma assistente ligou pedindo desculpas e passou o jantar pras oito horas. Fui com a Flávia e ele com a sua mulher, a atriz Julie Robinson — trabalharam juntos no filme *Um por Deus, outro pelo diabo*, dirigido pelo Sidney Poitier. Harry falou da paixão por Jorge Amado, das lembranças do Brasil (esteve por aqui em 1970) e pediu os direitos pra fazer o *Xangô* no cinema. Eu contei que acabara de vendê-los pro Bruno

Stroppiana, um produtor italiano radicado no Brasil. Ele disse que poderia recomprar os direitos. Pedi que o Miguelzinho Faria, o diretor do filme, conversasse com o italiano, mas o produtor não abriu mão. Diga-se de passagem que o filme ficou ótimo, apesar de todas as imensas dificuldades que impunha: filmagem de época, elenco enorme (e qualificadíssimo, raramente conseguido numa produção brasileira), mantendo sempre o equilíbrio nada fácil entre o mistério e o humor. Anos depois, numa madrugada, eu estava lendo aqui no meu apartamento em São Paulo, quando o Harry Belafonte me ligou perguntando novamente pelos direitos do *Xangô*. Contei toda a história novamente. Ele então perguntou se eu havia escrito alguma coisa nova e eu enviei *O homem que matou Getúlio Vargas*. Nunca soube se ele recebeu. Em 2015, voltou a me ligar perguntando pelo *Xangô*. Aí percebi que o Harry Belafonte não estava fazendo sinapses muito perfeitas.

Quando eu escrevia as páginas finais deste meu livro de memórias, o Brasil foi surpreendido por uma das maiores tragédias culturais de sua história: o incêndio que destruiu o Museu Nacional, no Rio de Janeiro. Criado por d. João VI, o museu está citado numa passagem de *O Xangô de Baker Street*. No livro, faço uma menção especial às múmias egípcias — agora totalmente destruídas pelas labaredas —, uma delas bastante rara, presente dado pelo rei do Egito ao nosso imperador d. Pedro II em sua viagem ao país em 1876: a tumba e o corpo da sacerdotisa Sha-Amun-en-su. Na época da pesquisa, as múmias do Museu Nacional já estavam malcuidadas, tinham cupins. Pra um escritor como eu, que pesquisei muito sobre a história do Brasil ao trabalhar meus livros, o menoscabo com a nossa memória pelo poder público é desalentador, mesmo sendo eu um eterno otimista com o país a longo (talvez seja melhor dizer longuíssimo) prazo.

Quando lancei o livro, uma jornalista da *Veja* estava me entrevistando e, no meio da conversa, fazendo cara de quem tinha um grande segredo, me disse:

— Eu sei a verdade.

— O que é que você sabe?

— Eu sei, eu descobri.

— Mas o que é que você descobriu?

— Foi o Zuenir Ventura quem escreveu o seu livro!

Alô, alô, Zuenir, eu não sabia que tinha sido você, então aí vão os meus agradecimentos com duas décadas de atraso! De onde ela tirou essa maluquice nunca descobrimos.

Comecei a ler, como todo menino do meu tempo, com as *Caçadas de Pedrinho* e *Os doze trabalhos de Hércules*, do Monteiro Lobato. Depois, já na Europa, como tive parte da minha formação em francês, esta passou a ser a língua das minhas leituras. Havia uma livraria portuguesa em Paris onde comprei livros de dois autores lusos fundamentais. Um deles, Fernando Pessoa. Em 2007, eu viria a fazer um espetáculo chamado *Remix em Pessoa*. A música é de Billy Forghieri e a maioria dos poemas, do heterônimo de Fernando Pessoa que é o meu favorito: Álvaro de Campos. Direção e cenários da minha querida amiga Bete Coelho. O espetáculo foi muito bem recebido, inclusive em Portugal, onde, numa ousadia danada, eu recitava os poemas com sotaque do país. Na livraria portuguesa de Paris, aonde fui levado pela primeira vez pela minha mãe, encontrei também Eça de Queirós. Entrei no mundo do velho Eça por uma vereda especial pra mim, o suspense. Livros seus como *A relíquia* e *Os Maias* têm um segredo suspenso durante toda a leitura, levantando uma porção de conjecturas e suposições, que só se desvela nas últimas páginas.

Quando em 2005 lancei meu terceiro romance, *Assassinatos na Academia Brasileira de Letras*, e fui ao programa *Roda Viva*, da TV Cultura, o escritor e membro da Academia Brasileira de Letras Cicero Sandroni me fez uma pergunta excelente: se eu não dava liberdade pros meus personagens. Sim, dou liberdade, mas apenas durante o entrecho. Talvez por um desvio-padrão de humorista, o final, a maneira como o livro se resolve, é o mais importante. Só começo a escrever quando já tenho o desfecho da história resolvido. O suspense durante a trama e a resolução final, a *punch line*, são fundamentais.

Quando contei a história do meu telefonema pro Rubem Fonseca dando a ideia do livro do *Xangô* pra ele, o Luis Fernando Verissimo, que estava na bancada de entrevistadores, me disse:

— Jô, quando você tiver outra ideia de livro prontinha assim não se esqueça dos seus outros amigos escritores…

Uma coisa que me ajudou muito como escritor foi o fato de eu ser leitor das *short stories* americanas. A prosa curta diz, com sua brevidade, coisas impossíveis de dizer em outras linguagens. É literatura na essência. Fui um devorador das histórias da *Mistério Magazine de Ellery Queen*. Fico fascinado com a capacidade de contar uma história esplêndida numa página e meia — em geral com um final magnífico. A história incrível de *Flores para Algernon* eu li primeiramente como conto, depois o autor, Daniel Keyes, a transformou numa novela, em uma história mais longa. Apesar das várias tentativas de adaptações, inclusive com o filme *Os dois mundos de Charly* (com o qual o ator Cliff Robertson, que eu entrevistei, ganhou um Oscar), *Flores para Algernon* é pura literatura. Daniel Keyes usa o recurso dos erros de ortografia cometidos pelo personagem principal como uma forma de caracterizá-lo, e esse artifício só funciona perfeitamente no livro. Adoro *The Martian Chronicles*, do Ray Bradbury, e *Martians Go Home*, do Fredric Brown. Outro ótimo escritor é o Horace McCoy. Ele só teve o azar de nascer na época errada e foi apagado por Hemingway, Fitzgerald e companhia. É uma pena que um livro como *Mas não se matam cavalos?*, no qual se baseou o filme *A noite dos desesperados*, não seja mais lido hoje em dia. Até o Kafka eu descobri por meio da Planète, uma coleção de histórias de ficção científica. Há na literatura dita marginal verdadeiros gênios, que acabam cultuados apenas pelos convertidos, o que é uma pena.

*O homem que matou Getúlio Vargas* (lançado em 1998) conta a história do anarquista Dimitri Borja Korozec, nascido na Bósnia com seis dedos em cada mão. Filho de mãe brasileira, ele sai pelo mundo praticando atos terroristas trapalhões. Na pesquisa, enquanto escrevia, cheguei a ler cerca de oitenta livros e fui até o café onde o Jean Jaurès foi assassinado, em Paris, em 1914. Uma das obras que li, evidentemente, foram os volumes dos diários de Getúlio Vargas. Li por obrigação, já o Max Nunes leu pra me acompanhar. O Max dizia: "Perdi meu tempo: só tem churrascos, partidas de golfe e encontros com a amada (Aimée Sotto Mayor, também uma paixão do Chateaubriand)". Na véspera de decretar o Estado Novo, não há uma linha sobre o assunto. Nem depois.

O livro nasceu de uma conversa com o editor Luiz Schwarcz. Ele deu o título do romance. Nos Estados Unidos, foi *Twelve Fingers* e, em resenha pro *The Washington Post*, o escritor Tim Sullivan disse que era preciso criar o gênero "ficção-picaresca-pastelão- -mágica-realista-histórica", se se quisesse classificar o livro. Além de elogiá-lo, o resenhista também chamou a atenção pra um aspecto muito importante nos meus livros: as ilustrações. Enquanto escrevo, me vêm à cabeça imagens — fotos, desenhos, pinturas — como complementos visuais das palavras. No caso do *Homem que matou…* elas são fundamentais pra dar a ilusão de que o anarquista realmente existiu. O livro também foi lançado em vários países, inclusive na Sérvia, onde as aventuras de Dimitri se iniciaram. Lá teve o título de *Čovek koji nije ubio Franca Ferdinanda* (*O homem que não matou Francisco Ferdinando*).

Peço licença pra fazer um flashback aqui e falar de outra experiência não rememorada até agora, a do rádio e, por extensão, da minha paixão pelo jazz, pela música erudita do século xx. A maior parte dos artistas da minha geração teve uma experiência no rádio, mas, como parte da minha vida estive fora do Brasil, acabei não passando por esse veículo nos anos da minha formação profissional. Quando comecei a fazer programas de rádio, descobri que ter um microfone à disposição, sem ninguém te olhando (hoje a maioria das emissoras de rádio tem câmeras no estúdio pra transmitir o programa pela internet, na época não havia isso) pra você acionar o autocontrole, é perigosíssimo, você não para mais de falar, vai dizendo tudo que lhe vem à cabeça. Essa é a razão pela qual as pessoas não param de falar no rádio.

Em 1988, o João Lara Mesquita, da Rádio Eldorado, me procurou pra que eu fizesse um programa de entrevistas. Eu disse que adoraria fazer rádio, era uma das únicas coisas na área de comunicação que eu ainda não havia feito, mas que não daria pra ser um programa de entrevistas, porque isso eu já fazia na televisão. Aí ele perguntou se havia alguma coisa do meu interesse e eu disse que gostaria de fazer um programa de jazz. Eu tinha uma coleção gigantesca de discos de jazz, quando viajava trazia montanhas de CDs. Os vendedores das lojas Tower Records e Virgin de Nova York, verdadeiros paraísos que não existem mais, ficavam loucos, porque eu comprava centenas de CDs e DVDs e ia tirando das caixas. Era mais fácil pra trazer pro Brasil.

A ideia do programa de jazz saiu na hora, eu não havia planejado nada nessa direção (durante um ano fiz também um comentário político, escrito pelo Max Nunes e pelo Hilton Marques, na Rádio Antena 1; perguntavam se nós fazíamos piadas políticas nessas intervenções, nós respondíamos que quem faz piada é político, nós fazíamos comentário). O João aprovou o programa na hora e disse que o José Nogueira — que conhece a história da música como poucos, começou rapazinho vendendo discos nas primeiras lojas do ramo em São Paulo — iria produzir. Assim surgiu o *Jô Soares Jam Session*, que durou oito anos, de segunda a

Depois de 22 anos sem dirigir teatro, voltei a fazê-lo no início do século XXI; nesta foto, com o elenco da peça *Histeria*, de 2016, com o qual passei a desenvolver a ideia de montar a minha companhia de repertório.

▲ A leitura na mesa, antes de começar os ensaios, é o momento mais importante para mim na montagem de uma peça, é onde tudo começa; aqui com Marco Ricca, Denise Fraga e Glória Menezes na leitura de *Ricardo III*.

Ensaiando a peça *Frankensteins*, com Bete Coelho, Mika Lins, Paulo Gorgulho e Clara Carvalho (atrás de mim, com meu corpo enorme, coitada!); a cenografia era de Daniela Thomas e André Cortez, e caprichamos imensamente na produção.

▲ Depois da fase da leitura de mesa, ensaiamos primeiramente com as marcações e, no final, vamos para o palco onde a peça será exibida; aqui durante o ensaio no teatro da Faap com todo o elenco de *Ricardo III*.

Com os grandes amigos Bibi Ferreira, Juca de Oliveira e o cenógrafo Cyro del Nero nos ensaios de *Às favas com os escrúpulos*, peça escrita pelo Juca.

▲
Abigail Izquierdo Ferreira, Bibi, depois de muitos anos fazendo musicais, me deu a honra de dirigi-la em *Às favas com os escrúpulos*; ela me disse que somos como dois trapezistas no ar: um precisa ter plena confiança no outro.

Em Nova York, fui almoçar com o capitão Daniel Daly na cozinha dos bombeiros no quartel do New York City Fire Department, os heróis depois dos ataques das Torres Gêmeas; ter um capacete de bombeiro era uma fixação de criança e ganhei um com o número de mortos da corporação durante os resgates.

Capas das edições americanas, francesas, grega e japonesa das inúmeras traduções dos meus livros; jamais pensei em me tornar escritor dos gêneros policial e de suspense — duas das minhas paixões literárias e cinematográficas — e que as pesquisas para escrevê-los me dessem tanto prazer.

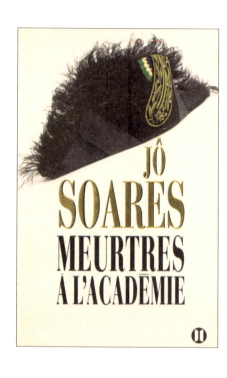

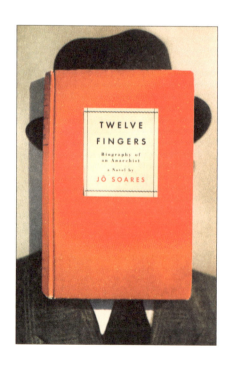

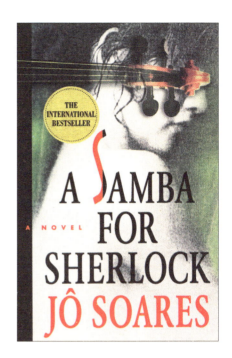

Em 2004 fiz a maior exposição individual das minhas pinturas, com cenografia da Flávia Junqueira Soares, usando a técnica de pintura digital; sobre *Subway* (acima), a crítica Radha Abramo escreveu que era uma das "mais sensíveis obras que tive direito de compartilhar nos últimos tempos"; abaixo, a obra *Estação*.

Descendo a rampa interna do Palácio do Planalto com a então presidente Dilma Rousseff, em 12 de junho de 2015, depois de entrevistá-la, como era minha obrigação; seis meses depois começaria seu processo de impeachment.

No dia 19 de junho de 2015, a rua da minha casa apareceu pichada com a frase "Jô Soares morra" porque entrevistei a presidente Dilma; resolvi não aceitar a sugestão e não morri.

Ziraldo Alves Pinto errou em todas as profecias que fez sobre os meus trabalhos, mas é uma dessas raras pessoas para as quais a palavra "companheiro" é pequena demais para expressar todo o sentimento — e o humor — que nos une.

Tive um melanoma e todos os médicos me diziam para procurar o Drauzio Varella; é uma das pessoas que mais admiro como médico, amigo e ser humano maravilhoso.

▲ Só posso fazer isso mesmo: curvar-me e beijar as mãos de Fernanda Montenegro.

◀ Com os excelentes atores Cassio Scapin e Marco Antônio Pâmio, na minha mais recente montagem, a peça *A noite de 16 de janeiro*; sou louco por filmes de julgamento e voltei aos palcos no papel de juiz.

Tocando trompete, um dos instrumentos de sopro mais difíceis, no show feito com o Sexteto em 1999; minha paixão por jazz me levou a fazer o programa *Jô Soares Jam Session*, na Rádio Eldorado e na Rádio JB.

Miltinho, Tomati, Derico, o maestro Osmar, Bira e Chiquinho: o Sexteto; sem um grupo musical tão afinado, não existiriam os meus talk shows.

▲
Roberto Carlos, provando que não é Rei por acaso, fez questão de ir às entrevistas finais do *Programa do Jô*; choramos muito relembrando tantas emoções (desde o tempo da Jovem Guarda e da *Família Trapo*), é muito bom saber que ele é meu amigo.

sexta-feira, no final da tarde. Às sextas, só tocávamos blues. Era o "Sexta-feira é dia de blues". No Rio, o programa foi transmitido pela Rádio JB. Muita gente ainda comenta comigo que sente falta do programa, mas tudo tem seu tempo certo. Na abertura, usávamos a "Slamboree", uma música sensacional do baixista e vocalista Leroy Eliot "Slam" Stewart. Durante algum tempo, ele fez a genial dupla Slim & Slam com o grande Slim Gaillard. Os dois uniam como ninguém jazz e humor. Bulee "Slim" Gaillard, conhecido com *McVouty*, era o homem dos mil instrumentos e tinha uma criatividade fornecida por alguma deusa. Conseguia se virar em uma infinidade de línguas — grego, árabe e armênio, entre elas — e transformava em jazz qualquer coisa, desde cardápios de restaurante árabe até o cacarejar de galinhas. Era um homem belíssimo, negro de olhos azuis, conquistou várias deusas do cinema. O racismo acabou levando-o pra Inglaterra, onde morou durante anos. Cheguei a vê-lo, já com certa idade, no programa do Jools Holland, na BBC, tocando piano e cantando. Além de ter uma voz linda de barítono, tocava piano, guitarra e bateria. Outro ídolo que eu descobri no mesmo programa da BBC foi o genial Leonard Cohen.

Voltando ao Slim Gaillard: ele inventou uma língua louca chamada Vout-O-Reenee (a palavra significa "boa apresentação, boa música"), pra qual escreveu um dicionário, e sua técnica era conhecida como "vocalese", que, ao contrário do "scating", usa letras completas em vez de sílabas ao se cantar a melodia de um solo instrumental. A expressão é atribuída ao talvez maior crítico de jazz, Leonard Feather. Slim teve uma participação no filme *Hellzapoppin'*, uma obra-prima, considerado o primeiro filme americano de um humor totalmente nonsense. É baseado num show na Broadway. O saudoso crítico de teatro Décio de Almeida Prado o assistiu. Ele me disse que foi a coisa mais louca que viu na vida. Uma espécie de lanterninha juntava um grupo de espectadores pra supostamente levá-los a seus lugares na plateia, mas então ele dizia que era novo no local e se perdia no caminho. As pessoas ficavam aflitíssimas procurando o lugar delas. Aí, ele as levava até o porão, onde de repente aparecia um cara velho de barba, que lembrava o abade Faria, do *Conde de Montecristo*, procurando... a saída. Ele falava: "Há quinze anos eu procuro a saída, já quinze anos estou tentando sair deste teatro". No intervalo de um ato pro outro, no banheiro dos homens, quando o Décio entrou, tinha um cara sentado numa privada, com a calça arriada, tocando violoncelo. Você abria a porta e ele ficava te olhando sério, como se o maluco fosse você querendo usar o banheiro.

Slim tinha mãos imensas e tocava piano com as palmas viradas pra cima. Uma de suas performances em San Francisco é citada com destaque no agora clássico romance americano *On the Road*, de Jack Kerouac, adaptado corajosamente para o cinema — depois de muitas tentativas frustradas de outros diretores — pelo grande amigo Walter Salles Jr. Cito aqui um trechinho do livro, na tradução de Eduardo "Peninha" Bueno, para mostrar a importância do Slim na cena beat americana:

Dean lá atrás dizendo "Meu Deus! Sim!" — e entrelaçando as mãos com reverência e suando: "Sal, Slim saca todas, ele saca todas!". Slim senta ao piano e toca duas notas, dois Mis, aí mais dois, e então um, aí dois e, de repente, o baixista balofo desperta de seu transe reverencial e se dá conta de que Slim está tocando "C-Jam Blues" e dedilha a corda com seu enorme dedo indicador, e um *big boom*, rítmico, ribomba num ritual ritmado e todo mundo começa a rebolar e Slim parece tão melancólico como sempre, e eles rolam jazz durante meia hora, e então Slim pira por completo e agarra os bongôs e toca batuques cubanos tremendamente rápido e grita coisas malucas em espanhol, em árabe, em dialetos peruanos e egípcios, e em cada língua que conhece, e ele conhece inúmeras línguas. O show finalmente termina; cada show dura duas horas. Slim Gaillard se manda do palco e fica encostado numa coluna, olhando melancolicamente por cima de todas as cabeças enquanto as pessoas vêm falar com ele.

No fim da tarde do dia 9 de junho de 2005, a fila saía do número 203 da avenida Presidente Wilson, no centro do Rio, serpenteava pela calçada até a esquina da avenida Calógeras, virava à direita, e não se conseguia ver seu fim. Eu estava no Petit Trianon, lançando meu terceiro romance. Ou seja, na Academia Brasileira de Letras, local do crime, aliás, dos crimes, pois no livro muitos imortais morrem. Em *Assassinatos na Academia Brasileira de Letras*, esses crimes estão na circunscrição do investigador Machado Machado. Meu fascínio pelos personagens da Academia existe desde sempre, mas aumentou com as histórias que corriam na casa da Theresinha Austregésilo. Como contei no primeiro volume, meu sogro foi presidente da ABL, assim como seu sobrinho Austregésilo de Athayde. Àquela altura, falo de 2005, os dois primeiros livros que escrevi tinham vendido cerca de 1 milhão de exemplares, cifra rara no mercado editorial brasileiro. Como sou uma pessoa que viveu de criar personagens, pra mim roupas e uniformes são partes fundamentais da riqueza do mundo. Adoro o fardão da Academia, com seus debruns dourados. Aliás, uma das referências importantes pra eu escrever *Assassinatos...* foi o ótimo livro *Farda, fardão, camisola de dormir*, de Jorge Amado, cuja história se inspirou nas candidaturas à Academia de Afrânio Peixoto e Antônio da Silva Melo. O livro retrata o Rio de Janeiro da minha infância e, por meio de uma microanálise — uma eleição na Academia —, faz uma análise do macrocosmo que é o Brasil. Um livro curto no qual Jorge mostra toda a sua genialidade como escritor, pra mim o maior do Brasil. Paulo Pontes comentava comigo: "Basta ver a incrível e fantástica galeria de personagens dele".

Todos os meus livros transitam entre o crime, o serial killer, o romance policial e o suspense. O humor, os detalhes históricos, as construções muitas vezes feitas com inspiração no cinema ou nas histórias em quadrinhos estão a serviço da estrutura básica de um universo ficcional marcado por essas características. Todos também se passam em parte ou totalmente no Rio de Janeiro até a década de 1950. *As esganadas* (2011), meu quarto e último (por enquanto) romance, não poderia fugir dessas características. Ele transcorre no ano do meu nascimento, 1938, e é a história de um serial killer que mata mulheres gordas loucas por doces portugueses. Um crítico se espantou de eu revelar o assassino logo no início, mas não é um livro de mistério; é de suspense. No mistério você só deve revelar o assassino no final, como no *Xangô* e no *Assassinatos na Academia...*, mas num suspense você coloca o vilão logo no início, pra contar a história dele e seus motivos. Lembrem-se que o mestre do suspense, Alfred Hitchcock, fez isso em vários filmes. O Tobias Esteves, detetive do livro, que segue uma lógica linear simples em suas investigações, tinha sido amigo do poeta Fernando Pessoa (Esteves é um nome citado no poema "Tabacaria").

Também lancei este livro na Academia Brasileira de Letras, e adorei, porque o Rafinha foi ao lançamento. Meu querido Luis Fernando Verissimo escreveu uma apresentação muito bem-feita do livro, onde ressalta a criação dos meus personagens (os "tipos", segundo ele). Em geral, todos os livros foram bem na França e receberam boas resenhas, mas no caso deste houve um grande erro na tradução do título: a editora francesa traduziu *As esganadas* como *Les Yeux plus grands que le ventre* (Os olhos maiores que a barriga), e já havia uma obra de culinária com o mesmo título. Tarde demais, o livro já havia sido lançado, me lembrei que em francês existe uma palavra, *bouffetance*, comilança, que teria sido perfeita.

Por falar no Verissimo, em 2005, por conta do lançamento de *Assassinatos na Academia Brasileira de Letras*, fui à Festa Literária

Internacional de Paraty, a Flip, onde participei de uma mesa sobre o humorismo no Brasil, com ele e a historiadora Isabel Lustosa. Fui, mas Paraty, com suas 300 mil pedras, é um lugar proibitivo pra gordos. A Flávia adora a Flip, vai todos os anos. Em 2011, quem esteve lá foi um dos meus escritores policiais preferidos, o americano James Ellroy. Antes de se tornar escritor, ele levou vida de marginal, cometendo pequenos assaltos, bebendo, se drogando. Ficou conhecido no Brasil com o livro *Dália Negra* e, depois, com *L.A. Confidential*, que virou filme, com o Kevin Spacey, o Russell Crowe e a sensualíssima Kim Basinger (adoro a história de ela ter comprado uma cidade no estado da Geórgia, onde nasceu). Depois de Paraty, Ellroy foi ao talk show e eu o apresentei como o "cachorro louco da literatura americana". Ele tem dois metros de altura. Estive com James Ellroy numa feira de livros em Miami, atravessamos lado a lado um salão imenso pra darmos autógrafos, e eu disse a ele que estávamos parecendo o Mutt e o Jeff, personagens de uma velha história em quadrinhos americana, sindicalizada pra jornais de quase todo o mundo. Comentei que finalmente um filme, *Los Angeles, cidade proibida*, fazia justiça aos livros dele. Ellroy respondeu:

— Concordo, acompanhei as filmagens de perto.

— E o Kevin Spacey está muito bem.

— Sim, está. *But he is not a nice person.*

Ele disse isso quase duas décadas antes de as acusações de abuso sexual contra Spacey virem à tona.

Em 2018, a Flip homenageou a poeta Hilda Hilst, grande amiga da Theresa e minha. Frequentamos muito sua casa no bairro do Sumaré, em São Paulo, onde ela vivia antes de se retirar pra Casa do Sol, em Campinas. Na Casa do Sol não tinha mobília nenhuma, não tinha nada, era uma casa precursora das comunidades hippies. Hilda construiu uma mesa cheia de simbolismos, mas eu, com meu corpinho, encostei nela e ela se espatifou. Hilda me contou que uma vez estava em Paris e descobriu o hotel onde o Marlon Brando se hospedava. Foi até lá e ficou esmurrando a porta do quarto dele. Hilda era muito bonita e queria dar pra ele de qualquer jeito, mas o Marlon Brando ficou apavorado e ligou pra portaria: "Tem uma maluca na porta do meu quarto!". Ela também se atirava aos pés do Vinicius de Moraes, e ele era mesmo um poeta de se atirar aos pés. Com ela não havia acanhamentos, contava essas histórias pra gente com toda a naturalidade, Hilda Hilst tinha grande liberdade e grande senso de humor. Quando a entrevistei, levou ao programa aquelas gravações nas quais ouvia mensagens de pessoas mortas, mas não consegui identificar o que ela dizia estar escutando.

Em 10 de novembro de 2016, tomei posse da cadeira 33 da Academia Paulista de Letras, coisa que muito me honrou. Me candidatei graças à insistência do Ives Gandra Martins e de outros grandes amigos da APL. O decano da Academia é o poeta Paulo Bomfim. Comecei a frequentar os encontros às quintas--feiras, mesmo antes de tomar posse. No início, me sentia um pouco desconfortável e, um final de tarde, pra quebrar o gelo, passei a elogiar o poeta, sentado à cabeceira da mesa. Como ele não demonstrava nenhuma reação aos meus elogios, lembrei a Paulo Bomfim que a minha primeira exposição como pintor fora na Galeria Atrium, de propriedade da mulher dele. Nada. Caprichei mais no panegírico, mas ele devia estar acostumado com louvores maiores e continuou impassível. Depois do encontro, quando cheguei em casa, fui tomado por um certo mal-estar. Sentei-me ao computador e entrei no site da APL. Só então caiu a ficha da gloriosa bobagem que eu havia feito. Quem estava na cabeceira da mesa não era o poeta Paulo Bomfim, mas o acadêmico Paulo Nathanael. Os outros acadêmicos presentes esconderam o riso e nenhum foi capaz de me avisar. No próximo encontro, pedi desculpas ao Paulo Nathanael pelo engano. Ele me disse:

— Não tem importância. Nunca fui tão elogiado na minha vida.

Em março de 1997, a cúpula da Rede Globo começava a viver sua maior transformação desde a saída de Walter Clark, vinte anos antes. José Bonifácio Sobrinho, o primeiro-ministro da emissora, cedia lugar a Marluce Dias da Silva, que passava a superintendente executiva. As mudanças profundas na Globo começaram dois anos antes, quando o Evandro Carlos de Andrade, um saudosíssimo amigo, depois de 23 anos no jornal *O Globo*, assumiu a direção do jornalismo da TV no lugar de Alberico de Souza Cruz, autor da famosa edição do debate entre Collor e Lula no segundo turno de 1989, totalmente favorável ao primeiro. Evandro, de extrema confiança de Roberto Marinho, passou a responder diretamente ao vice-presidente Roberto Irineu, tirando a autoridade de Boni sobre o jornalismo da emissora. Saía um olhar do jornalismo de televisão como parte do entretenimento para entrar uma orientação mais técnica. As tensões entre Bonifácio e Evandro foram crescendo, a emissora optou por colocar um ponto-final na era Boni. O mundo mudava demais, a TV paga começava a crescer no Brasil e, na sombra, a internet iniciava, em escala exponencial, o estrago no mundo das comunicações que pouca gente ainda percebia. Fechava-se o ciclo dos anos dourados da televisão brasileira. No ano em que lancei *O homem que matou Getúlio*, a Marluce fez o primeiro contato.

Como meu contrato com o SBT iria expirar em 1999, avisei o Silvio Santos que iria conversar com ela sobre uma possível volta à Globo. Corretíssimo como sempre, Silvio não colocou nenhum obstáculo. Em março daquele ano, me encontrei com a Marluce em Nova York e acertamos as bases do contrato. Escolado no episódio com o Boni, pedi que colocassem no contrato a "cláusula da sunga": todas as roupas que eu usasse no programa seriam por conta da emissora. Ela não entendeu o porquê da cláusula, eu contei a história da devolução das sungas e a Marluce morreu de rir. Duas pessoas apoiavam diretamente a minha volta: o Evandro Carlos de Andrade e o Roberto Irineu Marinho. Depois de doze anos fora, assinei com a Globo um contrato de quatro. Fiquei dezesseis anos.

# XIII

No dia 3 de abril de 2000, eu voltaria a aparecer nas telas da Globo, desta vez com o *Programa do Jô*. Como uma das razões da minha volta ao canal apontada pela imprensa era o padrão de qualidade da emissora, logo na abertura fizemos — o Francisco Milani contracenou comigo — uma brincadeira: o microfone falhou o tempo todo, eu chamava uma entrada direto de Paris e vinham imagens de outro lugar do planeta e, no final do quadro, quando elogiei o padrão Globo de qualidade, um spot da iluminação despencou no palco. Minha volta estava batizada.

Há certas perguntas que a imprensa faz em qualquer ocasião. Quando fui pro SBT, me perguntavam se o Silvio Santos me daria autonomia pra eu escolher os entrevistados. Na volta à Globo, a pergunta se repetiu: "Você vai conseguir na Globo a mesma independência do SBT?". Mesmas perguntas, mesmas respostas: sem independência eu não faria o programa.

Luiz Inácio Lula da Silva foi o político mais entrevistado no talk show. As cassandras de plantão vão usar essa informação pra dizer: "Tá vendo como ele é petista?". Mas eu só fiz o levantamento desses números agora, pra escrever estas memórias, e além disso não faltaram no programa, ao longo desses anos, críticas ao petista. Tê-lo entrevistado mais vezes também serve pra neutralizar a acusação de que estávamos a serviço dos tucanos. Candidato a presidente da República, Lula esteve no programa em 2002. Depois de ir ao ar, o Duda Mendonça, responsável pelo marketing da campanha petista, me ligou em casa e passou o telefone pro Lula. Ele falou: "Jô, vou ganhar a eleição. Essa foi a nossa 13ª entrevista, e o 13 é o número do PT". Tendo disputado anteriormente três eleições presidenciais sem vencer, naquele ano Lula foi eleito presidente no segundo turno, batendo José Serra, candidato do PSDB.

Uma vez no Planalto, Lula parou de falar com a imprensa e de dar entrevistas. Insisti muito com o Ricardo Kotscho para tê-lo no *Programa do Jô*. Um dia, ele me ligou: "Está marcada! O Lula vai dar uma exclusiva pra você". Perguntei se eu precisaria ir a Brasília e o Kotscho disse que o presidente iria ao estúdio. Combinamos pro dia 4 de maio de 2004, uma terça-feira. A produção começou a preparar tudo, seria uma grande atração, o presidente não estava falando com ninguém. Era um momento de baixa popularidade de seu governo (as pessoas hoje só se lembram dos índices altamente positivos do segundo mandato, mas Lula teve muitas dificuldades pra governar e ser bem avaliado nos quatro primeiros anos na Presidência). Tudo preparado, eu na maior expectativa, quando descubro que o Ratinho iria a Brasília participar de um churrasco com o Lula, durante o qual faria uma entrevista com o presidente para o seu programa no SBT que iria ao ar na sexta-feira anterior à gravação do meu. Liguei pro Kotscho, disse que havia sido quebrado um acordo e que eu estava cancelando a gravação com o Lula. Eu não tinha nada contra o Ratinho, pelo contrário, até achava que o programa dele, por ser mais popular, seria mais adequado pro Lula naquele momento. Mas eu não iria aceitar manter a entrevista depois de ter a exclusividade desrespeitada. Fui criticado por descumprir o protocolo jornalístico — que não está escrito em lugar nenhum — de cancelar unilateralmente uma entrevista com um presidente da República. Não se conheciam precedentes para o fato. Com precedentes ou sem precedentes, quem descumpriu o acordo não fui eu.

Em junho de 2005, em entrevista à jornalista Renata Lo Prete, da *Folha de S.Paulo*, o deputado Roberto Jefferson denunciou uma mesada que o PT pagava a políticos aliados para que eles mantivessem a base de sustentação do governo de Luiz Inácio Lula da Silva, presidente da República desde 2003. As denúncias ficaram conhecidas como "mensalão" e levaram à criação de uma Comissão Parlamentar de Inquérito (CPI). Mantendo a tradição de acompanharmos no talk show os grandes acontecimentos do país, naquele ano, além das tradicionais entrevistas com os atores da cena política, criamos um quadro que me deu imenso prazer em fazê-lo, "As meninas do Jô". Apresentado às quartas-feiras, ficou no ar até o final do *Programa do Jô*, em 2016. O quadro acompanhou a CPI do mensalão, o impeachment da presidente Dilma Rousseff, os escândalos revelados pela Operação Lava Jato. Demos voz às opiniões das mulheres — política era um assunto tradicionalmente masculino — num clima de espontaneidade e humor, mantendo a informação e o comentário inteligente. Como elas trabalhavam pra diferentes veículos, traziam uma diversidade de visão que enriquecia a conversa. Participaram do quadro, com maior ou menor assiduidade, as jornalistas Ana Maria Tahan, Andréia Sadi, Arlene Clemesha, Cristiana Lôbo, Cristina Serra, Flávia Oliveira, Lillian Witte Fibe, Lucia Hippolito, Mara Luquet, Maria Lydia, Mariliz Pereira Jorge, Natuza Nery, Sonia Racy, Vera Magalhães e Zileide Silva. Agradeço imensamente a elas. Um dos meus projetos, quando deixei a Globo, era dar continuidade ao "As meninas do Jô", mas com os canais noticiosos debatendo política praticamente 24 horas por dia um programa a mais não faria sentido.

Nunca usei o espaço na TV com o objetivo de fazer acertos de contas pessoais. Mas não podia deixar entrar pra história uma inverdade publicada num livro, o que tende a perpetuá-la. Aproveitei a conversa com as meninas e desmenti um suposto episódio que o Ciro Gomes conta no livro *Depois de FHC*, escrito pelo jornalista Álvaro Pereira. Respondendo a uma pergunta do autor sobre as pressões sofridas pelo PSDB para fazer parte do governo de Fernando Collor, Ciro diz que eu promovi um jantar com artistas e que, do jantar, liguei pra cúpula tucana em nome desses artistas: "Vocês não têm direito de ficar de fora, como se fossem vestais; vocês têm obrigação com o país. Estou aqui com os artistas fulano e beltrano. O presidente está chamando, vão lá e resolvam. Mudem o que tem que ser mudado…". Nunca fiz jantar nenhum para artistas participarem da política. Nunca mandei no PSDB. Aliás, acho mais fácil reconhecer nas palavras escritas no livro o estilo autoritário da fala do Ciro Gomes, sempre recebido gentilmente no programa, do que a minha maneira de usar as palavras.

Dito isso, como cidadão tenho todo o direito de dar meus pitacos na política e nas conversas com políticos. Quando, depois de uma entrevista, Fernando Henrique Cardoso (entrevistei-o onze vezes), então ministro da Fazenda do governo Itamar Franco, me perguntou se eu achava que ele deveria se candidatar a presidente, respondi: "Se você não pegar o barco agora, não vai pegar nunca mais". Pessoalmente, eu gostava muito do Leonel Brizola, uma figura humana extraordinária (mas também dificílima de entrevistar; era especialista na arte de transformar diálogo em monólogo). Quando menino, pobre, no Rio Grande do Sul, andava a pé não sei quantas horas todos os dias pra estudar. Um padre o ensinou a não usar mais de um centímetro de pasta de dentes, porque era pecado desperdiçar. Votei no Brizola quando ele se candidatou a governador do Rio em 1982 — começou as eleições com 4% de intenções de voto e teve a Rede Globo contra sua candidatura —, mas não quando se candidatou a presidente em 1989.

Naquela eleição, fui com a Flavinha ao nosso lugar de votação em São Paulo e lá encontrei o ex-presidente da Embratur João Doria Jr. Ele me abraçou como se fôssemos íntimos (coisa que jamais aconteceu). Quando se retirou, um senhor se aproximou de mim e perguntou:

— Jô, você é muito amigo desse cara?

— Não, por quê?

— Porque enquanto ele te abraçava ele colou o adesivo do Collor nas suas costas.

Me virei e a Flávia, indignada, tirou o adesivo que ele pregara por trás. Contei pela primeira vez esse episódio nas entrevistas que dei para o lançamento do primeiro volume destas memórias, em 2017, e não pretendia registrá-lo neste segundo livro, até porque seu personagem é uma pessoa pequena. Mas como João Doria, na sua campanha de 2018 para o governo de São Paulo, disse que esse episódio era mentira, resolvi registrá-lo aqui também, até porque há testemunhas. Será muito interessante ver quem vai passar pra história como mentiroso, se eu ou ele.

Nasci no início de uma Guerra Mundial, passei 35 dos meus oitenta anos sob ditaduras, vi não sei quantas crises institucionais no país, vivi hiperinflações e recessões econômicas profundas. Mesmo reconhecendo o mérito de Lula por ter enfrentado como ninguém alguns problemas críticos da nossa desigualdade social inumana, e mesmo tendo muita simpatia pelo PT nas suas origens, penso que, por razões diferentes, as duas presidências mais importantes sob as quais vivi foram a de Juscelino Kubitschek e a de Fernando Henrique Cardoso. FHC fez um governo de arrumação da casa, e isso nunca dá popularidade, mas sem ela teria sido muito mais difícil pra Lula conquistar a imensa força política obtida durante seu período como presidente.

No dia 19 de junho de 2015, uma sexta-feira, o chão da avenida Higienópolis, em frente ao edifício onde moro, amanheceu com uma gigantesca pichação: "Jô Soares morra". A primeira providência que tomei foi não seguir o conselho e não morrer. Depois, me lembrei do vandalismo na minha casa nos anos 1960, feito pelo Comando de Caça aos Comunistas. Eu já vivera esse filme. Voltávamos a ver atos de intimidação física e política de tempos mais sombrios: tentaram agredir o Chico Buarque nas ruas do Rio, jovens foram ameaçar o jornalista Juca Kfouri na porta do prédio onde ele mora, a um quarteirão da pichação na minha rua. A origem dessa violência escrita em via pública — pra não mencionar os facínoras das redes sociais — foi a entrevista realizada com a presidente Dilma Rousseff, uma semana antes, em Brasília. Às vésperas de sofrer um processo de impeachment, a popularidade da presidente estava ao nível da piscina do Alvorada, e seria um risco pra qualquer um dar voz a ela naquele momento. Se eu estivesse preocupado com a minha popularidade, não teria dado esse passo, mas eu o considerava parte do dever de um programa que tinha acompanhado tão de perto a política brasileira das três décadas anteriores, quase sempre dando voz aos próprios atores políticos. Desde a recondução de Dilma à Presidência, em 2014, o país entrou num processo de radicalização política que não esmoreceu nem mesmo com o impeachment da primeira mulher presidente do Brasil. Como jornalista que humildemente também me considero, assim como havia entrevistado o presidente Fernando Henrique, tendo oportunidade, jamais deixaria de entrevistar um presidente da República. Fiz todas as perguntas a se fazer, as mesmas que todos queriam que eu fizesse. Só não entrei em debate com a Dilma. Eu estava lá pra perguntar. Também a tratei com gentileza e bom humor, essas coisas fazem parte do meu ser. Ela tinha topado vir ao estúdio da Globo em São Paulo, mas achamos muito perigoso, porque era um momento de muita exacerbação dos ânimos. No fundo, o episódio serviu também pra fortalecer os princípios democráticos, pois todo mundo tem direito a ser entrevistado, sobretudo nas piores horas. Além disso, recebi a solidariedade de muita gente. O Ricardo Boechat, por exemplo, fez um comentário muito engraçado na BandNews:

— Minha gente, não é porque o Gordo emagreceu que vamos crucificá-lo.

SBT e Globo somados, fiz 28 anos de talk show. Só perco pro Johnny Carson, porque ele completou trinta. A pergunta infinitas vezes ouvida nesse período foi: "Qual a melhor entrevista que você fez?". Pergunta como essa não tem resposta. Não dá pra eleger nem a melhor nem a pior. Depende do que as pessoas em casa e na plateia acharam de cada conversa. Entrevistei e me diverti com gente de todos os tipos, de todas as classes, de todas as profissões. Entrevistei vários prêmios Nobel: o Luc Montagnier, um dos criadores dos testes da aids, o extraordinário dramaturgo Dario Fo, os escritores José Saramago, Vargas Llosa, o "banqueiro indiano dos pobres" Muhammad Yunes. Entrevistei figuras magníficas como Albert Sabin, John Updike e Eric Hobsbawm. Com alguns artistas estrangeiros tive conversas maravilhosas: com a Shirley MacLaine, que carreguei na minha moto, com o Roman Polanski, com o simpaticíssimo cubano-americano Andy Garcia (membro dessa estirpe especial de gente, os "bongoceros"), com o francês Christopher Lambert, com o italiano Giancarlo Giannini. O Jean-Claude Van Damme foi sensacional: entre outras coisas, detonou o trailer do filme — que ele estava no Brasil pra divulgar — cedido pela produtora ao programa, dizendo que aquilo era um pedaço de merda, que a audiência do programa não merecia ver uma coisa daquela. Depois me pediu pra contracenar com ele, pra mostrar como as simulações de lutas eram feitas em Hollywood. Ao levantar o pé pra dar a impressão que ia atingir o meu queixo, eu caí imediatamente pra trás, me esparramando no chão. Ele ficou surpreso com a agilidade do gordo.

Procurei fazer do sofazinho uma tribuna pública, ali os principais assuntos do país foram discutidos, e nisso eu me diferia do perfil dos talk shows contemporâneos, mais enfáticos no cômico e nas conversas com celebridades (sem crítica a elas, são variações de estilo dentro do mesmo conceito de programa). Também dediquei grande espaço à divulgação da produção artística brasileira durante três décadas: literatura, teatro, cinema, música, artes plásticas, história em quadrinhos, da nova geração de comediantes — quase tudo de relevante nessas áreas passou pelo programa. Entrevistei filósofos, cientistas, professores, médicos, religiosos, esportistas, enfim, pessoas que dividiam seu conhecimento com milhões de outras em todo o país. Sobretudo, bati papo com mais de uma dezena de milhares de anônimos e semianônimos, rostos dos Brasis que puderam ser conhecidos por quinze minutos na maior rede de televisão do país. Gente como o último filósofo a andar pelas ruas do Rio de Janeiro, o Omar Khayam, nascido Alexandre dos Santos Selva Neto; gente como Sila, que foi do bando de Lampião, nascida Ilda Ribeiro de Sousa; como o curitibano que teve uma coleção de empregos inimagináveis, Marcelo Martins (ao final eu disse mais ou menos assim pra ele: "Seu problema não é falta de talento, é excesso de talento"); gente como a velhinha nascida na Finlândia, Eila Ampula, que tomou cerveja durante a gravação e deu uma entrevista divertidíssima (eu havia feito uma pergunta boba e depois me desculpei. "Foi uma pergunta idiota." Ela respondeu: "Muito"); ou como o pernambucano da zona da mata vovô Osório, candidato a vereador com 107 anos — que veio ao programa com a quinta mulher, um filho de onze anos e uma alegria deslumbrante. São apenas alguns poucos exemplos, porque o talk show, como o teatro, é algo que funciona naquele instante — depende do contexto da entrevista e do clima criado durante a conversa —, não é feito pra posteridade. Por isso existe grande dificuldade de levar as histórias das entrevistas para um livro. A palavra escrita não tem inflexão. Recebi algumas propostas pra fazer um livro com as melhores entrevistas, mas por essa razão nunca aceitei fazê-lo.

O programa também serviu pra mudar a vida de muita gente, muitas vezes de maneira imprevista. O Fábio Porchat, talentosíssimo, ainda estudante, de bermuda e camisa da seleção portuguesa, foi assistir à gravação do programa e, da plateia, pediu uma chance pra fazer um quadro. Ele nem tinha se levantado da cadeira e já estava escrito nos céus que nascia um novo astro da televisão e do cinema brasileiros. Também quando estudante, Alex Szapiro, que depois se tornaria CEO da Amazon no Brasil — do Jeff Bezos, hoje o homem mais rico do mundo —, conta que foi ver a gravação do programa e enxergou uma oportunidade na entrevista que fiz com a publicitária Christina Carvalho Pinto. Procurou a Christina, foi persistente e conseguiu uma vaga de estagiário.

Enfim, milhões de pessoas no Brasil trocaram horas preciosas de sono pra acompanhar o programa. Havia até a brincadeira de que eu estava contribuindo pra baixar o crescimento demográfico, pois os casais ficavam esperando o "beijo do gordo" pra começarem a transar, mas quando o beijo chegava já estavam tão cansados que deixavam pro dia seguinte. Só que no dia seguinte ligavam no gordo outra vez. Como realmente os brasileiros pararam de ter filhos nos últimos anos, acho que havia algum fundamento nessa brincadeira…

Durante os anos do talk show, a segunda pergunta que mais ouvi foi: "Qual a pior entrevista do programa?". Também essa pergunta não tem resposta fácil. Certas conversas me frustraram porque, dependendo do nome do entrevistado, eu criava grandes expectativas. Isso aconteceu mais de uma vez, mas vou citar apenas uma história, ocorrida com uma pessoa largamente admirada por sua obra, o cineasta americano Francis Ford Coppola, sem dúvida nenhuma um gênio do cinema. A trilogia *O poderoso chefão* será pra sempre um dos grandes clássicos da história do cinema. Eu já tinha adorado o livro do Mario Puzo, e Coppola fez uma das mais brilhantes adaptações cinematográficas de uma obra literária. Quando veio ao programa, ele havia se tornado um produtor de vinhos na Califórnia, na Argentina e também no Paraná, onde era proprietário de um vinhedo vizinho às terras do ex-governador Jaime Lerner. O Jaime me disse que o Coppola era um grande conversador e contava muitas histórias sobre vinhos (vivia mais deles que do cinema). Quando eu soube da possibilidade de entrevistar Francis Ford Coppola, fiquei exultante. No dia da gravação, eu estava na minha sala, me preparando pra conversa com ele, quando alguém da produção me diz:

— O Coppola já está aí no camarim, mas está puto da vida.

— Mas por quê?

— Parece que deu um problema qualquer no helicóptero que trouxe ele.

Era uma viagem de sete minutos do hotel onde ele estava até a televisão. Mandamos buscá-lo de helicóptero por causa do trânsito, para não tomar muito tempo dele. Quando fui ao camarim, o Coppola falou:

— Eu tive um problema pra chegar aqui. O helicóptero que foi me buscar não tinha cinto.

Parecia que ele estava sendo amistoso e brincando, então eu disse:

— É, os cintos de segurança são sempre um problema pros gordos. O cinto era muito apertado?

Ele respondeu:

— Não, não tinha cinto. Eu corri risco de vida. Foi uma viagem insuportável, precisei vir me segurando no aparelho!

Tentei fazer uma brincadeira:

— Mas você deve ter experiência nisso, ninguém usou tão bem helicópteros como você no *Apocalypse Now*...

— Eu estou falando sério, não estou brincando. Se eu soubesse que teria de passar por isso, não teria vindo.

— Bom, mas já que você está aqui, vamos fazer a entrevista.

A conversa durou oito minutos. Foi uma das entrevistas mais curtas da história do programa. O papo não rolou. Quando acabamos, ele percebeu que tinha sido grosseiro comigo e começou a falar:

— Sabe, eu sinto muitas dores nas costas.

Eu disse que também sofria de dores lombares, mais intensas quando eu ficava parado muito tempo. Aí ele me aconselhou:

— Você precisa usar este meu sapato.

Eu já tinha reparado no sapato do Coppola na hora em que ele subiu pro estúdio. O Willem van Weerelt disse no ponto:

— Olha o sapato dele, vou dar um take no sapato.

Eram aqueles sapatos grosseiros estilo ortopédicos, da marca Mephisto, que durante uma época todo homem de propaganda usava. O sapato fazia jus ao nome.

Eu sempre dizia pra produção não escolher um escritor a ser entrevistado pelo livro, mas pela maneira como ele falava em público. O programa era de jornalismo, mas também um show em TV aberta. Uma entrevista durava normalmente de dez a quinze minutos e, pra segurar a audiência, a pessoa precisava se expressar bem. Escrever e falar mexem com duas áreas do cérebro totalmente diferentes. Quando, além de ser um grande escritor, o autor também é brilhante ao falar, a entrevista vai às nuvens, como foi o caso das duas conversas com o Milton Hatoum, um dos melhores romancistas brasileiros vivos. Outra boa conversa foi com o Chico Buarque escritor, e não o músico. Depois de muita batalha, consegui que ele fosse ao programa quando lançou seu primeiro livro, *Estorvo*. A dedicatória do Chico pra mim no livro era muito divertida: "Ao amigo Jô, com cuja barriga empurrei todas as entrevistas". E continuou empurrando por muitos e muitos anos: nunca mais apareceu no programa pra falar dos livros que lançou depois.

Você não precisa fazer a pergunta que está na cabeça de todo mundo pra obter uma entrevista marcante. Quando o Cazuza foi ao programa, já estava tão fisicamente debilitado pela aids, seu problema já era tão visível diante das câmeras, que não precisei tocar no assunto. Ele estava com trinta anos, se declarou um social-democrata e falou muito feliz sobre a ida da Luiza Erundina ao show que ele fazia na ocasião. Conversamos sobre vida e esperança, não sobre morte.

Continuei fazendo as temporadas de one-man show até por volta de 2012. *O gordo ao vivo!* em 1988, *Um gordo em concerto* em 1993; o título era uma brincadeira com o substantivo "conserto", porque eu havia sofrido o acidente de moto. O Ricardo Amaral estava totalmente ensandecido, ele havia inaugurado uma casa de shows gigantesca, a Metropolitan, com 4500 lugares, e me propôs fazer quatro espetáculos por semana lá. Achei um risco enorme e, no início, resisti. Mas quando o Ricardo quer uma coisa não há quem tire da cabeça dele, e eu topei. No dia da estreia, o Ricardo chega no camarim antes do show e diz pra mim, seríssimo:

— Jô, você estava certo, não vai dar.

— Não encheu?

— Não só encheu como lotou. Tivemos de colocar cadeiras extras.

Ele me disse que fui o recordista de público no Metropolitan. Naquele ambiente vastíssimo, com um palco enorme, eu fazia o show sozinho, apenas acompanhado de uma cadeira com rodinhas. Numa das apresentações, havia um número que eu adoro: um cara experimentando um paletó na frente de um espelho imaginário, enquanto ia dizendo: "Assim não está bom", "Agora tá melhor" etc. No final, ele punha o paletó debaixo do braço e saía. Depois do espetáculo, Paulo Autran veio ao meu camarim e elogiou muito o número: "É o melhor número solo que eu já vi um ator fazer". Vindo do grande Paulo Autran, era o maior dos elogios. Na época do show, eu estava escrevendo *O Xangô* e minha vida se dividia entre São Paulo e o Rio, então carregava uma mala lotada de livros de pesquisa na ponte aérea.

Em 2003, estreei o *Na mira do gordo*, o primeiro espetáculo que levei pra fora do país. Fiz o show em Lisboa, no maravilhoso Centro Cultural de Belém, por três temporadas em anos diferentes. Lá, onde cultivei amigos maravilhosos como o ator Nicolau Breyner, tive o aplauso mais longo da minha vida: seis minutos, cronometrados pelo Antonio Colossi, responsável pelo som dos meus shows.

Mas a vida de um artista mambembe não é só de casa cheia. Fiz uma sessão do *Ame um gordo antes que acabe* pra nove pessoas, num teatro de 1500 lugares, em Goiânia. Nós estávamos terminando a temporada de Brasília, quando o Roberto Colossi propôs: "Não podemos deixar de fazer Goiânia, uma praça maravilhosa, aqui do lado de Brasília. Já tenho uma data num cineteatro muito bom". Quando chegamos ao cineteatro no final da tarde pra prepararmos o show, senti que não haveria muita gente (artistas farejam insucessos com facilidade). Perguntamos pro bilheteiro como estava indo a procura e ele disse: "O pessoal pergunta se tem mulher pelada, como não tem ninguém está comprando. De qualquer maneira, aqui o pessoal só chega na hora". O Colossi quis cancelar, mas eu me recusei. São apenas nove ingressos vendidos? Vou fazer o espetáculo pros nove. Quando entrei no palco, parecia *O fantasma da ópera*. De vez em quando, eu percebia um morcego sobrevoando o auditório. Nove pessoas. Pedi que elas viessem todas pra primeira fileira, a fim de criar um clima mais íntimo. Fiz um dos melhores shows da minha carreira. Foi ótimo.

Na Bahia, na época da reinauguração do maravilhoso Teatro Castro Alves, eu estava pisando no palco pra iniciar *Todos amam um homem gordo*, quando houve um blackout. Acabou a luz. Havia pifado uma central de energia elétrica do Nordeste. No mesmo dia, o Gilberto Gil teve que cancelar um show no Recife, porque ele precisava de uma parafernália eletrônica. Como a acústica do Castro Alves era excelente, resolvi fazer o show no gogó. Brinquei com a plateia: "Tem artista que tem luz própria". Pedi que dois lanterninhas do teatro ficassem na primeira fileira com o facho de luz voltado pra mim. Peguei as lanternas de outros dois lanterninhas, uma em cada mão, e fiz o espetáculo. Mais uma grande noite. Na bilheteria, o Milton Carneiro, agente do show, já estava deprimido diante da possibilidade de ter que devolver o dinheiro dos ingressos, quando um funcionário foi lá e disse:

— Seu Milton, o homem é doido, ele está fazendo o show com a luz dos lanterninhas.

O Milton foi até o auditório, ouviu o público dando risada e voltou pra bilheteria gritando:

— É o meu *golden boy*! É o meu *golden boy*! Traz uma vela pra eu contar o dinheiro!

O *Programa do Jô* trazia uma novidade: o quinteto tinha virado sexteto. No início do *Jô Soares Onze e Meia* a formação era: Bira (baixo), Rubinho (guitarra), Miltinho (Bateria) e o maestro Villani (piano). Depois o Derico (sax e flauta) entrou, e o quarteto virou quinteto. Agora, a formação tinha mais o Chiquinho (trompete), o Tomati (guitarra, substituindo o Rubinho, que infelizmente tinha falecido) e o Osmar (no lugar do Villani, no piano). Em 1999, fizemos um show (que virou CD) muito legal no Bourbon Street, em São Paulo. Nele, toquei bongô, cantei e soprei trompete. Depois do espetáculo, pendurei o trompete. Pra tocá-lo é preciso praticar várias horas por dia, é um instrumento muito difícil. Se você deixa de tocar por uns dias, perde totalmente a embocadura. Está sempre recomeçando do zero. É uma coisa que exige dedicação integral. Você cria até uma calosidade no lábio. E a técnica de tocar também evoluiu muito.

Na escola de jazz do Lennie Tristano, o teste de trompete consistia em tocar o si bemol lá em cima com o bocal apenas encostado, sem segurá-lo, as mãos longe do instrumento, que ficava pendurado. Isso exige muito da respiração do diafragma. Hoje, há músicos capazes de tocar o trompete sem tirá-lo da boca, por meio de uma respiração circular, o artista respira enquanto toca. O Louis Armstrong fez um calo na boca. Quando ficava imenso e começava a atrapalhar, ele cortava com uma gilete. A calosidade passou a incomodá-lo tanto que, a partir de certo momento, ele começou a tocar menos e a cantar mais, com aquela sua incrível *raspy voice*, como se diz em inglês.

A primeira lembrança que o Satchmo tinha do Brasil era do Tico-Tico, o José Carlos de Morais. Bastante conhecido nas rádios de São Paulo, ele se tornou o elétrico repórter pioneiro da TV brasileira. O Tico-Tico fez coisas inacreditáveis. Falando apenas o português, entrevistou presidentes dos Estados Unidos, papas e esteve até na União Soviética durante os anos tensos da Guerra Fria. Em 1961, conseguiu entrevistar pra televisão o Jango Goulart estacionado no Uruguai, antes de voltar ao Brasil e assumir o cargo de presidente, sob o então recém-criado regime parlamentarista. Em novembro de 1957, Tico-Tico foi entrevistar Louis Armstrong ainda na escada do avião que o trazia ao Brasil, convidado pela TV Record, e bateu com o microfone na boca do músico. Pá! Ele quase foi obrigado a cancelar o show da noite de estreia no Teatro Paramount. Aliás, por incrível que pareça, quando as cortinas do palco do teatro comandado pelo Paulinho Machado de Carvalho — durante anos, foi ele quem hospedou os maiores artistas internacionais em seus teatros — se abriram, o gênio Louis Armstrong foi recebido sob vaias (não foi só o João Gilberto que conquistou esse direito). O show estava atrasado em quase duas horas. Sem uma explicação clara, o "enormíssimo cronópio", como o chamou o escritor argentino Julio Cortázar, permanecia no hotel dizendo que não poderia se apresentar. Paulinho e seus assessores foram até lá, arrombaram a porta do quarto e o encontraram com um capacete de jogador de futebol americano na cabeça. Quando percebeu que a turma da Record, no desespero, ameaçava agredi-lo fisicamente, Pops, como também era conhecido, pegou sua tralha e foi pro teatro. Assim que tocou os primeiros acordes de "St. Louis Blues", o Paramount foi da vaia ao delírio em poucos segundos. Sucesso tão grande que o Paulinho aproveitou pra fazer um show extra, no ginásio do Ibirapuera, a preços populares.

Contando essa história do Armstrong, me lembrei de outro grande trompetista, o Dizzy Gillespie, um dos pais do bebop, que veio ao Brasil na década de 1970. Ele já tinha estado por aqui em 1956, trazendo na sua banda músicos como Quincy Jones e Phil Woods. Simpaticíssimo, deu canja com a orquestra do maestro Cipó, que resultaria numa gravação intitulada "Cepao's Samba" (Samba do Cipó). Houve um pequeno papo dele com o público no cine Bruni de Copacabana (coincidentemente, nessa noite de 17 de agosto de 1974 também haveria um concerto do genial baixista Charles Mingus no Teatro Municipal do Rio), traduzido por uma moça contratada por um dos patrocinadores do show. Alguém perguntou:

— *How do you like Brazil?*

— *Very much. I love Brazil, it's my second time here...*

Ele mal havia começado a responder quando a tradutora o interrompeu e traduziu:

— Ele está dizendo que gostou muito do Brasil, que já comeu a nossa feijoada e, como sobremesa, deliciou-se com um dos maravilhosos sorvetes Kibon, do nosso patrocinador...

Ouviu-se uma vaia maior do que a que o ponta-direita Julinho Botelho recebeu no Maracanã em 1959, ao ser escalado no lugar do Garrincha na seleção brasileira ou da que o Sérgio Ricardo ouviu no festival da Record, quando quebrou o violão e o jogou na plateia.

A turma urrava pra tradutora:

— Cala a boca! Mentira, ele não disse isso! Fora!

Percebendo que a coisa não estava nada boa, o Dizzy falava:

— *I didn't say that!* Eu não sei o que ela falou, mas eu não disse isso, eu não disse isso...

Em 2002, o *New York Times* deu matéria de uma página com o título "Showman renascentista brasileiro não pode ser contido num talk show". O título da matéria escrita pelo jornalista Larry Rohter citava uma frase da querida Fernanda Montenegro, que me chamava de "o homem da Renascença da cultura popular brasileira". Ele ouviu também um dos mais importantes autores da nova geração de escritores brasileiros, Michel Laub, na época editor de televisão da revista *Bravo!*. Laub disse: "Ele se mantém na televisão por mais de trinta anos porque é sempre divertido, mas um divertido que tem apelo com todos os tipos de audiência. Ele é claramente inventivo e culto, o que explica por que as elites gostam dele, mas também tem um grande senso de espetáculo". Hoje, com a internet e com a globalização acentuada, fala-se mais do Brasil na imprensa estrangeira. Na época, não era tão comum. Fiquei lisonjeado, pra dizer o mínimo, com a matéria do *Times*, afinal ela não era sobre uma notícia específica e não tinha um gancho jornalístico imediato, era mais um perfil com uma visão geral do meu trabalho. Mas também fiquei satisfeito por ver o esforço de um brasileiro sendo valorizado pelo jornal de maior prestígio no mundo. Em grande parte, isso não é mérito meu, pois sou fruto de uma árvore imensa, de profundas raízes e generosa sombra, que abriga diretores, atores, comediantes, músicos, redatores, jornalistas, cenógrafos, técnicos. Enfim, todos que construíram a linguagem vigorosa da televisão brasileira.

A última entrevista que fiz no talk show foi com um cidadão de Caratinga, Minas Gerais, chamado Ziraldo Alves Pinto. Um gênio do humor e do desenho. Um mineiro simples e até um pouco ingênuo de ótimo caráter. Ziraldo foi a pessoa que mais entrevistei no programa: 24 vezes. Fomos vizinhos na rua Baronesa de Poconé, na Lagoa, e somos amigos há sessenta anos. Uma vez ele me disse: "Jô, a única coisa que não deprecia é a amizade". Pois é, a amizade deve deixar os contadores loucos, ela não tem depreciação pra entrar nos balancetes. Mas Ziraldo errou na mosca nas profecias que fez sobre a minha carreira. Quando falei que ia fazer um talk show na televisão, o Ziraldo comentou:

— Você vai fazer um programa de entrevistas com três entrevistados por noite? Não dura quinze dias. Você não encontra no Brasil três pessoas por dia pra entrevistar, isso não existe no Brasil.

— Claro que existe, todo mundo tem alguma coisa pra contar, não são só pessoas famosas que têm o que dizer. Vou entrevistar gente anônima também.

— Mesmo assim, não dá, isso aí não dura um mês.

Quando terminei *O Xangô de Baker Street*, já com o título definido, que foi a última coisa do livro, contei pro Ziraldo. Ele comentou:

— Com esse título não vende um volume.

Ziraldo, amigo, esteja tranquilo que ainda tenho muitos projetos pela frente pra você fazer as suas profecias certeiras.

No dia 31 de outubro de 2014, aos cinquenta anos, o Rafinha morreu. Ele estava com câncer no cérebro fazia um ano. Este é o pesadelo de todo pai: que a ordem natural das coisas seja alterada e um filho se vá antes. Como ele era autista, manteve-se criança até o fim. O destino lhe propôs uma vida curta de provações e limitações, às quais ele respondeu como uma bem guardada felicidade interior. Rafael nunca reclamou de nada. Fomos opostos: nasci com uma necessidade imensa de comunicação; ele preferia o silêncio. Sempre precisei (até exageradamente) de muitas coisas; ele só tinha o essencial, sua vida dependia de pouquíssimas coisas. Rafa era trabalhador: tinha um "estúdio radiofônico" no apartamento em que morava com a Theresa, no Leblon. Sua rádio, chamada de "Rádio AM da Zona Sul", tinha os mega-hertz capazes de atingir quem se aproximasse de seu estúdio. Ele não se atrasava um minuto pra começar a programação, tinha os horários rígidos dos autistas. Não deixava de colocar a rádio no ar nem nos feriados. O Derico, generosamente, gravou várias chamadas pra rádio do Rafa.

Ele era fã e amigo do radialista Roberto Canázio, da Rádio Globo, que fez um retrato perfeito do Rafinha:

> Ele mantinha em casa uma "rádio imaginária" na qual era o locutor e se espelhava no meu programa para fazer o dele. Foi um profissional extraordinário. Começou com uma aparelhagem vhs e depois passou a fazer sua própria programação no computador. Era um ouvinte fiel. Sempre que podia ele vinha até os estúdios participar do programa, amava isso tudo e sonhava ser locutor. Tinha um excelente gosto musical.

Uma vez, fui com meu filho a uma livraria e ele pegou doze livros pra levar. Reclamei:

— Rafa, pra que levar tantos livros, é muito. Escolha a metade.

— Então eu não vou levar nenhum.

Achei que ele estava fazendo birra e retruquei:

— Rafa, não pode ser assim, ou uma dúzia ou nada. Vamos, escolha seis livros.

— Não, eu não vou escolher.

— Por quê?

— Porque escolher é perder.

# XIV

Depois de mais de 22 anos sem dirigir uma peça de teatro, estreei *Frankensteins* em 15 de agosto de 2002, na sala menor do Teatro Cultura Artística, em São Paulo. O texto, uma "comédia gótica", é de autoria do cubano Eduardo Manet. Ele foi companheiro de primeira hora de Fidel Castro durante a revolução, dirigiu o Conjunto Dramatico Nacional, uma companhia do Teatro Nacional de Cuba, e acabou se exilando em Paris. A história é ótima, é sobre criadores e criaturas, na verdade as criadoras (as escritoras Charlotte Brontë e Mary Shelley) e as criaturas (Jane Eyre e Frankenstein). Consegui comprar os direitos da peça com a ajuda do escritor, roteirista e ator Jean-Claude Carrière, de quem fiquei amigo por intermédio do Héctor Babenco. Adaptei, dirigi e produzi, tendo como assistente de direção o Tarcisio Filho. No elenco, a Bete Coelho, a Mika Lins, a Clara Carvalho e o Paulo Gorgulho.

Essa peça marca o começo da minha parceria e cumplicidade com a extraordinária atriz Bete Coelho, que continua até hoje, mesmo quando não estamos trabalhando juntos. Ela se formou com o Antunes Filho, ficou conhecida com Gerald Thomas e depois foi criando sua própria linguagem como diretora. Trocamos informações, ideias, pontos de vista sobre teatro, num processo de estímulo mútuo. No *Frankensteins* trabalhei também pela primeira vez com a minha praticamente sobrinha Daniela Thomas, filha do Ziraldo, que criou, junto com o André Cortez, um cenário espetacular. Como programa da peça, fizemos uma pequena joia: um livrinho concebido pela Flávia, de capa dura e revestido de tecido, cinco cores no miolo, fartamente ilustrado, contando a história das escritoras, dos personagens, explicando o romance gótico e contextualizando a era vitoriana.

De repente, senti uma necessidade imperiosa de voltar a dirigir teatro, e tenho sido muito atuante desde então. Todo o processo de descobrir o texto, imaginar a montagem, trabalhar na adaptação (porque um diretor não traduz, vai fazendo adaptações; pra ele, o texto não pertence mais ao autor), montar o casting, coordenar as leituras, os ensaios, estabelecer a caracterização de cada personagem, as marcações, a luz, o cenário, os figurinos, a música. Depois integrar tudo e fazer funcionar como uma orquestra. Enfim, todo esse processo é muito estimulante e deixa meus sentidos alertas o tempo todo. Minha direção teatral tem a característica de ser mais sustentada pelo cinema — continuo vendo (e revendo) tudo até hoje — do que pelo teatro propriamente.

Numa das entrevistas que fiz com Abigail Izquierdo Ferreira, a pedi em casamento. Não havia outra maneira de demonstrar minha paixão por Bibi Ferreira. O Juca de Oliveira havia escrito a peça *Às favas com os escrúpulos* pra ela. O título foi tirado da famosa frase do ministro do Trabalho Jarbas Passarinho, durante seu voto aprovando o inominável Ato Institucional nº 5 em dezembro de 1968: "Às favas, senhor presidente, neste momento, com todos os escrúpulos de consciência". Aos 85 anos, Bibi me procurou na maior humildade e perguntou se eu queria dirigi-la. Depois de muito tempo fazendo musicais, ela voltaria ao chamado "teatro de texto". Ela não fazia uma peça desde 1953! Bibi não é apenas uma atriz sublime e uma cantora sublime: sozinha, ela é um teatro inteiro — e lotado. É incrível a força dela. Até hoje tem a energia, a voz e a pele de uma menina.

A estreia de *Às favas...* seria no Teatro Fecomercio. Ou Fe Comercio. Não sei ao certo, só sei que isso não é nome de teatro em lugar nenhum do mundo. Um teatro maravilhoso que ninguém conhecia. Liguei pro Abram Szajman, que era presidente da Federação do Comércio do Estado de São Paulo, onde ficava o teatro da Federação (daí Fecomercio), homem de extraordinário senso de humor e com quem eu havia feito uma entrevista divertida. Perguntei:

— Abram, quantos fracassos o teatro ainda vai ter antes que vocês resolvam mudar o nome dele?

Ele caiu na gargalhada.

— Tudo bem, mas que nome você sugere?

Eu disse de bate-pronto:

— Teatro Raul Cortez.

Ele respondeu:

— É uma ótima sugestão. Vou propor à diretoria e, se eles concordarem, vamos mudar.

— Então MANDA eles concordarem, tá bom?

Ele riu de novo.

E o teatro realmente mudou de nome, numa bela homenagem ao extraordinário ator e fantástico amigo Raul Cortez.

Em 1947, Bibi Ferreira fez um filme com o Sabu, *O fim do rio*, baseado no romance de Desmond Holdridge. Sabu era um galã nascido na Índia, onde o pai era cornaca, condutor de elefantes. Ele havia feito grande sucesso no papel de Mogli, o menino lobo. No filme, Bibi interpreta magistralmente a embolada "Trepa no coqueiro", numa das cenas mais lindas da música popular brasileira no cinema. E foi da letra dessa música, composta em 1929 por Ari Kerner, que o Ivan Lessa tirou o nome de uma das colunas mais lidas do *Pasquim*, a sua "Gip! Gip! Nheco! Nheco!". A dada altura das conversas sobre a montagem, eu, pensando em usar a beleza da voz da Abigail na peça, cometi a asneira de perguntar pra ela se ela conhecia as *Bachianas brasileiras nº 5*, do Villa-Lobos. Ela me respondeu com genuína simplicidade:

— Conheço, sim. Eu cantei essa música com a Filarmônica de Londres.

Quando estávamos na mesa de leitura, a Bibi falou:

— Tem uma coisa ótima que eu faço, que é o "quatro". Eu me equilibro numa perna só, formando o número quatro. Vai dar muito certo na cena que eu estou bêbada.

— Abigail, você é um patrimônio, você está acima dessas coisas de equilibrismo. Vamos deixar isso de lado.

Na hora ela concordou, mas sei muito bem que atriz, ator não se aguentam. Eles arrumam um jeito de exibir suas habilidades. Se acharem que vai ser um tiro, não resistem. Um belo dia, espetáculo rodando redondinho, ela cedeu à tentação e fez o quatro que os bêbados costumam fazer pra mostrar que não estão no estado que estão. A plateia delirou. O Maurício Guilherme (a partir daí ele viria a ser meu assistente de direção em todas as peças e a se tornar um amigo fraterno, dotado de um humor especial; todas as quartas-feiras nos encontramos pra rever e estudar um clássico do cinema), só de sacanagem, chegou pra ela e disse:

— Bibi, foi ótimo, mas o Jô disse pra você não fazer o quatro, e você fez. E se alguém contar pra ele?

— Eu morro negando.

Abigail decora todos os textos, sabe muito bem suas falas, mas prefere usar o ponto. (Xiii, entreguei! Ela vai me matar!) Uma noite, ela entra no palco e o ponto cai no chão. Ela contracenava com a Neusa Maria Faro, no papel da empregada, a Dos Anjos. Ao perceber que estava sem o ponto, a Bibi (o nome da sua personagem era Lucila) travou e perdeu a sua fala. Alguns intermináveis segundos de silêncio depois, ela se vira pra Neusa e diz:

— Dos Anjos, você é feliz?

A peça era uma comédia, imagine se é possível uma frase dessas numa comédia. A Neusa viu que estava acontecendo alguma coisa errada e disse:

— Eu vou buscar um copo d'água pra senhora.

E a Bibi puxando a Neusa pelo braço:

— Senta, Dos Anjos!

— Sim, senhora.

— Dos Anjos, tem tanta gente infeliz neste mundo…

— Dona Lucila, é melhor eu buscar uma aguinha pra senhora.

A Adriane Galisteu, que estava no elenco — e que também viria a fazer comigo *Tróilo e Créssida* —, é uma profissional aplicadíssima. Seu papel em *Às favas…* era o da amante do político, feito pelo Juca de Oliveira e, da coxia, ela tinha o hábito de acompanhar todo o desenrolar das cenas no palco, falas, marcações etc. Adriane percebeu a coisa desandando, saiu correndo e foi contar pro Juca. O Juca faz uma coisa importantíssima: quando não está em cena, fica revendo suas próximas falas, a peça não tem descanso pra ele, trabalha no palco e na coxia — e, no caso, ainda por cima o texto era dele.

— Juca, tem algum problema, a Bibi não está dizendo o texto dela.

Detalhe importante: o Maurício Guilherme, já como assistente de direção, estava berrando no ponto, tentando falar com a Bibi e, toda vez que ele falava, com a vibração sonora da voz, o ponto dava uns pulinhos no palco. Não havia outra coisa pro Juca de Oliveira fazer a não ser interromper a peça. O Juca, então, surge no palco e diz pra plateia:

— Senhoras e senhores, peço desculpas, estamos com um problema técnico em um dos aparelhos e vamos ter que começar de novo.

Todos os atores saem do palco, passa um tempinho entra o contrarregra com uma chave de fenda na mão. Ele vai até o aparelho de tv do cenário e começa a fingir que vai consertá-lo. Nesse momento, um espectador na terceira fila se levanta da poltrona e grita bem alto:

— Não é aí, não! O aparelho de surdez da dona Bibi está do outro lado!

A Abigail, apesar de escutar muitíssimo bem, ficou feliz. Afinal ela preferia que o público pensasse que ela usava aparelho de surdez a pensar que era o ponto.

Terminada a estreia de *Às favas...*, fui ao camarim dar um beijo na Abigail. Ela me disse:

— Jô, na história dos espetáculos, a coisa mais bonita que existe é a confiança entre o trapezista que salta e o que, do outro lado, está com as mãos estendidas pra segurá-lo. É como você e eu. Eu sou aquela que se atira, você é aquele que segura.

Bibi disse isso segurando os meus braços e eu chorei.

Depois de um ano de casa lotada, a produção saiu pra uma turnê. A estreia seria em Santos, com duas sessões na sequência. Uma loucura. O Juca de Oliveira não poderia participar dessas apresentações por compromissos assumidos anteriormente, então o Gracindo Junior, maravilhoso ator que trabalhara comigo na peça *O estranho casal*, o substituiu. Eu também não pude ir e fiquei em casa na maior angústia, preocupado com a Bibi fazer duas sessões corridas. Lá pela uma da manhã, toca o telefone. Atendo.

— José Eugenio, é a Abigail.

— Que bom que você ligou, estava louco pra receber notícias.

— Não se preocupe, o Gracindinho aguentou bem as duas sessões!

Além do Maurício Guilherme, outra parceria importante que começou no *Às favas com os escrúpulos* foi com o mago da luz Maneco Quinderé. Como minha inspiração é o cinema, onde a iluminação é tudo, o encontro com ele ampliou infinitamente as possibilidades do trabalho visual nas peças. Maneco é uma espécie de alma gêmea, já sabe aonde quero chegar antes mesmo de eu dizer alguma coisa. O Maurício Guilherme também faz roteiros e escreve e, quando nos aproximamos, ele vinha burilando uma peça fazia muitos anos. Em 2012, conversamos bastante sobre o texto — inspirado nos filmes *noir* — e resolvemos montá-lo. Criamos um efeito nas passagens de uma cena pra outra, que foram entremeadas pela narrativa de uma lanterninha de cinema. A ideia dessa lanterninha me ocorreu por causa de uma peça que eu tinha visto em Londres: as pessoas atrasadas eram encaminhadas a um local onde um ator, vestido de lanterninha de teatro, contava o que estava acontecendo no palco, para que elas não perdessem a trama. Depois eram liberadas pra irem a seus lugares na plateia.

A peça do Maurício chama-se *Atreva-se*. Fizemos tudo em preto e branco, pra manter o clima dos filmes, e trabalhamos com um quarteto de novos comediantes sensacionais: Marcos Veras, Júlia Rabello, Mariana Santos e Carol Martin. A peça ficou mais de dois anos em cartaz, tendo sido apresentada em quinze capitais brasileiras. Comecei a formar também um grupo de trabalho com o Fabio Namatame nos figurinos, a Chris Aizner nos cenários, o Ricardo Severo e o Duda Queirós na música e, na produção, o Rodrigo Velloni, que topou embarcar nas minhas loucuras a partir daí. Em 2013, a pedido do ator Otávio Martins (ele também esteve comigo na *Tróilo e Créssida*) e da Carolina Ferraz, eu dirigi *Três dias de chuva*, de Richard Greenberg, com o Petrônio Gontijo completando o elenco.

Rememorando o que já fiz, até eu me espanto com a minha produtividade teatral nessas primeiras décadas do século xxi. Em 2008, dirigi duas peças: *O eclipse*, texto de Jandira Martini, com a própria autora no elenco mais o Maurício Guilherme e o Roney Facchini; e *A cabra ou Quem é Sylvia?*, de Edward Albee, com dois atores da maior importância, Denise del Vecchio e José Wilker — com quem eu batia papos intermináveis sobre filmes, cinema, diretores, atores, roteiristas... No elenco também estavam Francarlos Reis e Gustavo Machado. Mas, voltando ainda um pouquinho ao Juca de Oliveira: mesmo sendo o monstro de ator que é, ele às vezes demonstra uma insegurança adolescente. Como nós todos, aliás. É uma característica da profissão. Por pequenas coisas, ficamos preocupadíssimos. Em 2009, voltei a dirigir o Juca no espetáculo solo *Happy Hour*. Já perto da noite de estreia, estávamos ensaiando no teatro, quando um amigo de alguém da parte técnica, que fora convidado pra assistir ao ensaio, deu um palpite que azedou tudo. Aconselho a outros diretores que não cometam o mesmo erro de aceitar esses convidados nos ensaios. O Juca caiu na bobagem de perguntar pro cara:

— O que é que você está achando?

— Você não sabe o que fazer com as mãos.

Ele parou e não ensaiou mais naquela noite. Fiquei furioso, me virei pro sujeito, ele lá todo folgado, com os pés sobre as poltronas da fileira da frente, e disse:

— Você estava tendo o privilégio de assistir a um dos maiores atores que você já viu na sua vida, e me fala uma asneira dessa. O gestual dele é de uma grandeza incomensurável. Com as mãos, ele pode contar uma peça inteira. Vou te pedir que se retire imediatamente. Saia do teatro e pegue o caminho pra puta que te pariu!

Na década de 1960, houve uma montagem de *Júlio César*, de Shakespeare, dirigida pelo Antunes Filho. O Antunes foi obrigado a seguir a tradução absolutamente careta feita pelo então ex-governador Carlos Lacerda, porque a Ruth Escobar, produtora da peça, tinha conseguido o patrocínio do governo da Guanabara. O elenco era de primeiríssima: Raul Cortez, Sadi Cabral, Jardel Filho, Luis Gustavo, Glória Menezes e Juca de Oliveira. A estreia foi um fiasco, por pouco a plateia lotada do Teatro Municipal de São Paulo não terminou vaiando o espetáculo. Depois apareceram muitas explicações pra montagem não ter dado certo: houve apenas um mês de ensaios, os atores boicotaram porque não concordavam com o destaque dado, no cartaz da peça, ao nome de Carlos Lacerda, um dos líderes civis do golpe militar de 1964, entre outras. Mas uma coisa ficou na minha cabeça: a diferença brutal de interpretação do Juca naquela noite, incrivelmente superior à dos demais atores. A peça poderia ter se chamado Marco Antônio, ou o discurso de Marco Antônio, só por causa da atuação dele.

Tempos depois, perguntei ao Juca a razão daquela desigualdade de atuações, havendo no elenco atores tão bons. Ele me disse que o tempo de ensaio tinha sido curto e que, em vez de ensaiar, o grupo ficava horas e horas discutindo o significado da peça. Era uma época de se politizar tudo. Enquanto o pessoal discutia, o Juca decorava o seu texto e ensaiava sozinho. Ele tinha um amigo que trabalhava no Teatro Municipal, e Juca conseguiu um horário pra ir ensaiar lá todos os dias. Imaginem que cena poderosa de um filme seria esta: um ator falando sozinho o texto do Marco Antônio em um teatro da imponência e das dimensões do Municipal, completamente vazio. Isso é de um poder transcendental. O Juca teve todos os fantasmas e Mephistos da história do teatro como aliados durante a peça. O seu Marco Antônio é um dos grandes momentos do palco brasileiro.

*Happy Hour*, escrito pelo próprio Juca, era quase um monólogo. Havia uma interação dele com o público que não é característica do monólogo, por isso sempre digo que um espetáculo solo nem sempre é um monólogo. Texto bastante crítico com o momento político que o país vivia, as apresentações geravam polêmicas. O Juca foi muito corajoso. No final da estreia, fui ao banheiro e lá ouvi uma pessoa dizer a outra, se referindo ao espetáculo: "Foi o melhor show que eu já vi". Fiquei feliz da vida e fui ao camarim contar essa boa-nova pro Juca. Ele fez cara de decepcionado e me perguntou:

— Mas foi isso mesmo que ele falou, que é um show?

— Caralho, Juca, é claro que é um show! Todo teatro é um show. O que importa é que o cara adorou; se ele chamou de show, de espetáculo, de peça de teatro ou de opereta não tem a menor importância! O cara está dizendo que você deu um show!

Normalmente não gosto de monólogos, mas certa vez o grande ator italiano Vittorio Gassman, *Il Mattatore*, passou por aqui com um monólogo chamado *Il gioco dell'eroe* (*A jornada do herói*), no qual ele fazia todos os monólogos importantes extraídos de peças de teatro, dos gregos, passando por *Hamlet*, Molière, até chegar a Brecht. Todos os monólogos num monólogo só. Era monumental. Fiz vários amigos vasculharem a Itália pra encontrar o texto desse espetáculo, mas aparentemente ele não existe. Gassman era tão bom ator que ficou célebre uma montagem de *Otelo*, do Shakespeare, na qual ele e Salvo Randone se revezavam nos papéis: num dia um fazia o Otelo e o outro fazia o Iago; no outro dia, invertiam os personagens. Amigo de infância do Adolfo Celi, Gassman foi jogador de basquete da seleção universitária italiana, por isso o entrevistei pra TV Record numa quadra. Ele ia fazendo arremessos enquanto conversávamos.

Vittorio Gassman foi casado com a maravilhosa atriz Shelley Winters, que estudou no Actors Studio. Certa vez, uma aluna não estava conseguindo se expressar num exercício no qual tinha que se mostrar angustiada por estar vivendo, simultaneamente, duas emoções diferentes: ela visitava a irmã, queria ficar mais um pouco, mas, sem tempo, precisava ir embora. O exercício era passar essas duas emoções contraditórias ao mesmo tempo e a atriz não estava conseguindo. Aí, a Shelley Winters vai lá e mostra a ela como fazer. Espantada com a facilidade com que Shelley fez a cena, a aluna perguntou:

— Como você conseguiu?

— Foi simples. As duas irmãs são judias como eu, certo?

— Certo.

— Então. Ela quer muito ficar com a irmã, mas como tem

que ir embora é só ela pensar que o táxi chegou e que o chofer já ligou o taxímetro.

Algumas coisas são fundamentais pra mim quando dirijo teatro. Tudo começa com o texto. Tenho uma mesa enorme no meu estúdio, e a primeira fase do trabalho é a leitura de texto ao redor dessa mesa. Quando alguns atores começam, espontaneamente, a se levantar pra dizer suas falas, é o indício de que está chegando a hora de ensaiar com as marcações. Certas lições que eu aprendi com a Cacilda Becker preservo até hoje. Como também sou ator, em geral começo com a minha leitura do texto inteiro, pra já dar alguns indícios do que estou pensando de cada fala. Depois, peço que os atores leiam a peça toda em voz alta, e não apenas a fala de seus personagens. Eles precisam ter o domínio do conjunto da obra. Daí, falo pra eles lerem todas as suas falas de uma só vez, como se fossem um monólogo. É preciso dominar a totalidade do personagem, e não apenas das falas isoladas. Depois de tudo isso, é preciso trabalhar as frases mais importantes. Então o processo vem da floresta pro galho das árvores — que são as frases —, do geral pro particular. É fundamental descobrir a tônica de cada frase de destaque. Se o ator não descobre a chave da frase, onde precisa recorrer à ênfase, ele pode gritar no palco que ela não vai ser absorvida pelo espectador. Como na fala não há pontuação nem acentos, você precisa mostrar, oralmente, que existe uma grande diferença entre as frases "Senhor, morto está, tarde chegamos" e "Senhor morto, esta tarde chegamos". Só depois desse trabalho de imersão no texto é que entram as particularidades que cada ator vai imprimir ao seu personagem.

Nunca escrevo sobre as peças que faço, é no palco que o diretor escreve, pela polifonia das vozes dos atores de suas montagens. Abro exceção nestas páginas, com a intenção de fazer justiça (embora talvez cometa muitas injustiças, pois não dá pra falar de todo mundo) a quem dedicou seu talento e empenho às minhas peças. Depois de *Romeu e Julieta* nos anos 1960, fiz mais dois Shakespeares. Me arrisquei na dificílima *Ricardo III*, em 2006 — não é à toa que ninguém a faz completa, com os cinco atos —, e depois numa peça menos montada, o *Tróilo e Créssida*, em 2016. Sempre segui a ideia do Orson Welles de colocar Shakespeare na linguagem oral contemporânea, próxima do espectador, considerando que ele se conectava perfeitamente com os frequentadores de teatro de sua época. Levei seis meses na tradução/adaptação, utilizando um glossário só de palavras usadas por Shakespeare. Como ocorre em todas as artes, no teatro contemporâneo também houve uma desconstrução das narrativas que atende a uma vanguarda de espectadores, mas sempre vi Shakespeare com uma interação tangível com os mais variados tipos de espectadores. O maior desafio é ser inclusivo e não exclusivo, conseguir se relacionar com os diferentes, não somente com os iguais. Daí a necessidade que tenho de fazer minhas próprias traduções/adaptações de Shakespeare. Mas todas as ideias são inúteis se você não encontrar, por exemplo, um ator pra fazer Ricardo III com todas as suas anomalias físicas, e o Marco Ricca, que me convidou pra dirigir a peça, foi impecável. Nessa montagem, tive ainda o privilégio de trabalhar com a excelente companheira de muitas décadas Glória Menezes no papel da duquesa de York, e da Denise Fraga, sem dúvida nenhuma uma das atrizes mais completas em atividade, com uma palheta incrível de cores, da comédia à tragédia.

*Tróilo e Créssida*, escrito entre as tragédias *Hamlet* e *Otelo*, é um dos textos menos encenados do Shakespeare, talvez pelo desconforto que causa na plateia. Tradicionalmente tratada como uma peça de obscura obscenidade (Créssida era o símbolo da mulher infiel, na montagem, Maria Fernanda Cândido deu uma atualidade notável ao papel), secundária na produção do bardo, acredito que ela é cada vez mais contemporânea e será cada vez mais valorizada. Para encená-la, recorri ao apoio do professor

José Garcez Ghirardi, estudioso de Shakespeare. Maurício Guilherme foi parceiro na tradução e diretor assistente, e nos valemos basicamente do elenco com o qual havíamos feito *Histeria* (sua estreia foi no mesmo ano, em maio de 2016; é raro um diretor conduzir duas montagens complexas ao mesmo tempo), do irlandês Terry Johnson, que eu tinha visto em Paris dirigida pelo John Malkovich.

O texto de *Histeria* sugere um encontro imaginário entre Sigmund Freud e Salvador Dalí, interpretados respectivamente pelo Pedro Paulo Rangel — cinquenta anos antes, ele havia trabalhado comigo em *Romeu e Julieta* — e pelo Cassio Scapin (cinco anos antes, ele havia trabalhado comigo em *O libertino*, de Eric-Emmanuel Schmitt). Se puder, terei sempre o Cassio, juntamente com o Marco Antônio Pâmio, nos meus elencos. O trabalho com esse grupo me acendeu a vontade de montar um teatro de repertório, a exemplo do que fez o querido Antônio Fagundes. Trabalhar continuamente com o mesmo grupo de atores em montagens de peças importantes. Fazem parte desse meu grupo os ótimos atores Erica Montanheiro (que também esteve no elenco da *O libertino*), Guta Ruiz, Mariana Melgaço, Tuna Dwek, Felipe Palhares, Kiko Bertholini, Luciano Schwab, Marco Antônio Pâmio, Milton Levy, Nicolas Trevijano, Norival Rizzo, Paulo Marcos e Ricardo Gelli, além do Giovani Tozzi, que também é responsável pela arte gráfica dos cartazes e dos programas.

Com essa turma montamos, em 2018, *A noite de 16 de janeiro*, da filósofa russo-americana Ayn Rand, figura curiosíssima e autora do cultuado livro *A revolta de Atlas*. Havia diversos motivos pra eu montar essa peça: primeiro, nasci no dia 16 de janeiro (aliás, a autora detestava o título, dado por um produtor); segundo, adoro filmes de julgamento, do suspense de um tribunal de júri; terceiro, há nela uma interação maravilhosa, o júri é composto de pessoas da plateia, e a peça pode ter dois finais diferentes; quarto, depois de muito tempo eu voltaria a atuar em uma peça, fazendo o papel do juiz. Infelizmente, um acidente doméstico, seguido de uma infecção, me impediu de continuar atuando no espetáculo.

Citei muitos atores, deixei de citar muitos outros aos quais peço desculpas, mas registro aqui minha homenagem a todos. Não conheço profissão menos valorizada no Brasil do que a de atriz e de ator de teatro. O dinheiro investido nesses artistas é uma miséria, apesar da alta qualidade da média dos profissionais brasileiros. A maior parte fica desempregada por um longo período do ano e, quando consegue um papel, atrizes e atores em geral ganham pouquíssimo. Os incentivos fiscais que chegam a eles são migalhas. A maioria dos atores é abnegada, trabalhadora, e só se mantém na atividade porque ser ator é mais necessário do que viver bem. Tiro minha cartola pra eles.

Em agosto de 2018, fui internado no Hospital Sírio-Libanês com uma infecção urinária. A dois quartos do meu, estava um amigo às vésperas da morte. Era o Otavinho Frias Filho. Quando eu caminhava pelos corredores na hora de fazer os exercícios, via algumas pessoas chorando junto à porta do quarto dele, mas eu não tinha intimidade suficiente pra conversar com elas. Que angústia terrível, meu Deus, estar ali próximo de um amigo nas últimas e não poder fazer nada. Pensei muito no Otavio nesses dias e nas nossas conversas sobre teatro. Ele queria saber mais sobre o polonês Sławomir Mrożek, autor de uma peça chamada *A polícia*, que cheguei a ensaiar com o Túlio de Lemos e o Juca de Oliveira, com direção do Ziembinski, como contei no primeiro volume. Quando soube do câncer do Otavinho, conversei com ele por telefone duas vezes. Otavio dizia que os prognósticos eram bons. Me lembrei de um episódio marcante pra mim.

Em 1985, Otavio e o então jovem secretário de redação da *Folha*, Caio Túlio Costa, me convidaram pra escrever uma coluna aos domingos. Era o ano da volta das eleições diretas para prefeito nas capitais e o Jânio Quadros disputava pau a pau com o Fernando Henrique Cardoso, então no PMDB, a prefeitura de São Paulo. Ficou famoso o episódio da dedetização da cadeira de prefeito: um dia antes das eleições, FHC havia sentado nela pra fazer uma foto como se já fosse o novo prefeito paulistano, e perdeu a eleição. Na campanha, Jânio espalhou um cartaz pela cidade (ainda não havia a Lei Cidade Limpa) com os dizeres: "Jânio é experiente e suruba!". Eu não podia perder a oportunidade. Procurei os múltiplos sentidos da palavra no dicionário (pode ser "muito bom", "capaz") e fiz uma coluna mostrando como vários palavrões tinham, no léxico, também outros significados. Escrevi minha primeira coluna pra *Folha* brincando com palavrões. A ditadura tinha acabado, mas ainda havia enorme receio — mais por questões morais e religiosas — dos jornais e das revistas em publicar palavrões. O Caio Túlio e o Otavio me chamaram na redação pra dizer que iam publicar a coluna e que só a *Folha* seria capaz de fazer isso naquele momento. Era verdade, havia uma ousadia cativante no jornal, em grande parte fruto da coragem do Otavio, que destoava do resto da imprensa. Senti que estava participando, à revelia, de um momento importante do jornalismo brasileiro.

Em 1995, convidei o Roberto Carlos pra ir ao *Jô Soares Onze e Meia* no SBT. Como ele tinha um contrato de exclusividade draconiano com a Globo, precisava de autorização do Boni. Dois dias antes da gravação, o Roberto me ligou muito chateado, dizendo que não poderia ir ao programa porque, embora o Boni tivesse autorizado, não deixara nada por escrito e estava havendo uma pressão muito grande pra ele não participar do *Onze e Meia*. Eu disse a ele:

— Roberto, não tem problema, nós somos amigos há tanto tempo, um dia a gente faz. Mas vou te dar uma sugestão: todos os dias quando você acordar se olhe no espelho e diga: "Eu sou o Roberto Carlos, cara, eu sou o Roberto Carlos".

Meia hora depois e ele me ligou e disse:

— Jô, está tudo certo, eu vou ao programa. Sabe por quê?

— Por quê?

— Porque eu sou o Roberto Carlos.

Entrevistei o Roberto três vezes no talk show, ele vinha muito alegre, relaxado, brincalhão, extremamente carinhoso comigo. Sempre trazia a orquestra por conta dele. Na maior generosidade, ele mesmo pediu pra vir à despedida do *Programa do Jô*, em dezembro de 2016. Na nossa primeira entrevista, ele havia dito que uma das maiores emoções da vida dele tinha sido ganhar o Festival de San Remo, na Itália, em 1968, com "Canzone per te", do Sergio Endrigo. Na última, escolheu essa música italiana pra apresentar. No finalzinho do programa, cantou "Amigo". Chorei muito. Num show, Caetano Veloso cantava "Debaixo dos caracóis dos seus cabelos", que Roberto Carlos tinha feito pra ele quando estava no exílio. Ao final, Caetano dizia: "Quem é rei nunca perde a majestade". Isso mesmo. Roberto, não preciso lhe dizer, mas é MARAVILHOSO saber que você é meu amigo.

Ele tem uma das maiores glórias que um músico de qualquer país pode ter. O requintado diretor italiano Luchino Visconti, que dirigiu óperas memoráveis no Teatro Scala de Milão e era exigentíssimo na escolha das trilhas sonoras de seus filmes, usou a versão italiana da música (de Roberto e Erasmo Carlos) "A distância", cantada pela Iva Zanicchi, no extraordinário *Gruppo di famiglia in un interno* (*Violência e paixão* no Brasil), de 1974. Com o título em italiano de "Testarda io", a canção dá o clima exato pra uma das cenas mais marcantes do filme, de atordoante beleza. O requintado professor vivido por Burt Lancaster, um homem com a cabeça na pintura e na música do século XVIII, desperta à noite e vê, chocado, na sala de seu apartamento, a filha da vizinha (personagem de Claudia Marsani) fumando maconha e transando com a maior naturalidade com dois homens (representados por Helmut Berger e Stefano Patrizi). Há um abismo entre esses dois mundos, o do esteta refinado e educadíssimo e o dos jovens dissolutos e hedonistas. A ponte entre eles é a sensibilidade musical dos meus amigos Roberto e Erasmo.

Já que falamos do Helmut Berger, não posso deixar de contar que, junto com meu amigo Angelo de Aquino, partilhei com o ator uma mesa no Régine's de Paris, no lançamento de um de seus filmes. Era um homem lindo e um ator... lindo. Ele estava com seu namorado, e certamente os dois achavam aquilo tudo muito pomposo, uma chatice, uma caretice imensa, pois ficavam gritando um pro outro, e repetindo em francês, que aquilo era um tédio, que era melhor a morte:

— *L'ennui!...*
— *La mort!...*
— *L'ennui!...*
— *La mort!...*


Gabriel e Julinha são duas crianças lindas que vieram alegrar a minha vida. Elas moram comigo. Gabriel é filho da Tetê, a Tetê era sobrinha da Nalva, a Nalva era irmã da Marlucy de Oliveira Costa, que trabalha em casa desde 2005, Marlucy é a mãe da Julinha, Julinha é sobrinha da Xuda, Xuda passou a ser a mãe do Gabriel. Meio confuso como o poema "Quadrilha" ("João amava Teresa que amava Raimundo..."), do Carlos Drummond de Andrade, mas vou explicando nas próximas linhas. Quando Gabriel tinha cinco anos, a Tetê, sua mãe, morreu por causa de um tumor de pequenas células, um tipo de câncer fulminante que, em 95% dos casos, dá em fumantes. Tetê fazia parte dos 5% que nunca colocaram um cigarro na boca.

A Nalva era uma baiana de Senhor do Bonfim, mãe de cinco filhos. Ela fugiu de casa e da sua terra porque o marido batia muito nela. Conseguiu um emprego conosco por meio de um rapaz chamado Rai, chapeiro no restaurante do irmão da Jacqueline Perez, uma grande amiga da Flávia. Naquela época, morávamos em São Paulo, num apartamento na Bela Cintra, eu já tinha vendido a casa da Bento de Andrade. Essa moça chorava o tempo todo. Eu dizia:

— Baiana, deixa de chorar, esquece esse choro lá na Bahia.

Nós passamos a precisar de alguém pra cobrir os fins de semana, e a Nalva me disse:

— Olha, seu Jô, tem uma sobrinha minha, a Tetê, filha do meu irmão, que está fazendo dezoito anos. Ela é ótima.

Acertamos tudo, a Tetê (seu nome era Junayda) vinha pra casa toda sexta-feira à noite e saía na segunda de manhã. Com o tempo, passou a ficar mais dias em casa. Acabamos muito amigos, íamos ao cinema juntos, levei-a até pra ver alguns filmes japoneses. Tetê foi ganhando novas funções na casa, me ajudava a escolher qual roupa usar. Eu me divertia muito, porque ela era uma imitadora incrível, a imitação dela da Lucinha Lins era uma obra-prima. Também nascida e criada em Senhor do Bonfim, era de uma inteligência incrível. Um dia, confessou estar grávida. O pai é irmão do Sebastian Kassen Moreira dos Santos, que é mais do que meu chofer, é um cúmplice, e atua também na produção das minhas peças. O Gabriel morava com ela aqui em casa. De repente, a Tetê começou a ter falta de ar, a não se sentir bem, pedi pro dr. Drauzio Varella examiná-la. Ele me disse:

— Meu Deus, eu não acredito: ela está com um tumor de pequenas células. Só tem 10% de possibilidade de vencer esse tumor.

Ela se foi em vinte dias. Ficou o Gabriel, cuidado pela irmã da Tetê, a Xuda (cujo o nome é Marycleyde. O que tem de "Y" na família é uma loucura). Nesse meio-tempo, aconteceu uma coisa rara: a Marlucy ficou grávida aos 41 anos. Nasceu a Julia, uma lourinha linda de olho azul e cabelo cacheado. Uma bonequinha, mas que não conseguia respirar, tinha um problema respiratório sério. A Marlucy me disse:

— Seu Jô, a gente vai pedir "os tempo" pra poder tratar a Julinha.

Não entendi na hora. Eu não sabia o que era "os tempo", mas ela estava se referindo à remuneração por tempo de serviço. Disse a ela que isso estava fora de cogitação e, assim, a casa ganhou mais uma criança. Julinha foi operada pela excelente médica dra. Sara Mika Cardoso Bohadana. É uma bênção ter o Gabriel e a Julinha por aqui.

Um dia, em 2009, peguei a Tetê chorando. O pai dela estava com hanseníase em Senhor do Bonfim, que fica a cerca de quatrocentos quilômetros de Salvador. Ela disse: "Meu pai vai morrer porque o remédio não chega mais na nossa cidade". Fiquei indignado. Meu Deus, que país é este em que as pessoas ainda têm lepra! Por coincidência, um mês depois, entrevistei o ministro da Saúde, José Gomes Temporão, médico de moléstias infecciosas e parasitárias. Antes de começarmos a gravação do programa, eu disse pra ele no camarim:

— Ministro, me desculpe, mas eu não posso deixar de tocar num assunto com você. O pai de uma funcionária minha, ele mora em Senhor do Bonfim, na Bahia, sofre de hanseníase. Ele vai morrer porque o posto de saúde da cidade não está recebendo mais o remédio indicado pro tratamento.

Temporão me respondeu na hora:

— Ah, mas não vai morrer mesmo.

Pegou o celular, ligou pra um assessor e, depois de 48 horas, o remédio estava na cidade. O pai da Tetê foi salvo. O Deus das pequenas coisas: pude ajudar a salvar uma vida, graças ao programa de entrevistas na televisão e a um ministro solícito, a quem sou eternamente reconhecido.

Num fim de semana, a Nalva foi passear no Ibirapuera. Estava caminhando perto do lago, quando um homem se aproximou, pediu desculpas por seu sotaque francês e puxou conversa: "Meu nome é Charles, eu nasci na França e sou diretor-engenheiro da fábrica de porcelana Santa Marina". Ele se apaixonou pela Nalva à primeira vista. Dizendo não saber a quem se dirigir, mandou uma carta pra mim a pedindo em casamento. Ele estava se separando da mulher (mandou anexada uma cópia do processo de divórcio) e dizia ter os melhores e os mais profundos sentimentos em relação à *Nalvá*, como ele a chamava. Assim que saiu o divórcio, eles se casaram e foram morar na França, nas terras de Charles, na região de Champagne. Quando vinha ao Brasil, Nalva me trazia garrafas do abençoado vinho espumante da região onde ela morava. E eu brincava:

— Madame Nalvá, quem diria, hein? Me lembro de você chorando lá no seu quarto no apartamento da Bela Cintra...

Anos depois, a Nalva resolveu passar uma micareta com a família, foi pra Bahia, a Marlucy foi encontrá-la. A micareta de Senhor do Bonfim é uma festa famosa no Nordeste. Numa das noites, elas saíram na caminhonete de um amigo que não sabia dirigir bem. Pegaram uma estrada, ele fez uma curva muito fechada, a porta abriu e a Nalva foi lançada longe. Bateu de encontro a uma árvore e morreu na hora. A Marlucy também foi projetada longe. Toda machucada, aguardou horas pelo socorro. Ninguém passava pra ajudá-los. A Marlucy ficou cinco meses no hospital. A Flávia sempre dizia: "A Nalva não devia mais andar de carro, todas as vezes acontece alguma coisa: fura o pneu, dá uma batidinha, o carro quebra...". Eu e ela estávamos numa pizza na casa do queridíssimo Faustão. Quando saíamos, já tarde, recebo o telefonema de um irmão da Nalva, da Bahia:

— Seu Jô, a Nalva morreu. O senhor, por favor, avise a Tetê.

Respondi que não havia a menor hipótese de eu contar pra ela.

— Você dá a notícia pra Tetê, que eu seguro a barra por aqui — combinei com ele.

Quando a Tetê recebeu a notícia, despencou. Eu também estava arrasado, mas cabia a mim avisar o marido da Nalva na França. Não sei de onde tirei coragem, peguei o telefone, aqui eram duas da manhã, na França manhãzinha. Falei com ele em francês:

— Charly, eu lamento muito ser a pessoa que está te dando esta notícia, mas a Nalva sofreu um acidente de carro e... infelizmente ela faleceu.

Do outro lado, ele urrava:

— *NOOOONN, NOOONN... C'est ne pas vrai...* Não é verdade... não é verdade... *ma petite Nalvá!...*

Ainda tentei consolá-lo dizendo que ela não havia sofrido, que tinha morrido na hora com o impacto, mas a dor do homem era desesperadora. Foi um dos momentos mais dramáticos da minha vida dar uma notícia dessas pra um homem tão bom, tão apaixonado pela mulher e que, no fundo, eu conhecia muito pouco.

Charly foi tão apaixonado pela Nalva que durante anos vinha ao Brasil, ia a Senhor do Bonfim e ficava conversando com ela no cemitério.

Durante o período em que estive no SBT, sempre que nos encontrávamos em algum lugar o Roberto Marinho me dizia:

— Meu amigo Jô Soares, estou com saudades. Quando você volta?

Em 1999, eu já havia assinado o contrato da minha volta à Globo, mas ele ainda não havia sido informado da conclusão das negociações. Roberto Marinho me convidou:

— Eu tenho uma casa no Alto da Boa Vista, um lugar muito simpático, venha jantar comigo. Precisava de um encontro a sós com você. Chegou a hora de você voltar.

— Claro, doutor Roberto, eu vou voltar, sim.

No final do jantar, ele me acompanhou até a porta, se virou pra mim e disse em tom de advertência:

— Vamos negociar um contrato, mas não afie demais os dentes!

Roberto Marinho jamais tratou mal um funcionário, seja em público, seja em privado. Certa vez, resolveu falar com o Antônio Carlos Yazeji, que cuidava dos seus negócios. O Roberto Buzzoni, diretor de programação, estava na sala do Boni, quando a secretária do Roberto Marinho ligou e disse:

— Doutor Buzzoni — todo mundo na Globo é doutor —, o doutor Roberto quer falar com o senhor.

Aí o Buzzoni disse:

— Comigo? Ele nunca me chamou na sala dele, não deve nem saber quem eu sou…

E o Boni:

— Se ele está chamando, você precisa ir.

O Buzzoni:

— Então me empresta um paletó.

Pôs um paletó todo apertado e foi pra sala do Roberto, que disse:

— Sente-se, por favor. Como vão as aplicações?

O Buzzoni não entendeu o porquê da pergunta, mas respondeu:

— Ah, doutor Roberto, não tem sobrado muito pra aplicar, não.

Cara de espanto do dr. Roberto.

— Como não?

— Nada, não sobrou pra aplicar.

— E o shopping?

— Ah, doutor Roberto, aquilo é só uma salinha, o aluguel não rende nada.

— Só uma salinha? E aquele dinheiro todo que foi investido?

— Nem tanto assim, doutor Roberto, era só um dinheirinho que eu tinha sobrando…

Nessa hora, o Roberto Marinho se tocou que alguma coisa estava errada.

— Um momentinho...

Pegou o interfone e perguntou baixinho à secretária:

— Quem é que está aqui comigo? É o doutor Buzzoni? Sei... e o que é que ele está fazendo aqui?

— Ele é o diretor de programação, doutor Roberto.

— Sei... E como é o nome da pessoa que cuida dos meus investimentos?

— É doutor Yazeji, doutor Roberto.

— Hum... manda ele vir aqui.

O Roberto se levantou educadamente, acompanhou o Buzzoni até a porta, apertou sua mão e disse:

— Queira-me bem.

Quando eu era adolescente, certa vez estava passando férias com meus pais num hotel famoso em Montecatini, uma estação de águas na Itália. Lá encontramos o Cardoso, um português amigo do papai, dono do Hotel Novo Mundo no Rio. Ele nos viu e começou a chamar:

— Ô Orlando, ô Orlando!

Meu pai olhou, viu quem era e disse:

— Iiii, esse português é de uma grosseria inacreditável. Mas vamos lá falar com ele.

Não tivemos remédio senão ir falar com o Cardoso, um cara realmente muito grosso.

Um dia, uma italiana linda de olhos verdes e corpo exuberante estava no hall, com o maior jeito de garota de programa de luxo. Aí o Cardoso saiu do elevador e quando passa na frente dela a linda mulher diz pra ele rispidamente:

— *Mascalzone* [Canalha]!

E o Cardoso, sem se importar com o tumulto que poderia causar, começou a dizer alto pra ela:

— Sabes quanto tu querias? Vinte! Querias vinte, mas não te dei. Dei-te cinco. E sabes quanto vales? Zero. Tu vales zero! Lucraste cinco. Querias vinte, mas não tos dei.

Quando ele falava "zero", unia a ponta do dedo indicador com a ponta do polegar e mostrava pra ela. Tentei puxá-lo dali, mas ele continuava gritando pra moça:

— Tu és puta, és puta, és puta! Levaste-me cinco. Mas querias vinte. Quanto eu te dei? Te dei cinco! Sabes quanto vales? Zero!

E fazia o gesto com a mão novamente. Eu não sabia onde me enfiar. Foi muito difícil, mas tirei o Cardoso de lá. Aí ele me explicou:

— Sabes por que não paguei? Porque na hora que ela tirou a roupa já me esporrei todo. Não meti. Aí ela queria vinte e eu disse: "Querias, mas não tos dou. Não meti. Te dou cinco, mas vales zero".

Um dia contei essa história pro Max Nunes e ele disse: "Já temos um bordão pronto, vamos construir o personagem".

Quando o Boni viu o quadro do português com o bordão "Querias, mas não tos dou", disse:

— Gordinho, esse personagem não cola.

— Boni, deixa eu tentar um pouco.

— Faz o que você quiser, mas esse personagem não cola.

Dois meses no ar foram suficientes pra fazer do bordão um sucesso. Um dia, estou chegando na Globo, um carro com chofer passa por mim, o passageiro abre o vidro e diz: "Querias, querias…". Era o Roberto Marinho.

O Boni que nunca errava nessas coisas, daquela vez errou. Foi um dos bordões mais famosos do *Planeta dos Homens*. Pegou até em Portugal. Um amigo de Lisboa me disse que estava num elevador lotado, quando a porta se abriu num andar e mais um passageiro queria entrar. Todos que estavam no elevador gritaram em uníssono:

— Querias!

* * *

Uma tarde, devia ser umas quatro ou cinco horas, eu estava contando um monte de histórias no restaurante da Globo no Rio, lá na Lopes Quintas, no Jardim Botânico. Nós gargalhávamos, estavam o Magaldi, o Otto, o Evandro, a gente fazia uma algazarra danada. Uma das portas dava pro escritório do Roberto Marinho. De repente, ele abriu essa porta, nós viramos a cabeça. Aí, o dr. Roberto me viu e disse: "Ah bom". E fechou a porta.

De vez em quando, nós dois conversávamos mais demoradamente. Numa delas, ele me contou a história da morte de seu pai. Pouco tempo depois de lançar *O Globo*, com 49 anos, Irineu Marinho sofreu um infarto enquanto tomava banho. A mãe, dona Chica, batia na porta desesperada, e nada. Roberto saiu correndo, colocou uma escada na parede externa da casa e, pelo basculante, viu o pai caído. Tomou um choque e gritou: "Papai!". Foi impressionante, porque, quando ele me contou isso, soltou um "Papai!" como se estivesse revivendo a emoção daquele momento difícil de sua vida. Fiquei tocado e o Roberto Marinho também. Ele tinha apenas vinte anos quando caiu em seus ombros a responsabilidade de assumir o jornal. Com sessenta, começou um canal de televisão.

Eu ainda estava no SBT quando sofri o segundo acidente de moto. Fiquei internado no hospital de Petrópolis, com a parte de cima do corpo totalmente engessada. Um dia ele me ligou.

— Como você está? Estou ligando pra saber do meu amigo.

— Doutor Roberto, graças a Deus estou bem! Eu sei que o senhor salta a cavalo, mergulha, faz caça submarina, luta jiu-jítsu, mas, por favor, nunca ande de moto!

— Fique tranquilo, eu já não ando de moto há muito tempo.

Roberto Marinho foi o meu primeiro entrevistado quando voltei à Globo em 2000. Batemos um papo no jardim de sua casa, com os flamingos compondo o cenário. Ele estava relaxado, sorrindo muito, era a imagem de uma pessoa apaziguada consigo mesma. E foi uma frase dita por Roberto Marinho nessa entrevista que usei no último momento do programa, depois de 28 anos entrevistando pessoas todas as noites na televisão:

— Estou satisfeitíssimo de ter você aqui... alguns amigos testemunharão que nós trabalhamos juntos.

Foram sessenta anos de vida profissional, 28 anos de entrevistas, 14426 conversas, cerca de 1300 dias de programas de humor na TV, trezentos personagens, 43 anos fazendo one-man shows, dirigi 24 peças de teatro e atuei em onze, foram dez filmes como ator e um como diretor, oito exposições como pintor, um show como músico e cantor, quinze programas de televisão como redator, nove livros, contando com este. Multipliquem esses números pela quantidade de atores, redatores, técnicos, sonoplastas, contrarregras, figurinistas, maquiadores, músicos, produtores, costureiros, alfaiates, iluminadores, câmeras, revisores, artistas gráficos, transportadores, telefonistas etc., que trabalharam comigo ao longo desses anos. Impossível lembrar de tudo e de todos. A única certeza é que eu não teria feito nada disso sozinho. Eu sou o conjunto dessas pessoas — e felizmente sou gordo o bastante pra que todas caibam no meu corpinho.

Se você tem o privilégio de poder parar quando sentir a sua missão cumprida em algum setor, pare. Sempre haverá outras coisas pra fazer. Encho a boca pra dizer isto: não houve um momento da minha vida em que eu fiz alguma coisa da qual me envergonhasse. Todas as minhas conquistas foram com a minha cabecinha, com o esforço do meu trabalho e a ajuda de muita gente boa. Nunca quis ir morar fora do Brasil: eu não seria capaz de criar nada longe daqui. Continuo otimista em relação ao país, sem, contudo, deixar de ser realista.

Mais importante do que a palavra escrita, é o que vivi e continuo vivendo, são as pessoas que conheci, com quem conversei e que me ensinaram quase tudo. É impossível também calcular o número de pessoas que atingi nas plateias e pelas telas da televisão e do cinema. Eu só existo por causa da plateia; preciso dela pra viver. Com isso, muitos podem pensar que sou exibido. Sou mesmo. Mas a plateia tem outro significado pra mim. Dediquei a minha vida a fazer a vida dos outros um pouquinho mais alegre. Talvez eu devesse contabilizar o meu patrimônio em sorrisos.

Como sempre, tenho mil planos na cabeça e já estou me preparando para escrever as páginas das minhas memórias desautorizadas dos próximos oitenta anos. Espero continuar sendo o criança que sou e, como o Menino Jesus do Alberto Caeiro, outro heterônimo de Fernando Pessoa, alguém que "ri dos reis e dos que não são reis".

Como diz o poeta, escritor e dramaturgo italiano do século XVIII Pietro Metastasio: "Não existe o passado: a memória o modifica. Não existe o futuro: a esperança o transforma. Só existe o presente, que está sempre sumindo".

Até 2098.

Beijos eternos do Gordo.

# Agradecimentos

Para Flávia, como sempre.

Para Claudia Colossi, uma amizade afetiva e profissional que dura há mais de trinta anos.

Ao meu parceiro e, como já disse, ao meu mais recente amigo de infância, Matinas Suzuki Jr.

Ao eterno amigo Ziraldo, que captou para sempre, com seu talento, a caricatura da minha alma. Obrigado por tudo.

À Fernandinha Torres, filha de dois grandes amigos que, menina, foi ver um dos meus espetáculos e hoje é minha cúmplice.

Ao Carlos Henrique Schroder, que, além de amigo, me permitiu acesso aos arquivos da Memória Globo.

Ao cada vez mais vigilante e cada vez mais amigo dr. Carlos Jardim. À minha amiga e médica dra. Cristina Abdalla.

Aos bons companheiros Anne Porlan, Hilton Marques e Willem van Weerelt: minha gratidão para sempre. Preparem-se para trabalhar mais oitenta anos comigo.

Mais uma vez, meu agradecimento à Angélica Brum Suzuki, por ter estendido a sua paciência. Agradeço também à weimaraner Tippy, que acompanhou atentamente a edição dos dois volumes destas memórias.

Ao pessoal que me assiste e cuida cada vez melhor de mim:

Marlucy de Oliveira Costa, Marycleidy de Oliveira Costa, Maria das Graças Alves de Brito, Antonio Colossi, Sebastião Kassen Moreira dos Santos e Fábio Nascimento.

Ao time sempre profissionalíssimo da Companhia das Letras: Otávio Marques da Costa, Lucila Lombardi, Márcia Copola, Ciça Caropreso, Érico Melo, Fabiana Roncoroni, Alceu Nunes, Erica Fujito, Paula Souza, Lilia Zambon, Mariana Figueiredo, Max Santos, Paulo Santana, Luciana Borges, Silvia Polazzetto, Eliane Trombini, Renata Abdo e Bianca Arruda.

# Bibliografia

AMARAL, Fernando Barroso. *Zózimo diariamente*. Rio de Janeiro: Epea, 2005.

AMARAL, Maria Adelaide. *Dercy de cabo a rabo*. São Paulo: Globo, 2011.

AMARAL, Ricardo. *Vaudeville*. São Paulo: Leya, 2010.

ASSIS, Wagner de. *Agildo Ribeiro: O capitão do riso*. São Paulo: Imprensa Oficial, 2007.

BANDEIRA, Sylvia. *Mamãe costura e esta noite vou te ver*. Rio de Janeiro: Apicuri, 2013.

BARATA, Agildo. *Vida de um revolucionário*. São Paulo: Alfa-Ômega, 1978.

BATISTA, Marcia; MEDEIROS, Anna. *Silvio Santos, a biografia*. São Paulo: Universo dos Livros, 2017.

BIAL, Pedro. *Roberto Marinho*. Rio de Janeiro: Jorge Zahar Editor, 2004.

BISKIND, Peter (Ed.). *My Lunches with Orson: Conversations between Henry Jaglom and Orson Welles*. Nova York: Metropolitan, 2013.

BLOCH, Arnaldo. *Os irmãos Karamabloch*. São Paulo: Companhia das Letras, 2008.

BORGERTH, Luiz Eduardo. *Quem e como fizemos a TV Globo*. São Paulo: A Girafa, 2003.

CAMPOS, Roberto. *A lanterna na popa*. Rio de Janeiro: Topbooks, 1994.

CARLOS, Erasmo. *Minha fama de mau*. Rio de Janeiro: Objetiva, 2008.

CARVALHO, Luiz Maklouf. *Cobras criadas*. São Paulo: Senac, 2012.

CASTELLO, José. *Vinicius de Moraes: O poeta da paixão*. São Paulo: Companhia das Letras, 1994.

CASTRO, Ruy. *O anjo pornográfico: A vida de Nelson Rodrigues*. São Paulo: Companhia das Letras, 1992.

CLARK, Walter; PRIOLLI, Gabriel. *O campeão de audiência: Uma autobiografia*. São Paulo: Summus, 2015.

COELHO, Paulo Vinícius. *Escola brasileira de futebol*. Rio de Janeiro: Objetiva, 2018.

CONTI, Mario Sergio. *Notícias do Planalto: A imprensa e Fernando Collor*. São Paulo: Companhia das Letras, 1999.

GASPARI, Elio. *A ditatura encurralada*. Rio de Janeiro: Intrínseca, 2014.

_____. *A ditadura acabada*. Rio de Janeiro: Intrínseca, 2016.

GILBERT, Martin. *Winston Churchil: Uma vida*. Rio de Janeiro: Casa da Palavra, 2016. 2 v.

GOTTLIEB, Robert. *Avid Reader: A Life*. Nova York: Farrar, Strauss and Giroux, 2006.

JOHNSON, Boris. *O fator Churchill: Como um homem fez história*. São Paulo: Planeta, 2015.

LEAMING, Barbara. *Orson Welles: A Biography*. Nova York: Viking, 1985.

LIMA, Alceu Amoroso. *Diário de um ano de trevas*. São Paulo: IMS, 2013.

LUKACS, John. *O duelo: Churchill x Hitler*. Rio de Janeiro: Jorge Zahar Editor, 2002.

MÁRQUEZ, Gabriel García. *Viver para contar*. Rio de Janeiro: Record, 2014.

MORAES, Vinicius de. *O cinema de meus olhos*. São Paulo: Companhia das Letras, 2015.

MORAIS, Fernando. *Chatô: O rei do Brasil*. São Paulo: Companhia das Letras, 2011.

NUNES, Max. *Uma pulga na camisola: O máximo de Max Nunes*. São Paulo: Companhia das Letras, 1996.

_____. *O pescoço da girafa*. São Paulo: Companhia das Letras, 1997.

OLIVEIRA SOBRINHO, J. B. de. *O livro do Boni*. Rio de Janeiro: Casa da Palavra, 2011.

SABINO, Fernando. *Zélia, uma paixão*. Rio de Janeiro: Record, 1991.

STYCER, Mauricio. *Topa tudo por dinheiro: As muitas faces do empresário Silvio Santos*. São Paulo: Todavia, 2018.

TOLEDO, Roberto Pompeu de. *A capital da vertigem: Uma história de São Paulo de 1900 a 1954*. Rio de Janeiro: Objetiva, 2015.

VELOSO, Caetano. *Verdade tropical*. 2. ed. São Paulo: Companhia das Letras, 2017.

WALLACH, Joe. *Meu capítulo na TV Globo*. Rio de Janeiro: Topbooks, 2011.

## SITE

ALVARES, Leandro. "Heróis da histórica Esquina do Veneno": <https://www.moto.com.br/acontece/conteudo/herois-da-historica-esquina-do-veneno-7692.html>.

## BLOG

EmoçõesRC: <http://emocoesrc.blogspot.com.br/2009/11/palhacos-e-o-rei-jo-soares-1979.html>.

# Créditos das imagens

*Todos os esforços foram feitos para reconhecer os direitos autorais das imagens publicadas neste livro. A editora agradece qualquer informação relativa à autoria, titularidade e/ou outros dados, se comprometendo a incluí-los em edições futuras.*

CADERNO I

pp. 1, 4, 15: Acervo pessoal do autor/ Reprodução de Jorge Bastos.

p. 2 (acima): Foto de campanha publicitária da Editora Civilização Brasileira.

pp. 2 (abaixo), 10-1, 12, 13: Acervo/ TV Globo.

pp. 3, 7 (abaixo), 8 (abaixo), 9, 16: Acervo pessoal do autor/ Reprodução de Marcos Vilas Boas.

p. 5: Folhapress.

pp. 6 (acima), 7 (acima), 8 (acima), 10: Acervo pessoal do autor.

p. 6 (abaixo): Ricardo Martins.

p. 14: Adir Mera/ *O Globo*.

CADERNO 2

pp. 1, 5 (abaixo), 7, 12, 15, 16: Acervo pessoal do autor.

pp. 2, 3, 11: Acervo pessoal do autor/ Reprodução de Jorge Bastos.

p. 4: Acervo pessoal do autor/ Reprodução de Marcos Vilas Boas.

p. 5 (acima): Zulmair Rocha/ Agência IstoÉ.

p. 6: José Nascimento/ Folhapress.

pp. 8, 9, 10: Ziraldo/ Acervo pessoal do autor/ Reprodução de Marcos Vilas Boas.

p. 13: Jornal Web — Culturabrazil-europa.com.

p. 14: Victor Freitas/ Caras Portugal.

CADERNO 3

p. 1: Leo Franco/ AgNews.

pp. 2, 3 (acima): Lenise Pinheiro/ Divulgação.

p. 3 (abaixo): Eduardo Knapp/ Folhapress.

pp. 4-5, 14 (abaixo): Priscila Prade.

pp. 5, 6: João Caldas.

pp. 7, 11: Acervo pessoal do autor.

pp. 8, 9, 10, 15: Acervo pessoal do autor/ Reprodução de Jorge Bastos.

p. 12: Avener Prado/Folhapress.

p. 13: Ramón Vasconcelos/ TV Globo.

p. 14 (acima): Mastrangelo Reino/ Folhapress.

p. 16: Ricardo Martins.

# Índice onomástico

Abbott & Costello (dupla humorística), 45
Abramo, Radha, 190
Abravanel, Senor *ver* Santos, Silvio
*Agonia de amor* (filme), 128
"Águas de março" (canção), 160
Aguiar, Álvaro, 110-1, 113
Aguiar, Wilson, 38-9
Aguilar, José Roberto, 82, 189
Aizner, Chris, 290
Albee, Edward, 290
"Alegria, alegria" (canção), 23
Alex (garçom), 231
Allen, Steve, 213
Allen, Woody, 155, 175
Almeida, José Guilherme de, 26
*Almoço com as Estrelas* (programa de tv), 220
*Alô, Doçura* (programa de tv), 37
Alvarenga e Ranchinho (dupla musical), 159
Alves, Geraldo, 188
Alves, Roberto Cardoso, 184
*Amadeus* (peça), 62
Amado, Camilla, 188
Amado, Jorge, 248, 251, 259
Amaral, Gisella, 23

Amaral, Maria Adelaide, 19, 224
Amaral, Ricardo, 22-5, 34-5, 62, 173, 276
Amaral, Valdir, 108
Amaral, Zózimo Barroso do, 111, 211, 232, 234
*Ame um gordo antes que acabe* (Jô Soares), 146, 277
"Amigo" (canção), 299
*Amor nos tempos do cólera, O* (Gabriel García Márquez), 236
Ampula, Eila, 272
*Anatomia de um crime* (filme), 173
Andersson, Roy, 206
Andrade, Carlos Drummond de, 31-2, 130, 300
Andrade, Evandro Carlos de, 148, 263-4
Andrade, Mário de, 100
Andrade, Mário Escobar de, 241
*Anjo pornográfico, O* (Ruy Castro), 95
Antônio Maria, 152
Antônio Pedro, 146
Antunes Filho, 224, 284, 291
*Apocalypse Now* (filme), 274
"Aquele abraço" (canção), 49-50

Aquino, Angelo Rodrigo de, 189-91, 193, 300
Araújo, Paulo, 69
Archanjo, José Luiz, 47, 166, 187
Armstrong, Louis, 279
Artaud, Antonin, 87
Arutin, Luís Carlos, 63-4
*Às favas com os escrúpulos* (Juca de Oliveira), 285, 288-9
*Assassinatos na Academia Brasileira de Letras* (Jô Soares), 102, 253, 259-60
Assis, Machado de, 249
*Astronauta sem regime, O* (Jô Soares), 149, 244
Athayde, Austregésilo de, 259
Athayde, Tristão de *ver* Lima, Alceu Amoroso
*Atreva-se* (Maurício Guilherme), 290
Augusto, Sérgio, 106, 151
Austregésilo, Theresa, 24, 32, 35, 43, 60, 64, 67, 81-3, 94, 115, 152-3, 186-7, 189, 195, 197, 259, 261, 283
*Auto da Compadecida* (Ariano Suassuna), 84
Autran, Paulo, 62, 276
Avadis, Jacques, 32
*Aventuras do Anjo, As* (série de rádio), 111
*Aventuras do Papaceta, As* (Paulo Silvino), 161
Azambuja, Marcos, 190
Azevedo, Fernando de, 90

Babenco, Héctor, 284
*Bachianas brasileiras nº 5* (Villa-Lobos), 287
*Balança Mas Não Cai* (programa de TV), 49, 107-8, 180
Balzac, Honoré de, 169
"Bandeira branca" (canção), 110
Bandeira, Manuel, 196
Bandeira, Sylvia, 182, 186-8, 231
Bando da Lua (grupo musical), 115
Barbalho, Jáder, 180
Barbosa, Haroldo, 41, 69, 104-5

Barcelos, Jaime, 64, 67
Bardi, Lina Bo, 224
*Barrela* (peça), 176
Bartucci, Leonardo, 137
Basinger, Kim, 261
*Baú de Abravanel, O* (Alberto Dines), 200
Baudelaire, Charles, 244
Becker, Cacilda, 61, 63, 294
Belafonte, Harry, 251-2
Bell, Waldemar Duran, 138
Bellini, Hideraldo Luís, 205
Bellotto, Tony, 138
Ben, Jorge, 75
Bergen, Candice, 28
Berger, Helmut, 300
Berle, Milton, 15
Bernardes, Artur, 122, 239
Bernhardt, Sarah, 96, 241, 249
Bertholini, Kiko, 296
"Besame mucho" (canção), 232-3
Bethencourt, João, 73, 166, 188
Betinho (sociólogo), 173
Bezos, Jeff, 273
Bial, Pedro, 21, 55, 245
Biar, Célia, 146
Bidet, Hugo, 41
Bira (baixista), 278
*Black Comedy* (peça), 62-3
Blaquier, Dolores, 68
Bloch, Adolpho, 151, 153-6, 200
Bloch, Arnaldo, 151, 153-4
Bloch, Oscar, 155
*Blue Sitting Room* (quadro de Churchill), 135
Boechat, Ricardo, 271
Bohadana, Sara Mika Cardoso, 302
Boilesen, Henning Albert, 27, 97
"Bolsa e a vida: A quinta-feira negra de Wall Street, A" (Jô Soares), 135
Bonfim, Paulo, 82, 262
Boni (José Bonifácio de Oliveira Sobrinho), 13-20, 22, 40-2, 50, 81-2, 109, 164, 169, 171, 211, 216-20, 263, 298, 305, 307

*Bonitinha, mas ordinária* (Nelson Rodrigues), 158
Borgerth, Luiz Eduardo, 156, 211
Bornay, Clóvis, 187
Bôscoli, Ronaldo, 23
Botelho, Chico, 138
Botelho, Jorge, 186
Botelho, Julinho, 280
*Bouillon de Culture* (programa de TV), 246
Bradbury, Ray, 254
Braga, Regina, 62, 183
Braga, Rubem, 83, 152, 156-7
Branagh, Kenneth, 7
Brandão Filho, 107
Brando, Marlon, 33-4, 262
*Brasil: da censura à abertura* (Jô Soares et al.), 167, 187-8
*Bravo!* (revista), 281
Bréa, Sandra, 43, 186
Brecheret, Victor, 59-60
Brecht, Bertolt, 293
Breyner, Nicolau, 277
Brieba, Henriqueta, 64
Brito, Manuel Francisco do Nascimento, 148
Brito, Mário da Silva, 59
Brizola, Leonel, 156, 173, 215, 230, 268
Brontë, Charlotte, 284
Brown, Fredric, 254
Bruno, Nicette, 138, 140-1
Buarque de Holanda, Aurélio, 172
Buarque de Holanda, Sérgio, 204
Buarque, Chico, 160, 195, 204, 270, 275
Buda, 169
Bueno, Eduardo "Peninha", 258
Bulhões, Otávio Gouveia de, 216
Burton, Richard, 127
Buzaid, Alfredo, 30-1, 47, 234
Buzzi, Ruth, 42
Buzzoni, Roberto, 305-6

*Cabra ou Quem é Sylvia, A?* (Albee), 290
Cabral, Bernardo, 225, 232-4

Cabral, Sadi, 291
Cabral, Sérgio, 28
Cabral, Zuleide, 233-4
Cabral de Melo Neto, João, 159
*Caçadas de Pedrinho* (Monteiro Lobato), 253
Caeiro, Alberto (Fernando Pessoa), 310
Café Filho, 137
Caiado, Ronaldo, 230
Caignet, Félix, 17-8
Calil, Ricardo, 23
Calmon, João, 21
"Cama, A" (Jô Soares), 31, 234
Câmara, Hélder, d., 81, 88-99
Câmara, Jaime, d., 91
Câmara, Leopoldo Adour, 235
Camilión, Oscar, 71
Camões, Luís de, 100, 130
Campbell, Maria B., 247
Campos, Álvaro de (Fernando Pessoa), 253
Campos, Cidinha, 23, 44, 187
Campos, Didu (pai), 158
Campos, Diduzinho (filho), 158
Campos, Paulo Mendes, 152, 154
Campos, Roberto, 134, 144
Campos, Teresa de Sousa, 158
Camus, Albert, 100, 248
Canázio, Roberto, 283
"Canção do exílio às avessas" (Jô Soares), 236-8
"Canção do exílio" (Gonçalves Dias), 236
Cândido, Jorge, 186
Cândido, Maria Fernanda, 295
"Canzone per te" (canção), 299
*Capital da vertigem, A* (Roberto Pompeu de Toledo), 59
*Carapuça, A* (jornal), 28
Cardoso (hoteleiro português), 306
Cardoso, Adauto Lúcio, 31
Cardoso, Fernando Henrique, 188, 223, 240, 268-9, 298
Cardoso, Yolanda, 138
Careca (jogador), 203

Carlos Alberto (jogador), 41

Carlos Magno, Paschoal, 123

Carneiro, Enéas Ferreira, 231

Carneiro, Milton, 278

Carrero, Tônia, 51

Carrière, Jean-Claude, 284

Carson, Dick, 22

Carson, Johnny, 22, 214-5, 271

Carter, Benny, 224

Carvalho, Antônio Augusto Amaral de (Tuta), 14

Carvalho, Clara, 284

Carvalho, Luiz Maklouf, 96

Carvalho, Paulinho Machado de, 13-4, 116, 154, 279-80

Carvalho, Sérgio, 62

*Caso Morel, O* (Rubem Fonseca), 242

Casoy, Boris, 224, 229, 238

Castelo Branco, Argentina Viana, 92

Castelo Branco, Humberto de Alencar, 92

*Castelo Rá-Tim-Bum* (programa de TV), 224

Castro, Ewerton de, 62

Castro, Fidel, 94, 155, 284

Castro, Ruy, 95, 106, 152

Castro, Tarso de, 28, 52, 234

*Catch-22* (Heller), 248

Cavalcanti, Flávio, 37

Cavett, Dick, 126

Caymmi, Dorival, 45

Caymmi, Stella, 45

Cazarré, Olney, 186

Cazuza, 276

Celestino, Paulo, 212

Celi, Adolfo, 293

"Cepao's Samba" (canção), 280

Cerezo, Toninho, 203

Chacrinha, 36, 42, 208

Chaplin, Charlie, 251

Charles (marido de Nalva), 303-4

Chateaubriand, Assis, 21, 94-5, 106, 135-6

*Chatô* (Fernando Morais), 95

Chaves, Aureliano, 228, 230

Chico Anysio, 16, 20, 24-5, 32, 35-6, 84, 121, 147, 166, 177-9, 209, 212, 234

*Chico Anysio Show* (programa de TV), 178

*Chico City* (programa de TV), 178

Chiquinho (trompetista), 278

*Chorus Line, A* (musical), 191

Churchill, Clementine, 126-7

Churchill, Randolph, 132

Churchill, Winston, 44, 125-7, 131-6, 145, 169

*Cidadão Boilesen* (documentário), 27

*Cidadão Kane* (filme), 128, 130, 136

*Cidade oculta* (filme), 138

Cipó, maestro, 280

Civita, Roberto, 156

Clark, Luciana, 190-1

Clark, Petula, 251

Clark, Walter, 15, 19, 21-2, 51, 96, 116, 147, 152, 190-1, 220, 263

Claudius (cartunista), 29, 35, 119

Clément, René, 61

Clemesha, Arlene, 267

*Cobras criadas* (Carvalho), 96

Cochrane, Lair, 68

Coelho, Bete, 253, 284

Coelho, Paulo, 137-8

Coelho, Paulo Vinícius, 204

*Coleira do cão, A* (Rubem Fonseca), 242

Collor de Mello, Fernando, 230-2, 236, 238-40, 244, 263, 268

Colossi, Antonio, 277

Colossi, Roberto, 202, 277

*Como fiz dezenas de filmes em Hollywood e nunca perdi um centavo* (Roger Corman), 72

Companhia das Letras, 106, 224-1, 244, 247

Companhia de Ópera Seca, 224

*Conde de Montecristo, O* (Alexandre Dumas), 258

*Condessa de Hong Kong, A* (filme), 251

*Conexão Internacional* (programa de TV), 155

*Confederacy of Dunces, A* (John Kennedy Toole), 250

Consuelo Leandro, 35, 123

Conti, Mario Sergio, 200, 230-1

Cony, Carlos Heitor, 94, 106

Cooper, Gary, 120

*Copa que ninguém viu e a que não queremos lembrar, A* (Jô Soares et al.), 224, 244

Coppola, Francis Ford, 273-4

"'Coq', O" (Zózimo Barroso do Amaral), 234

Corbisier, Rolando, 90

Corman, Roger, 71

Corrêa, Armando, 229

Corrêa, José Celso Martinez, 20, 196

Corrêa, Marcos Sá, 216

*Correio da Manhã*, 55, 99

Corsetti, Higino, 51

Cortázar, Julio, 279

Corte Real, Renato, 15, 26, 41-2, 146

Cortez, André, 285

Cortez, Raul, 286, 291

Costa, Armando, 166, 168, 187, 207

Costa, Caio Túlio, 297

Costa, Domício, 111, 113

Costa, Gal, 213

Costa, Marlucy de Oliveira, 300

Costa e Silva, Artur da, 36, 178

Costello, Lou, 45

Costinha (humorista), 35, 85

Coutinho, Célia, 186

Couto e Silva, Golbery do, 200

Covas, Mário, 223, 230

Cristo *ver* Jesus Cristo

"Croquete, Um" (canção), 45

Crowe, Russell, 261

*Cruzeiro, O* (revista), 94, 97

Cunha, Euclides da, 249

Cunha, Vera Bocaiúva, 189

Cuoco, Francisco, 51

Curi, Aída, 94

Curi, Jorge, 108

*Curse of Frankenstein, The* (filme), 73

Cushing, Peter, 73

D'Ávila, Roberto, 155, 211

*Da Noruega ao México* (Liev Trótski), 60

Dalí, Salvador, 296

*Dália Negra* (James Ellroy), 261

Daly, Daniel, 117-9

*Dama das camélias, A* (peça), 96, 242

*Dama de Xangai, A* (filme), 131

*Dança ritual do fogo* (Manuel de Falla), 33

Daniel Filho, 41, 104, 144

Davies, Marion, 130

Day, Doris, 213

*De Cabral a JK* (musical), 43

"Debaixo dos caracóis dos seus cabelos" (canção), 299

*Debate Final: Especialistas* (programa de TV), 205

Del Nero, Cyro, 175

Del Vecchio, Denise, 290

Delfim Netto, Antônio, 75, 77

*Delírios e visões de uma feiticeira* (Theresa Austregésilo), 82

Della Cava, Ralph, 91

Della Costa, Maria, 220-1

Delon, Alain, 195-8

Delon, Nathalie, 196

Deneuve, Catherine, 155, 194

*Depois de FHC* (Pereira), 268

*Dercy Beaucoup* (programa de TV), 16

*Dercy Comédias* (programa de TV), 19

*Dercy de cabo a rabo* (Amaral), 19

*Dercy de Verdade* (programa de TV), 19

*Dercy Espetacular* (programa de TV), 19

Derico (saxofonista/flautista), 278, 283

*Deserto é fértil, O* (Hélder Câmara), 93

Diana, princesa de Gales, 175

*Diario da Noite*, 106

Dias, Antonio, 189

Dias, Gonçalves, 236

Dias, José Carlos, 188

Dias, Wilma, 69

Dines, Alberto, 200

"Dinorá" (canção), 47-8

*Direito de nascer, O* (telenovela), 17-8
"Distância, A" (canção), 299
*Ditadura escancarada, A* (Elio Gaspari), 96
*Dois mundos de Charly, Os* (filme), 254
Dolabella, Carlos Eduardo, 186
*Dom Hélder Câmara: O profeta da paz* (Piletti e Praxedes), 95
Domingos, Guilherme Afif, 230
*Dommage qu'elle soit une putain* (peça), 196
Donner, Hans, 69, 175
"Dora" (canção), 45
"Doralice" (canção), 45
Dória, Jorge, 73
Dostoiévski, Fiódor, 151
*Downton Abbey* (série de TV), 62
Doyle, Arthur Conan, 242
*Doze trabalhos de Hércules, Os* (Monteiro Lobato), 253
Duailibi, Roberto, 204
Duarte, Rogério, 189
Dutra, Eurico Gaspar, 225
Dutra, Neli, 82
Duval, Dorinha, 41
Dwek, Tuna, 296

*Eclipse, O* (Jandira Martini), 290
Eden, Anthony, 134
Eliachar, Leon, 36, 41
Elis Regina, 23, 75
Ellroy, James, 261
Endrigo, Sergio, 299
*Equus* (peça), 62
*Eram os deuses astronautas?* (Erich von Däniken), 149
*Éramos três* (Paulo Silvino), 160
Erasmo Carlos, 116, 168-9, 198, 299-300
Erundina, Luiza, 276
Escobar, Ruth, 291
*Escola Brasileira de Futebol* (Paulo Vinícius Coelho), 204
*Escolinha do Professor Raimundo* (programa de TV), 84
*Esganadas, As* (Jô Soares), 260
Esquerdo, Ronaldo Fernando, 23

*Estado de S. Paulo, O*, 97, 122, 232
*Estrangeiro, O* (Plínio Salgado), 100
*Estranho casal, O* (peça), 186, 289
Ewert, Arthur Ernst, 30

*Faça Humor Não Faça a Guerra* (programa de TV), 40-1, 43-4, 50, 62, 104, 186
Facchini, Roney, 290
Fagundes, Antônio, 186, 296
Falcão (jogador), 203
Falcão, Armando, 71
Falkenburg, Robert, 186
Falla, Manuel de, 33
*Família Trapo* (programa de TV), 14, 21, 35, 44, 138
*Fantástico* (programa de TV), 82, 184, 186
Farah, Pedro, 121
*Farda, fardão, camisola de dormir* (Jorge Amado), 259
Faria Jr., Miguel, 138, 252
Faro, Neusa Maria, 287
Fasano, Rogério, 224
*Fator Churchill, O* (Boris Johnson), 133
*Fatos e Fotos* (revista), 148
Feather, Leonard, 257
*Feira do adultério* (Jô Soares), 102, 166, 187-8
Felipe (garçom), 231-2
Fellini, Federico, 50
Fernandes, Millôr, 28, 32-3, 36, 63, 86, 138, 147, 149, 166, 186, 236
Ferraz, Carolina, 290
Ferreira, Ana Paula, 118
Ferreira, Bibi, 285-9
Figueiredo, Dulce, 200-2
Figueiredo, Euclides de Oliveira, 122
Figueiredo, João Batista, 47-8, 75, 77, 85, 89, 122, 155, 173, 178, 200-3
*Fim do rio, O* (filme), 286
Fischer, Eduardo, 204
Fitzgerald, F. Scott, 254
*Flores para Algernon* (Keyes), 254

*Folclore político* (Sebastião Nery), 187

*Folha de S.Paulo*, 37, 83, 94, 149, 204, 223, 246, 267, 297-8

Fonseca, Rubem, 242-4, 254

Ford, John, 196

Fraga, Denise, 295

Francis, Paulo, 73, 123, 248

Francisco, papa, 91

Franco, Francisco, 89

Franco, Itamar, 239, 268

Franco, Moacyr, 48

Franco, Moreira, 175

*Frankensteins* (Eduardo Manet), 177, 284-5

Frate, Diléa, 215-6

Freire, Roberto, 230

Freitas, Janio de, 106

Freud, Sigmund, 296

Freyre, Gilberto, 94

Frias Filho, Otávio, 297-8

Fronzi, Renata, 43, 138

Funaro, Dilson, 208

Gabaglia, Marisa Raja, 187

Gabeira, Fernando, 173, 230

Gabriel (filho de Tetê), 300-2

Gabriela, Marília, 224

Gadelha, Marcondes, 230

Gaillard, Bulee "Slim", 257-8

Galhardo, Carlos, 220-1

Galisteu, Adriane, 288

Gama, Miguel do Sacramento Lopes, frei, 28

Garbo, Greta, 62, 130

Garcia, Andy, 271

García Márquez, Gabriel, 17, 155, 236

Garrincha, 280

Gasalla, Antonio, 179

Gaspari, Elio, 92, 96

Gassman, Vittorio, 293

Gazale, Georges, 203

Gazzara, Ben, 172

Geisel, Amália Lucy, 239

Geisel, Ernesto, 36, 137, 178, 238-40

Gelli, Ricardo, 296

Gerchman, Rubens, 189

Germano (humorista), 108

Gérson (jogador), 41

*Gervaise, a flor do lodo* (filme), 61

Ghirardi, José Garcez, 296

Ghivelder, Zevi, 77, 156

Giannini, Giancarlo, 271

Giannotti Filho, Osvaldo, 181, 183-4

Gielgud, John, 125

Gil, Gilberto, 23-4, 49-50, 213, 277

Gilberto, João, 279

Gillespie, Dizzy, 280-1

*Gioco dell'eroe, Il* (peça), 293

Giorgetti, Ugo, 138

Gladys, Maria, 167-8

*Globo Gente* (programa de TV), 213

*Globo, O* (jornal), 96, 147-8, 187-8, 263, 308

Glória, Darlene, 110

Golias, Ronald, 21, 36

Gomes, Ciro, 268

Gomes, Dias, 154

Gomes, Jaime de Sousa, 96

Gonçalves, Decimar, 19

Gonçalves, Dercy, 16, 19-20, 36, 41

González, Felipe, 155

Gorbatchóv, Mikhail, 175

*Gordo ao vivo, O* (Jô Soares), 217, 225, 241, 276

*Gordo em concerto, Um* (Jô Soares), 276

*Gordoidão no país da inflação, Um* (Jô Soares), 167, 207

Gorender, Jacob, 65

Gorender, Simão, 65

Gorgulho, Paulo, 284

Gottlieb, Robert, 248-50

Goulart, João, 279

Goulart, Paulo, 138, 140

Gracindo, Paulo, 107, 186

Gracindo Junior, 186, 289

Graham, Katharine, 250

*Grande arte, A* (Rubem Fonseca), 242-3

*Grande Família, A* (programa de TV), 167

Grande Otelo, 36, 43

Gréco, Juliette, 131
Greenberg, Richard, 290
Grisolli, Paulo Afonso, 167
Groisman, Serginho, 224
*Gruppo di famiglia in un interno* (filme), 299
Gueiler Tejada, Lydia, 22
Gueiros, Nehemias, 135
*Guerra dos mundos, A* (H.G. Wells), 129
*Guerra é Guerra* (programa de TV), 23
*Guerra nas estrelas* (filme), 73
*Guerra, sombra e água fresca* (série de TV), 40
Guidugli Neto, João, 182
Guilherme, Maurício, 287-90, 296
Guimarães, Ulysses, 175, 223, 230, 240
Guinle, Jorginho, 198
Gullar, Ferreira, 167

*Hamlet* (Shakespeare), 127, 293, 295
*Happy Hour* (Oliveira), 291-2
Hatoum, Milton, 275
Hawn, Goldie, 42
Hearst, William Randolph, 130
Helena (prima de Theresa Austregésilo), 115
Heller, Joseph, 248
*Hellzapoppin'* (filme), 257
Hemingway, Ernest, 254
Henfil, 35, 69, 173
Herbert, John, 36-9
Hilst, Hilda, 261, 262
Hippolito, Lucia, 267
*Histeria* (Johnson), 296
*História é uma istória, A* (Millôr Fernandes), 186
Hitchcock, Alfred, 128, 260
Hitler, Adolf, 132, 136
Hobsbawm, Eric, 271
*Hogan's Heroes* (série de TV), 40
Holiday, Billie, 191
Holland, Jools, 257
*Homem que matou Getúlio Vargas, O* (Jô Soares), 252, 255, 263
Howard, Trevor, 131

*Humanismo integral* (Jacques Maritain), 90
*Humor nos tempos do Collor* (Jô Soares et al.), 236, 244
Hunter, Alberta, 224
Huston, John, 131

*Immediate Experience, The* (Robert Warshow), 151
*Inimigos íntimos* (peça), 138-9
*InTerValo* (revista), 44
*Irmãos Karamabloch, Os* (Arnaldo Bloch), 151
Irving, Samuel, 249

Jabor, Arnaldo, 110
Jagger, Mick, 155
Jaguar (cartunista), 28, 35
Jairzinho (jogador), 41, 205
Jardel Filho, 291
Jardim, Carlos (filho), 206
Jardim, Evandro Carlos (pai), 206
Jefferson, Roberto, 267
Jesus Cristo, 84, 87-9, 102
*Jô Soares Jam Session* (programa de rádio), 256
*Jô Soares Onze e Meia* (programa de TV), 24, 45, 57, 81, 161, 185-6, 195, 204-5, 207, 214-5, 219-20, 228-31, 234-6, 238, 240, 298
João (evangelista), 88
João Batista, são, 178
João do Rio, 50
João Paulo II, papa, 175
João VI, d., 252
João XXIII, papa, 80, 169
Jobim, Tom, 49, 160
Johnson, Boris, 133
Johnson, Terry, 296
Jones, Quincy, 280
*Jornal da Globo*, 216
*Jornal do Brasil*, 36, 49, 99, 147-9, 211, 216, 232, 242-3
*Jornal Nacional* (telejornal), 15
José Renato, 201

*Jovem Guarda* (programa de TV), 116
*Julgamento de Nuremberg, O* (filme), 61
Juliano, Randal, 23-4
Julinha (filha de Marlucy), 300, 302
Júnior (jogador), 203
*Justicero: O cafajeste sem medo e sem mácula, El* (João Bethencourt), 73

Kafka, Franz, 248, 254
Karabtchevsky, Isaac, 76
Käutner, Helmut, 61
Kerner, Ari, 286
Kerouac, Jack, 258
Keyes, Daniel, 254
Kfouri, Juca, 270
Khouri, Walter Hugo, 173
Kinski, Klaus, 194
Knopf (editora), 247-51
Knopf, Alfred A., 248
Kotscho, Ricardo, 231, 266
Kramer, Stanley, 61
Kraus, Karl, 86
Kubitschek, Juscelino, 91, 156, 269

*L.A. Confidential* (James Ellroy), 261
Lacerda, Carlos, 16, 21, 91, 95, 291-2
Lacet, Walter, 169
Lage, João de Sousa, 68
Lambert, Christopher, 271
Lan (jornalista), 36
Lancaster, Burt, 299
*Lanterna na popa, A* (Roberto Campos), 134
Latorre, Luís, 57
Laub, Michel, 281
Lázaro, Marcos, 71, 174
Leandro (jogador), 203
Lecléry, Gérard, 152
Lee, Christopher, 73
Legrand, Michel, 192, 224
Leme, Sebastião, d., 90
Lemmon, Jack, 194
Lennon, John, 137
Leno, Jay, 214

Leonam, Carlos, 187, 235
Leonardo da Vinci, 127
Lerner, Jaime, 274
Lessa, Ivan, 50, 165, 286
Letterman, David, 214
Levy, Milton, 296
Liberato, Gugu, 218-9
*Libertino, O* (Eric-Emmanuel Schmitt), 296
Lilico (humorista), 49
Lima, Alceu Amoroso (Tristão de Athayde), 89-101
Lima, Carlos Cruz, 95
Lima, Fernando Barbosa, 155
Lima, Tuca Amoroso, 101
Lins, Lucinha, 301
Lins, Mika, 284
Litewski, Chaim, 27
*Livro dos cinco anéis* (Musashi), 192
Lo Prete, Renata, 267
Lobato, Monteiro, 253
Lôbo, Cristiana, 267
Loffler, Carlos Alberto, 41
Lombardi, Bruna, 121
Lopes, Mauro Borja, 171
Loran, Berta, 43
Loredo, João, 41
*Los Angeles, cidade proibida* (filme), 261
Lott, Henrique Teixeira, 239
Loureiro, Oswaldo, 32
*Lua de mel a quatro* (Paulo Silvino), 160
Lucas, George, 73
*Lúcia McCartney* (Rubem Fonseca), 242
Luis Gustavo, 291
Lula da Silva, Luiz Inácio, 231, 239, 263, 265-7, 269
Luquet, Mara, 267
Lustosa, Isabel, 261
"Luz vermelha" (Nunes), 106
Lydia, Maria, 267
Lyra, Fernando, 207

*Macbeth* (Shakespeare), 99, 128-9
*Maccheroni* (filme), 194

Macedo, Edir, 200
Machado de Carvalho, família, 14
Machado, Gustavo, 291
Machaz, Quim, 133
Maciel, Marco, 107
MacLaine, Shirley, 271
*Macunaíma* (filme), 36
Mãe Cleusa (ialorixá), 81
Mãe Menininha (ialorixá), 81
Magaldi, João Carlos, 28, 156
Magaldi, Sábato, 208
Magalhães, Antônio Carlos, 234
Magalhães, Vera, 267
Maia, Carlito, 29
Maia, J., 106
*Maias, Os* (Eça de Queirós), 253
Maluf, Paulo, 209-10, 230-1
Mamede, Sônia, 180
*Manchete* (revista), 77, 148, 151-5
*Mandacaru vermelho* (filme), 137
Manet, Eduardo, 177, 284
Manga, Carlos, 16, 19
Mankiewicz, Herman J., 128
Mann, Thomas, 248
Manoel Carlos, 44, 213
Maradona, Diego, 175
*Marca do Zorro, A* (filme), 72
Margheritto, Rudy, 173
Maria Bethânia, 213
Marighella, Carlos, 27
Marin, José Maria, 210
"Marina" (canção), 45
Marinho, Irineu, 308
Marinho, Roberto, 15, 21, 41, 53, 91, 147-8, 157, 218-9, 263, 304-9
Marinho, Roberto Irineu (filho), 91, 263-4
Maritain, Jacques, 90
Marques, Hilton, 50, 69, 104, 119, 167, 169, 212, 244, 256
Marsani, Claudia, 299
*Martian Chronicles, The* (Ray Bradbury), 254
*Martians Go Home* (Fredric Brown), 254
Martin, Carol, 290

Martin, Dick, 42
Martínez de Hoz, Dulce Liberal, 68, 89
Martínez de Hoz, Eduardo, 68
Martini, Jandira, 290
Martins, Ives Gandra, 262
Martins, Justino, 151-3
Martins, Marcelo, 272
Martins, Otávio, 290
Marx, Karl, 84
*Mas não se matam cavalos?* (Horace McCoy), 254
Mastroianni, Marcello, 61, 155, 194
Mateus (evangelista), 87
Matos, Délio Jardim de, 203
Mauro, Lúcio, 180
Mautner, Jorge, 82
Max, frei, 83
Mazzeo, Alcione, 137
McCoy, Horace, 254
McRae, Carmen, 224
Mêcha *ver* Soares, Mercedes Leal (mãe de Jô Soares)
Medaglia, Júlio, 33
Médici, Emílio Garrastazu, 30, 40, 51-2, 178
Meirelles, Fernando, 224
Melgaço, Mariana, 296
Mello, Zélia Cardoso de, 232
Melo, Antônio da Silva, 259
Mendonça, Duda, 266
Mendonça, Edgar Süssekind de, 89-90
Meneses, Ademir de, 94
Menezes, Glória, 291, 295
Méril, Macha, 192
Mesquita, João Lara, 256
Mesquita Filho, Júlio de, 122
"Meu nome é Nicky Nicola" (Jô Soares), 138
Michelangelo, 127
Miele, Luís Carlos d'Ugo, 23, 43, 146, 186
Migliaccio, Dirce, 175
Migliaccio, Flávio, 174-5
Mike (diretor da MGM), 195, 197

*Mila 18* (Leon Uris), 248
Milani, Francisco, 46, 169, 175, 265
Miltinho (baterista), 278
Mingus, Charles, 280
*Minha fama de mau* (Erasmo Carlos), 169
Miranda, Carmen, 115
Mishima, Yukio, 192
*Mistério Magazine de Ellery Queen* (revista), 254
Molière, 293
Montagnier, Luc, 271
Montand, Yves, 155
Montaner, Rita, 17
Montanheiro, Erica, 296
Montenegro, Fernanda, 281
Moon de Chevalier, Scarlet, 187
Moraes, Antônio Ermírio de, 241
Moraes, Vinicius de, 129, 131, 262
Morais, Fernando, 95, 136, 244
Morais, José Carlos de, 279
Moreno, Carlos, 161
*Morta sem Espelho, A* (telenovela), 96
Mosqueteiros da Garoa, Os (trio musical), 159
Motta, Eliezer, 84, 170, 218
Motta, Nelson, 188
Mozart, Wolfgang Amadeus, 62
*Mr. Arkadin* (filme), 54
Mrożek, Sławomir, 297
Muniz de Aragão, José Joaquim de Lima e Silva, 136
Muniz, Lauro César, 166
*Muralhas do pavor* (filme), 72
Musashi, Miyamoto, 192
Mussolini, Benito, 89, 101
Mutantes, 23
Muylaert, Roberto, 224, 244

*Na mira do gordo* (Jô Soares), 168, 277
Nabuco, Afraninho, 212
Nabuco, Joaquim, 212
Nalva (funcionária de Jô Soares), 300-4
Namatame, Fabio, 290

Nanai (músico), 115
Nanini, Marco, 188
Narinha (mulher de Erasmo Carlos), 168-9
Nasser, David, 94, 96
Nathanael, Paulo, 262
Ned, Nelson, 168
Nery, Natuza, 267
Nery, Sebastião, 167, 187
Neves, Lucas Moreira, d., 80, 87
Neves, Tancredo, 87, 208, 231
*New York Times, The* (jornal), 33, 281
*New Yorker, The* (revista), 249
Ney Matogrosso, 207
Nicholson, Jack, 72
Niemeyer, Oscar, 59, 156
Nina (filha de Marília Pêra), 188
Nóbrega, Carlos Alberto de, 210
Nogueira, Armando, 16, 156-7, 216, 224, 244
Nogueira, Manduca, 156
*Noite de 16 de janeiro, A* (Ayn Rand), 296
*Noite dos desesperados, A* (filme), 254
*Noite em 67, Uma* (documentário), 23
*Nosferatu* (filme), 73
*Noticentro* (jornal), 210
*Notícias do Planalto* (Mario Sergio Conti), 200, 230
*Notti bianche, Le* (filme), 61
Nova, Marcelo, 137
Nunes, Celso, 62
Nunes, Max, 41, 44, 64, 69, 104, 106, 109-10, 114, 167, 169, 172, 175, 182, 192, 212, 255-6, 307
Nunes, Nina Rosa, 104

*Oh Carol!* (peça), 186
Oiticica, Hélio, 23
Olímpio, Augusto, 186
Oliveira, Dalva de, 110
Oliveira, Flávia, 267
Oliveira, Juca de, 285, 288-9, 291-3, 297
Oliveira, Roberto de, 224
Olivetto, Washington, 56, 224

"On the Path of Glory" (canção), 251
*On the Road* (Jack Kerouac), 258
"One Meatball" (canção), 45
Ono, Yoko, 137
Ornitorrinco (grupo teatral), 224
Oscar (jogador), 203
Oscarito, 47
Osmar, maestro, 278
Osório, vovô (entrevistado), 272
*Otelo* (William Shakespeare), 125-6, 293, 295

*Pagador de promessas, O* (Dias Gomes), 154
Pagano Sobrinho, 35
*Pai do povo, O* (filme), 123, 136-7
*País, O* (jornal), 68
Palhares, Felipe, 296
Pâmio, o Marco Antônio, 296
Papa Jr., José, 172
*Paradine Case, The* (filme), 128
*Paris-Match* (revista), 150
*Pasquim, O* (hebdomadário), 24, 28-31, 52, 165, 234-5, 286
Passarinho, Jarbas, 285
Patrizi, Stefano, 300
Paulo VI, papa, 80
Paulo Marcos, 296
Pederzani, Alberto, 57
Pedro II, d., 242, 252
Pedroso, Bráulio, 166
Peixoto, Afrânio, 259
Pelé (jogador), 41, 94, 204
Pellegrino, Hélio, 95
Penido, José Márcio, 146
Pêra, Marília, 188
*Perdoa-me por me traíres* (Nelson Rodrigues), 95
Pereira, Álvaro, 268
Pereira, Ricardo Araújo, 115
Pereira Jorge, Mariliz, 267
Pereira Neto, Antônio Henrique, 93
Perez, Jacqueline, 301
*Pescoço da girafa, O* (Max Nunes, org. Ruy Castro), 106
Pessini, Orival, 69

Pessoa, Fernando, 130, 253, 260, 310
Petrônio, 50, 290
*Pif Paf* (revista), 32
Piletti, Nelson, 95
Piñon, Nélida, 187
Pinto, Christina Carvalho, 273
Pinto, Magalhães, 33, 154
Pinto, Oscar Moreira, 180
Pinto Filho, Waldemar de Carvalho, 58
Pio XII, papa, 154
Pires, Antônio Carlos, 146
Pires, Glória, 146
Pires, José Maria, d., 81, 98
Pires, Walter, 202
Pitanguy, Ivo, 187
Pivot, Bernard, 246
*Planeta dos Homens, O* (programa de TV), 67, 69, 71, 75, 84, 110, 119, 121, 164, 169, 307
*Planeta dos macacos* (série de filmes), 69
*Playboy* (revista), 208, 241
Plínio Marcos, 220
*Poderoso chefão, O* (trilogia), 273
Poe, Edgar Allan, 71
Poitier, Sidney, 251
Polanski, Roman, 271
Poli, Dionisio, 181
*Polícia, A* (Sławomir Mrożek), 297
*Ponte da esperança, A* (filme), 61
Porchat, Fábio, 273
Porto, Paulo, 50
Porto, Sérgio, 28
*Post, The* (filme), 250
Power, Tyrone, 72-3
*Praça da Alegria* (programa de TV), 35
Prado, Décio de Almeida, 204, 257
Praxedes, Walter, 95
Preminger, Otto, 61
Prestes, Luís Carlos, 216
Price, Vincent, 72
*Prisioneiros, Os* (Rubem Fonseca), 242
*Programa do Jô* (programa de TV), 179, 265-7, 278, 299
Prósperi, Carlos, 28

*Pulga na camisola, Uma* (Max Nunes, org. Ruy Castro), 106
Puzo, Mario, 274

"Quadrilha" (Carlos Drummond de Andrade), 300
*Quadros de Luz* (Jô Soares), 190
Quadros, Eloá, 78
Quadros, Jânio, 77, 79, 239, 298
Quadros, Tutu, 78
Queirós, Duda, 290
Queirós, Eça de, 253
*Quem é Beta?* (filme), 152
Quércia, Orestes, 175
Quinderé, Maneco, 289

Rabello, Júlia, 290
Rachel, Tereza, 123, 186
Racy, Sonia, 267
Rai (chapeiro), 301
Raia, Claudia, 190-1
*Raízes do céu* (filme), 131
Ramos, Mário Leão, 22, 64-5
Ramos, Nereu, 115
Rand, Ayn, 296
Random House (editora), 248-9
Rangel, Flávio, 154, 225
Rangel, Pedro Paulo, 186, 296
Rathbone, Basil, 71-3
Ratinho (apresentador de TV), 266
Raw, David, 16, 18
Reagan, Nancy, 175
Reagan, Ronald, 175
Redi (cartunista), 33, 119, 175
Reinaldo (jogador), 203
Reis, Francarlos, 290-1
*Relíquia, A* (Eça de Queirós), 253
*Remix em Pessoa* (Jô Soares), 253
Resende, Otto Lara, 48-9, 100, 148, 151, 156, 158, 216
*Revolta de Atlas, A* (Ayn Rand), 296
Ribeiro, Agildo da Gama Barata (pai), 122
Ribeiro, Agildo, 50, 71, 121-3, 169

Ribeiro, Darcy, 156
*Ricardo III* (William Shakespeare), 125, 295
Ricca, Marco, 295
Rita de Cássia, santa, 103
Rivellino (jogador), 41, 203
Rizzo, Norival, 296
Roberto Carlos, 75, 77, 116, 174, 298-300
Robinson, Julie, 251
*Rocco e seus irmãos* (filme), 196
Rocha, Aurimar, 138, 140
Rocha, Glauber, 152, 175
*Roda Viva* (programa de TV), 119, 224, 253
Rodrigues, Aírton, 220
Rodrigues, Arlindo, 166
Rodrigues, Lolita, 220
Rodrigues, Lúcia, 95
Rodrigues, Nelson, 94-5, 102, 110, 158-9, 187
Rohter, Larry, 281
*Romeu e Julieta* (Shakespeare), 47, 125, 295-6
Roosevelt, Franklin Delano, 128
"Rosa morena" (canção), 45
Rosa, Noel, 107
Rosemburgo, Regina Maria, 152-3
*Rosto na noite, Uma* (filme), 61
Rousseff, Dilma, 267, 270
*Rowan & Martin's Laugh-In* (programa de TV), 42
Rubinho (guitarrista), 278
Ruiz, Guta, 296

Saad, João, 116
*Sábado* (filme), 138
Sabag, Fábio, 139
Sabin, Albert, 271
Sabino, Fernando, 100, 152, 154, 234
Sabu (ator), 286
Sadi, Andréia, 267
Saldanha, João, 204
Sales, Eugênio, d., 92

Salgado, Plínio, 89-90, 99-100
Salgado, Sebastião, 195
Salieri, Antonio, 62
Salles, Elisinha Moreira, 35
Salles, Walther Moreira, 35
Salles Jr., Walter, 35, 155, 194, 258
Sampaio, Silveira, 209, 215
Sandroni, Cicero, 253
Santa Rosa, Tomás, 95
Santana, Telê, 203-4
Santos, Mariana, 290
Santos, Nelson Pereira dos, 73, 137, 152
Santos, Osmar, 224
Santos, Sebastian Kassen Moreira dos, 301
Santos, Silvio, 48, 116, 185, 200, 210-2, 218, 228-30, 263, 265
*São Paulo noir* (org. Bellotto), 138
Saramago, José, 195, 271
Sarney, José, 155, 185, 208, 228, 230
Sartre, Jean-Paul, 248
*Satiricom* (programa de tv), 50-1, 58, 69, 110, 113, 146
Scapin, Cassio, 296
Scarpa, Chiquinho, 235-6
Schell, Carl, 61
Schell, Maria, 60-2
Schell, Maximilian, 61
Schenberg, Mário, 82
Schmidt, Augusto Frederico, 95
Schmidt, Bernardo, 77
Schmitt, Eric-Emmanuel, 296
Schneider, Romy, 198
Schwab, Luciano, 296
Schwarcz, Lilia Moritz, 244
Schwarcz, Luiz, 195, 241, 243-4, 247, 255
Scola, Ettore, 194
*Sedução da carne* (filme), 128
Seixas, Raul, 137
*Seja marginal seja herói* (estandarte de Oiticica), 23
Selva Neto, Alexandre dos Santos, 272
*Senso* (filme), 128

Sérgio Ricardo, 280
Serra, Cristina, 267
Serra, José, 266
Serson, David, 181-2
*Sertões, Os* (Euclides da Cunha), 249-50
Setti, Ricardo, 208
Severo, Ricardo, 290
Sexteto Onze e Meia, 45, 161, 179, 278
Sfat, Dina, 213
Shaffer, Peter, 62-3
Shakespeare, William, 16, 99, 125-6, 196, 291, 293, 295-6
Shawn, William, 249
Shearing, George, 224
Shelley, Mary, 284
Short, Bobby, 224
Silva, Edson, 139-40
Silva, Maria Aparecida Paes da, 215
Silva, Marluce Dias da, 263
Silva, Zileide, 267
Silva Filho, 45-7
Silvino, Paulo, 43, 71, 85-6, 121, 123, 159-60, 162, 164
Silvino Neto (pai de Paulo Silvino), 159
Simon, Neil, 186
Simon & Schuster (editora), 248
Simonal, Wilson, 23, 37
Simonsen, Mário Henrique, 145
Simonsen, Wallinho, 152
Sinatra, Frank, 45, 224
Singer, Lou, 45
Sirotsky, Ione, 54
Sirotsky Sobrinho, Maurício, 51-2, 54, 120
Siwa (vedete), 43
Smith, Maggie, 62
Soares, Edgard, 56-7
Soares, Elza, 45
Soares, Flávia Junqueira, 57-8, 103, 190-4, 212, 233, 243, 251, 261, 285, 301, 303
Soares, Ilka, 190
Soares, Mário, 155

Soares, Mercedes Leal (mãe de Jô Soares), 68, 246, 253
Soares, Orlando Heitor (pai de Jô Soares), 98, 306
Soares, Rafael (filho de Jô Soares), 81-2, 165, 260, 282-3
Sobral Pinto, Heráclito Fontoura, 30, 208
Sócrates (jogador), 203
*Sodoma e Gomorra: O último a sair apague a luz* (João Bethencourt), 73
Solnado, Raul, 114-5
*Songs from the Second Floor* (Roy Andersson), 206
Sousa, Ilda Ribeiro de, 272
Souza, José Antônio de, 186
Souza, Naum Alves de, 224
Souza Cruz, Alberico de, 263
Spacey, Kevin, 261
Spielberg, Steven, 250
"St. Louis Blues" (canção), 280
Stálin, Ióssif, 134
Stanislaw Ponte Preta *ver* Porto, Sérgio
Stendhal, 60
*Steve Allen Show* (programa de tv), 213
Stewart, Leroy Eliot "Slam", 257
Stoliar, Guilherme, 230
Streep, Meryl, 250
Stroppiana, Bruno, 251-2
Sullivan, Tim, 255
Szajman, Abram, 286
Szapiro, Alex, 273

"Tabacaria" (Pessoa), 260
Tahan, Ana Maria, 267
*Tales of Terror* (filme), 72
*Tangarella — A tanga de cristal* (filme), 137
Tarcisio Filho, 284
Tas, Marcelo, 224, 228
*Teatrinho Troll* (programa de tv), 139
Teffé, Dana de, 94
Teixeira, Anísio, 90
Tejada, Jo Raquel, 22

Temporão, José Gomes, 302
*Terceiro homem, O* (filme), 127
*Terei o direito de matar?* (filme), 195
*Terra* (Sebastião Salgado), 195
*Terra em transe* (filme), 175
Terra, Renato, 23
"Testarda io" (canção), 299
Tetê (sobrinha de Nalva), 300
Thatcher, Margaret, 175
Thiré, Cecil, 169
"This Is My Song" (canção), 251
Thomas, Daniela, 224, 285
Thomas, Gerald, 224, 284
*Times Square* (programa de tv), 41
*'Tis Pity She's a Whore* (John Ford), 196
*TJ Brasil* (telejornal), 229, 238
*Toda nudez será castigada* (filme), 110
*Toda nudez será castigada* (Nelson Rodrigues), 96
*Todos amam um homem gordo* (Jô Soares), 32-3, 36, 62, 277
Toledo, Roberto Pompeu de, 59, 244
Tomati (guitarrista), 278
*Tonight Show* (programa de tv), 22, 211, 214
Toole, John Kennedy, 250
Torres, Lula, 137
Torres, Marilu, 80
Tostão (jogador), 41, 119-20, 204, 213
Tozzi, Giovani, 296
Trapalhões (grupo humorístico), 79
Travesso, Nilton, 80, 186, 223
"Trepa no coqueiro" (canção), 286
*Três dias de chuva* (Richard Greenberg), 290
Trevijano, Nicolas, 296
Tristano, Lennie, 278
*Tróilo e Créssida* (William Shakespeare), 125, 288, 290, 295
Trótski, Liev, 60
*Tudo no escuro* (peça), 25, 63-4, 67
Tuta *ver* Carvalho, Antônio Augusto Amaral de
*TV Guide* (revista), 44

*TV Mistério* (programa), 141-3
*TV Mulher* (programa), 224
Tynan, Kenneth, 62, 129

*Última Hora* (jornal), 24, 28, 148
*Um por Deus, outro pelo diabo* (filme), 251
Updike, John, 271
Uris, Leon, 248

Vagareza (humorista), 43, 45
Valli, Alida, 128
Van Damme, Jean-Claude, 271
Van Weerelt, Willem, 212, 275
Vannucci, Augusto César, 41-2, 123, 169
Varela, Ernesto, 224, 228
Varella, Drauzio, 182-4, 301
Vargas, Getúlio, 16, 30-1, 90, 108, 115, 122, 255
Vargas Llosa, Mario, 271
Vasconcelos, José, 36, 121, 179
*Veja* (revista), 35, 37, 41, 44, 146, 149, 156, 223, 231, 236, 240, 252
*Veja o Gordo* (programa de tv), 225
*Vejinha* (*Veja São Paulo*, revista), 223
Velloni, Rodrigo, 290
Veloso, Caetano, 23-4, 75, 130, 155, 213, 299
Ventura, Zuenir, 253
Veras, Marcos, 290
Vereza, Carlos, 176-7
Verissimo, Erico, 120-1
Verissimo, Lucia, 120-1
Verissimo, Luis Fernando, 119-20, 151, 254, 260
*Vermelho e o negro, O* (Stendhal), 60
Viana, Mário, 108
Viany, Alex, 131
Vilela, Avelar Brandão, d., 81, 99
Villa-Lobos, Heitor, 287
Villani, maestro (pianista), 278
Villela, Gabriel, 224
*Violência e paixão* (filme), 299
*Visão* (revista), 35

Visconti, Luchino, 61, 128, 195, 299
*Viva o Gordo* (programa de tv), 64, 85, 161, 169-70, 175, 178, 190, 216, 228
*Viva o gordo e abaixo o regime* (Jô Soares), 165-6, 168, 181, 201
*Viver para contar* (Gabriel García Márquez), 17
*Voodoo Macbeth* (peça), 129
*Vovô Deville* (programa de tv), 16

Wainer, Samuel, 23, 28
Wallach, Joseph, 15, 21-2
Warshow, Robert, 150
*Washington Post, The* (jornal), 250, 255
Welch, Raquel, 22
Welles, Orson, 54, 125-31, 136, 138, 295
Wells, H. G., 129
Wilker, José, 290
Williams, Robin, 42
Wilma, Eva, 37
Winters, Jonathan, 214
Winters, Shelley, 293
Witte Fibe, Lillian, 267
Woods, Phil, 280

*Xangô de Baker Street, O* (Jô Soares), 81, 119, 138, 195, 245-7, 249, 251-2, 254, 260, 277, 282
Xuda (irmã de Tetê), 300-1

Yazeji, Antônio Carlos, 305-6
Yoshikawa, Eiji, 192
Yunes, Muhammad, 271

Zagury, Bob, 152
Zampari, Franco, 61
Zanicchi, Iva, 299
Zapir, Luis, 174
Zaret, Hy, 45
Zebini, Eduardo, 205
*Zélia, uma paixão* (Fernando Sabino), 234
Zeloni, Othelo, 35, 45, 63-4, 138, 155

Zerbini, Euríclides de Jesus, 33
*Zero Hora* (jornal), 52, 120
Zico (jogador), 203
Ziembinski, Zbigniew, 95, 297

Zingg, David Drew, 175
Ziraldo, 32, 35, 50, 55, 99, 165-6, 188, 224, 281-2, 285
*Zorra Total* (programa de TV), 110, 213

1ª EDIÇÃO [2018] 2 reimpressões

ESTA OBRA FOI COMPOSTA EM JANSON PELA SPRESS
E IMPRESSA PELA GEOGRÁFICA EM OFSETE SOBRE PAPEL PÓLEN BOLD
DA SUZANO S.A. PARA A EDITORA SCHWARCZ EM AGOSTO DE 2022

A marca FSC® é a garantia de que a madeira utilizada na fabricação do papel deste livro provém de florestas que foram gerenciadas de maneira ambientalmente correta, socialmente justa e economicamente viável, além de outras fontes de origem controlada.